KEVIN COSTNER

ROLAND FOURNIER

KEVIN COSTNER

ÉDITIONS DU ROCHER
Jean-Paul Bertrand
Éditeur

JEAN PICOLLEC
Éditeur

« Les acteurs sont le sujet
le plus sous-estimé de cette vaste littérature
qui s'entasse sur le cinéma. »

Orson Welles, *This is Orson Welles* (Moi Orson Welles),
Belfond, 1993.

« Les acteurs de cinéma sont toujours maudits.
Les grands acteurs le sont encore plus. »

Luc Moullet, *Politique des Acteurs*,
Cahiers du Cinéma, 1993.

INTRODUCTION

Le cinéma est né aux États-Unis [1] et a prospéré au moment même où les plus grandes vagues d'immigrants abordaient les côtes de ce pays. Pour la plupart de ces immigrants, le rêve de liberté, de chances accordées à chacun selon ses mérites, devait se matérialiser en quelque chose de palpable, en quelqu'un à qui s'identifier. Très vite le monde de l'Amérique se concrétisa dans le monde vu par le cinéma américain.

Comme a pu l'écrire l'Anglais Michael Wood, professeur d'anglais et de littérature comparée à l'université Columbia de New York, dans son remarquable livre *America in the movies* (« L'Amérique au cinéma [2] ») : « J'avais d'abord eu l'intention de comparer l'Amérique du cinéma avec l'autre Amérique, celle de la réalité, et de poursuivre la comparaison en détail. Mais quand j'eus terminé ma description de la première, je m'aperçus que j'en avais déjà beaucoup dit sur la seconde, et la liaison entre les deux me parut parfaitement claire : instable, étroite, à multiples facettes certes, mais très précise. »

C'est aussi ce que tous les immigrants pensèrent en s'asseyant dans les salles obscures des *nickelodeons* [3], dont le programme changeait toutes les semaines. Ils y découvrirent l'Amérique à

---

1. Nous ne rentrerons pas dans l'éternelle polémique frères Lumière contre Edison. Le développement ultérieur de l'invention renforce ce que nous affirmons.

2. Basic Books Inc, New York, 1975. Jamais traduit en français à notre connaissance !

3. Premières salles de cinéma où pour un « nickel » (10 cents soit 50 centimes), on pouvait rester tant qu'on le voulait.

laquelle ils aspiraient et les Américains qu'ils voulaient tous devenir : les vedettes qui savaient si bien communiquer avec eux. Elles devinrent leurs héros et ils voulurent leur ressembler. Le cinéma américain remplissait fort bien, grâce à ses acteurs, sa fonction de catalyseur de la culture unique de l'Amérique en train de se créer.

Mieux encore, le critique et écrivain David Robinson a écrit : « Les studios américains sont dévoués à la fabrication de rêves pour garder la nation heureuse à travers des périodes de crise », sans crainte d'être jamais démenti. Le cinéma américain a forgé plus qu'aucune autre activité ce qu'il faut bien appeler le modèle américain.

Aujourd'hui, ce modèle est en difficulté : la société multiraciale, multiethnique, pluriculturelle harmonieuse se porte mal, s'il faut en croire des événements récents, comme les émeutes de Los Angeles du printemps 1992. Dans son numéro du 8 juillet 1991 consacré à l'identité américaine, le magazine *Time* nous dit, dans son éditorial :

« Enfui, le concept du creuset (*melting-pot*) américain comme le seul endroit au monde où les immigrants laissaient leur passé pour forger leur avenir. Enfui aussi l'accent mis sur les idéaux jumeaux fédérateurs qui sont le fondement de l'expérience américaine : la liberté, les chances économiques pour tous. Les nouveaux immigrants sont issus de pays du tiers-monde et non plus d'Europe, mais leurs souhaits n'en sont pas moins les mêmes. Si tous les mythes fédérateurs n'assurent plus leur fonction, les États-Unis risqueraient d'imploser comme l'Union soviétique, la Yougoslavie et l'Inde. »

Le grand historien Arthur Schlesinger Jr, dans le même numéro de *Time*, estime que « les nouveaux immigrants viennent pour les mêmes raisons que les anciens : pour échapper à la pauvreté, au désespoir ou à l'oppression, pour trouver des opportunités économiques et vivre libres ». Plutôt que de chercher d'autres ciments fédérateurs comme le souhaiteraient les adeptes des thèses polyculturelles, la plupart afro-américains, il faut d'après lui s'accrocher aux ciments qui ont fait leurs preuves, sous peine que le modèle éclate vraiment.

Encore une fois, le cinéma va jouer un rôle considérable pour maintenir le ciment fédérateur et la cohésion de la seule société au monde multiraciale, multiethnique et pluriculturelle qui soit toujours harmonieuse. Mais, comme par le passé, le puissant levier de motivation qu'est l'identification devra fonctionner à plein : l'Iranien, le Sri-Lankais, l'Haïtien, le Cambodgien, le Guatémaltèque vibreront comme leurs prédécesseurs grecs, lituaniens, russes, siciliens, chinois le faisaient devant leurs acteurs héros – si un ou plusieurs acteurs permettent une telle identification.

Les années vingt ont établi ainsi Douglas Fairbanks, un piètre acteur, roi incontesté de l'Amérique, que les têtes couronnées s'arrachaient ! Charlie Chaplin en fut le prince, avant que les années cinquante ne l'obligent à l'exil.

Les années trente virent Errol Flynn, Gary Cooper et Henry Fonda reprendre le flambeau. Les années quarante y ajoutèrent James Stewart et John Wayne. Ils se maintinrent tous jusqu'à leur mort : 1961 pour Gary, 1971 pour John, 1982 pour Henry – sauf Errol, que sa déchéance alcoolique précipita dans l'oubli avant sa mort prématurée en 1959, et James, qui vit une retraite bien méritée. Seuls Paul Newman et Robert Redford purent prétendre à leur succession à la fin des années soixante. Mais ils vieillissent et leurs carrières s'étiolent.

Certains s'étonneront, voire me reprocheront que ne figurent ni James Cagney, ni Humphrey Bogart, ni Robert Mitchum, ni Clark Gable, ni Kirk Douglas, ni Gregory Peck, ni Marlon Brando, ni même Cary Grant. La raison principale en est que les Américains ne s'identifièrent jamais totalement avec ces acteurs, soit qu'ils aient joué trop de rôles de méchants (Cagney, Bogart, Mitchum et Douglas), soit que, uniquement séducteurs, ils aient été perçus comme des rivaux (Gable, Grant et Peck), soit qu'ils aient incarné trop d'anti-héros ambigus (Brando, Mitchum et maintenant De Niro). D'ailleurs, pour ces derniers, les critiques de cinéma comme les spectateurs ont trouvé une autre catégorie qui leur convient mieux : celle des rebelles, à laquelle appartient aussi une autre légende, James Dean.

Mais que faut-il donc faire, quels personnages faut-il incarner pour devenir cet acteur mythique auquel les Américains s'identifient, que les Américaines rêvent d'épouser ou de marier à leur fille :

– Un joueur de base-ball, ou un entraîneur ;

– un héros du folklore mondial, aux origines anglo-saxonnes de préférence ;

– un pilote de guerre, en lutte contre un pays totalitaire et oppresseur ;

9

– un hors-la-loi de l'Ouest plutôt sympathique ;

– un officier de marine (la Navy a toujours la cote) ;

– un policier ou un détective privé intègre (attention, le FBI n'est plus populaire) ;

– un homme de l'Ouest solitaire, mais défenseur de l'opprimé, de préférence un shérif ;

– un personnage de l'histoire américaine, si possible un grand président ou un général ;

– un espion défenseur de son pays contre un État agressif, ou mieux une dictature (attention ! la CIA a une image très négative) ;

– un homme intègre poursuivi par de sinistres représentants d'organisations douteuses, de préférence la Mafia, la CIA ou l'IRS [1] ;

– un officier de l'armée de l'Union pendant la guerre de Sécession ;

– un colon ou un officier compréhensif vis-à-vis des Indiens pendant la Conquête de l'Ouest (attention ! le tueur de Peaux-Rouges est devenu impopulaire) ;

– un charmeur de comédie qui ne soit pas trop sûr de lui, ou un séducteur fatigué ;

– un grand artiste américain (plutôt un musicien de jazz ou un architecte).

Tous ces personnages, que n'interprètent plus guère les géants éphémères [2] du box-office actuel, restent pourtant chargés d'émotion pour les Américains, qu'ils soient « de souche » ou nouveaux arrivants. Les grands acteurs mythiques que nous avons cités les ont tous incarnés, mais personne, dans les années quatre-vingt saturées d'anti-héros violents, ne semblait prendre la relève. Cependant, petit à petit, un acteur timide mais déterminé a fait son chemin, et dès le début des années quatre-vingt-dix a pris une sérieuse option comme représentant de cette prestigieuse lignée. Ce livre est son histoire, celle de Kevin Costner, le nouveau prince d'Hollywood, l'homme de l'Ouest retrouvé.

---

1. Internal Revenue Service : service des impôts sur le revenu.
2. Il est rare aujourd'hui qu'un acteur reste de longues années en tête du box-office : Clint Eastwood fut le dernier en date. Peut-être Kevin Costner sera-t-il le prochain...

CHAPITRE I

IT'S A LONG WAY... TO HOLLYWOOD !

L'image est classique. Un superbe cirque de montagnes se profile au loin, tandis qu'au milieu de la prairie coule une rivière bordée d'arbres. Soudain, dans la splendeur du soleil couchant, un groupe d'Indiens à cheval sort des sous-bois et se dirige vers nous à bride abattue. Cette vision du paradis des premiers âges de l'Amérique hante des millions d'enfances. C'est l'époque où l'horizon n'est pas bouché par des bâtiments, où la nature est intacte, où les animaux courent en liberté. Pour tous les jeunes Américains, la scène est encore plus parlante que pour nous. Il s'agit de leur terre, de leur pays, de leur histoire. Pour l'un d'entre eux en particulier, issu d'une famille des grandes plaines de l'Oklahoma, c'est la saga familiale qui revit. Il se nomme Kevin Costner, il est né le 18 janvier 1955, loin de l'Oklahoma, à Lynwood, l'un des quartiers prolétaires de la mégapole californienne : Los Angeles.

Son arrière-grand-mère paternelle Tig [1] est une pure Cherokee, qui épousa l'un de ces immigrants allemands venus en masse lors des ruées vers l'Oklahoma [2], afin de peupler cette terre, abandonnée jusque-là aux Indiens. Les Costner s'y étaient alors

---

1. Elle donnera son nom à la compagnie de production de Kevin.
2. Du 22 avril 1889 au 25 mai 1895 eurent lieu cinq courses ouvrant aux immigrants des milliers d'hectares de terres reprises aux Indiens qui y avaient été déportés entre 1820 et 1840. Le premier arrivé sur un lopin de terre en était déclaré propriétaire. Trois films ont immortalisé cette ruée : *Les Fils de la prairie (Tumbleweeds,* 1925) de William S. Hart, *Cimarron* (1931) de Wesley Ruggles, et *La Ruée vers l'Ouest* (*Cimarron,* 1960) d'Anthony Mann.

implantés comme fermiers. Les Cherokees, à l'issue de « la marche à la mort [1] » qui leur fut imposée par le président Andrew Jackson, s'arrêtèrent en Oklahoma et y firent souche. Étant les seuls Indiens à s'assimiler sans problème, ils furent nombreux à se marier avec des Blancs.

Plus que cet épisode classique, une scène de spoliation des Indiens frappe la jeune imagination de Kevin. Elle est tirée de la deuxième moitié du film fleuve en cinérama *La Conquête de l'Ouest* (*How the West was won*, 1962 [2]), que le garçon voit à l'âge de dix ans. Furieux d'avoir été trompés par les représentants de la compagnie de chemin de fer Union Pacific, les Sioux lancent à l'assaut des rails et des installations une multitude de bisons qui détruisent tout sur leur passage. Kevin ignore en voyant cette scène que vingt-cinq ans plus tard il réalisera lui-même une chasse aux bisons [3], dont l'ampleur et le réalisme dépasseront ceux de *La Conquête de l'Ouest*. Pour l'heure, le cinéma le fascine, mais pas plus que la majorité des gamins de son âge.

Kevin est élevé à Compton, un faubourg populaire de Los Angeles. La famille Costner y a échoué après sa longue marche à l'issue de la crise des années trente. Kevin se représente la jeunesse de son père comme sortie des *Raisins de la colère* [4] : « Ma famille paternelle perdit tout pendant la grande crise. Elle perdit ses terres dans la *Dust Bowl* [5] et fit le chemin d'Oklahoma en Californie. C'était des *Okies* [6] comme dans *Les Raisins de la colère*. Ils vinrent

---

1. Appelée « la piste des pleurs » par les Cherokees, cette marche forcée de Géorgie en Oklahoma eut lieu en 1838 et 1839, dans des conditions déplorables, sous la surveillance de l'armée.

2. Mis en scène par John Ford, George Marshall et Henry Hathaway (pour la séquence qui nous occupe).

3. Le bison obsède tellement Kevin qu'il pensa en faire l'emblème de sa compagnie de production Tig. Mais *Savoy Pictures* avait déjà déposé « ses » bisons comme logo.

4. Célèbre roman de John Steinbeck qui obtint le prix Pulitzer et devint un film de John Ford avec Henry Fonda (1940).

5. Nom donné à une grande partie du *Middle West*, dont les champs disparurent emportés par le vent, du fait du manque de haies et de rideaux d'arbres pour fixer la couche de terre fertile.

6. Nom donné aux habitants de l'Oklahoma, considérés comme des bouseux, mais pas aussi arriérés que les *Hillbillies*, habitants des collines de l'Arkansas, du Kentucky et du Tennessee.

de Guymon, dans une Ford modèle A, n'emportant avec eux que ce qui tenait dans la voiture. Cela nous donna une vision lucide des choses. Et fit naître ce besoin de sécurité financière que je continue à éprouver aujourd'hui, où j'ai plus que je n'avais jamais imaginé posséder un jour. »

Le père, Bill, hanté par son enfance dans les grandes plaines de l'Oklahoma, sait communiquer cette nostalgie des espaces de l'Ouest à ses deux fils : Kevin et son frère aîné Dan, né en 1950. Bill était poseur de câbles électriques à la compagnie Edison de Californie du Sud. Jusqu'à ce que Kevin ait six ans, il grimpait aux poteaux pour réparer les lignes. « Quand j'étais enfant, dès que mon père rentrait à la maison, mon frère et moi l'attendions. C'était un ouvrier, un monteur en réseau aérien pour Edison, et nous faisions la course à celui qui délacerait ses bottes le plus vite. Mon frère s'occupait de la gauche et moi de la droite ; au milieu mon père était aux anges. Je voulais tant lui faire plaisir [1]. » Les promotions successives du père entraînent de nombreux déplacements, et la famille Costner redevient nomade, comme au temps de la crise. Elle s'installe à Santa Paula, Ventura, Visalia, Ojai [2], pour quelques mois ou quelques années, cependant que Bill devient contremaître puis cadre.

Kevin, comme tous les gamins ballottés de ville en ville et d'école en école, est un enfant très difficile. Il change souvent de place dans la classe, on le met à la porte, quand il ne finit pas dans le bureau du directeur de l'école. Il se bat beaucoup à la récréation et à la sortie des classes.

Les traits principaux de son caractère se développent alors : un sentiment d'infériorité doublé d'insécurité, un désir permanent d'être approuvé par son entourage, une recherche de la difficulté et de la perfection, un besoin de reconnaissance sociale, mêlé plus tard à un rejet de la foule et des admirateurs empressés. « J'étais toujours exclu. Je n'avais aucun sentiment d'appar-

---

1. Cité dans les livres *Kevin Costner* de Todd Keith (1991), Ikonprint (Londres), et *Kevin Costner Prince of Hollywood* de Kelvin Caddies (1992), Plexus (Londres).

2. Où Kevin fréquenta la *Thatcher School,* connue pour avoir accueilli un illustre élève au début du siècle : l'homme le plus riche du monde, Howard Hughes.

tenance à un groupe avant que n'arrive la fin de l'année – et à ce moment-là nous déménagions. »

Passer chaque année d'un lycée à l'autre ne facilite pas les études. Kevin est donc dans le meilleur des cas un élève très moyen, ce qu'il reconnaît du reste facilement. Pour surmonter sa timidité et se faire accepter, il se lance dans le sport avec acharnement. Il pratique le basket et le base-ball, au point d'obtenir les lettres [1] dans les deux cas. Il ne néglige pas pour autant le football (américain bien sûr). « Le sport, au-delà de son aspect évident de compétition, apprend à partager avec les autres et à être réglo. Et j'ai toujours aimé me rouler dans la boue. Quand j'étais petit, je n'étais pas très souvent nickel. Vous pouvez transposer cela en termes de jeu de l'acteur. On ne me prendra pas souvent en train de mentir. J'ai confiance, les scènes difficiles viennent naturellement. L'athlétisme m'a toujours rendu heureux, parce que j'étais au cœur de l'action. » Mais aussi : « Je pense que j'aime le sport à cause de mon père. Il n'a jamais insisté pour que je joue avec lui [2], ce qui me donnait encore plus envie de le faire. Il est pour moi l'exemple même de la façon dont un père devrait entraîner son fils. »

Cette relation père-fils, très importante dans la vie de Kevin, et qu'il partage avec les grands acteurs de légende (Gary Cooper, James Stewart, Henry Fonda, Errol Flynn), se reflétera dans certains de ses films : *Jusqu'au bout du rêve, The Bodyguard* et *Wyatt Earp* entre autres. Son père ne l'a pas vécue de la même façon. « Dès son premier jour Kevin n'en a fait qu'à sa tête. Une fois il a pris la décision d'organiser une parade dans son école. Je trouvais que c'était trop difficile pour un gamin de onze ans et je le lui ai dit. Il m'a répondu : "Papa, ne me dis jamais que je suis incapable de faire quelque chose." Il a passé outre et il a organisé la parade. »

Cette anecdote en dit long sur un trait de caractère essentiel de Kevin Costner : sa volonté inébranlable, qui le rend capable de tout entreprendre, surtout si son entourage l'en croit incapable.

---

1. Aux États-Unis, dans les lycées, collèges et universités, les bons joueurs dans un sport ont le droit de porter de grandes lettres cousues sur leurs sweaters et blousons pour les distinguer des autres.

2. Phénomène culturel très important aux États-Unis, où les pères entraînent leurs enfants au base-ball et au football.

Toute sa vie professionnelle sera guidée par ce désir : prouver aux sceptiques qu'ils ont tort de ne pas croire en lui.

Comme tous les enfants souvent changés d'école et obligés de se faire de nouveaux amis à chaque fois, Kevin est doué d'une très grande imagination et il rêve beaucoup, ce qui se traduit chez lui par un grand amour du cinéma. « Je crois à la magie du cinéma, au fait que quelque chose de grand va se passer devant nos yeux. Je me souviens quand j'avais quatre ans d'être allé en pyjama avec ma mère déposer mon frère au cinéma, et d'avoir regardé par la vitre arrière sous la pluie les grandes lettres rouges inscrites au fronton, ma mère les épelant pour moi : B-E-N-H-U-R. Et depuis je n'ai jamais oublié. Mais je n'ai jamais véritablement pensé qu'un jour je serais moi-même dans le cinéma. Je pensais que ces gens étaient, d'une façon mystérieuse, nés sur l'écran. »

Kevin avoue aussi ailleurs : « Je n'avais aucun exemple sous les yeux pour penser qu'un jour je deviendrais une vedette de cinéma. J'ai toujours aimé le cinéma et les acteurs, mais une carrière cinématographique ne me semblait pas un choix réaliste en ce qui me concernait personnellement. Je me serais perdu moi-même à l'intérieur des films. J'avais une vie fantasmagorique et onirique très active. Je me souviens d'avoir vu à dix ans *La Conquête de l'Ouest,* et certains moments me firent frissonner par leur magie. » Ce sera là une motivation fondamentale de l'acteur-producteur-metteur en scène Kevin Costner : réaliser des films épiques et poignants, qui font vibrer.

Cela exclut les films d'horreur, *a fortiori* les « gore [1] ». Kevin se souvient d'avoir vu à neuf ans *Chut chut, chère Charlotte* [2], avec Bette Davis en tueuse psychopathe, et d'avoir été si terrorisé qu'il en avait eu des cauchemars et qu'il avait dû dormir avec la lumière allumée pendant quelque temps. Cette anxiété se trouvait renforcée par sa petite taille. Kevin ne mesure qu'1,57 m jusqu'à l'âge de quinze ans, et tout le monde à l'école se moque de lui. Ajoutons-y le changement fréquent de domicile, et

---

1. Films où le sang inonde l'écran, remplis de décapitations, membres coupés, écartèlements et autres tortures. L'humour de certains masque mal leur mauvais goût.
2. Film d'horreur de Robert Aldrich (1965).

l'on comprend pourquoi Kevin se réfugie dans le cocon familial ou dans les rêves.

Bill Costner emmène ses deux fils dès leur plus jeune âge en promenade, souvent pour chasser. Kevin partage cela avec Gary Cooper, qui aimait lui aussi chevaucher dans les vastes étendues de son Montana natal avec son père et son frère, le plus souvent à l'intérieur du ranch familial.

Kevin n'a jamais caché son goût pour les armes à feu. Son premier fusil, une Winchester BB, lui est offert à cinq ans. Son père lui apprend à chasser très jeune, et Kevin se souviendra des risques qu'il prenait alors : « Je me revois quand j'étais un gosse, tranquillement assis avec mon fusil dans les bras. C'est un miracle que je sois encore vivant. Je me glissais dans des tunnels, dans des fossés d'irrigation, sans la moindre idée de l'endroit où ils me menaient. J'étais un véritable aventurier. Ma mère ne me voyait qu'à la nuit tombée, quand je rentrais. Sa seule recommandation était : "N'y va pas avec tes vêtements d'école." » Une mère compréhensive, donc – ce qui semble normal de la part d'une assistante sociale, profession fréquente chez les descendants d'immigrants irlandais. Les Irlandais se sont toujours mis au service de la communauté : flics, juges, syndicalistes, politiciens, médecins pour les hommes [1] ; infirmières et assistantes sociales pour les femmes.

Kevin pourtant parle très peu de sa mère. Elle est le centre du foyer, mais c'est tout. C'est le père qui est le modèle, l'inspirateur. « Quand j'ai eu sept ou huit ans, mon frère et moi avions des fusils. Papa les réglait et nous partions tous les trois ensemble dans les bois et les collines. Il fut mon professeur, il m'apprit la loyauté, l'amitié et comment faire toujours mieux. Ce n'est pas un credo de scout. La vérité et toutes ces choses-là n'ont jamais été vraiment démodées. » Ces vertus, très liées à la conquête de l'Ouest et aux pionniers, sont profondément ancrées dans le cœur de Kevin Costner depuis son plus jeune âge. Il les partage avec Gary Cooper, dont le père était juge, et avec James Stewart, dont le père était très religieux. Elles affleurent constamment dans ses rôles, dans ses films, dans ses actes professionnels ou privés.

---

1. Des rôles que tient Spencer Tracy, l'un des acteurs fétiches de Kevin.

Kevin, élève médiocre mais excellent sportif, trouve le temps de prendre des leçons de piano, d'écrire de la poésie et de chanter dans le chœur de l'Église baptiste, à qui le jazz doit tant. Une bonne éducation bourgeoise en somme, qui laisse toute sa place à l'imagination, mais réserve peu d'aventures – hormis les déménagements, qui furent d'après l'aîné Dan une expérience positive parce qu'ils leur donnèrent « une aptitude à développer leur confiance intérieure, à surpasser les autres de bonne heure ».

Dan est à l'origine de l'événement majeur de l'adolescence de Kevin. En 1968, son frère est appelé sous les drapeaux, et il choisit les Marines pour faire la guerre au Viêt-nam. (Gary Cooper lui aussi avait vu son frère aîné s'engager en 1917 et partir pour la France.) Kevin éprouve au départ de Dan une peine immense, qui ne s'éteindra que longtemps après son retour ; les deux frères sont très proches l'un de l'autre. Les lettres, les cassettes et les journaux de marche que Dan envoie à Kevin devaient lui servir à écrire un roman sur le Viêt-nam, qu'il ne finira jamais, sans doute pas assez satisfait du résultat ; toujours le même perfectionnisme.

L'expérience vécue par son frère conduira même plus tard Kevin à refuser un rôle [1] qui pouvait être décisif pour le décollage de sa carrière d'acteur.

Tout le temps que son frère passe au Viêt-nam, au plus fort de la guerre, Kevin le passe au cinéma ou presque. Quels films va-t-il voir ? Des westerns, des films d'aventure, des drames sentimentaux. « De l'héroïsme à l'état pur, de grandes histoires d'amour qui me donnaient des frissons dans le dos, se souvient-il. J'étais particulièrement captivé par les conflits intérieurs. Pour moi, le drame, c'est un conflit – un combat pour ne pas faire quelque chose. Un conflit caractéristique est de vouloir embrasser une femme et de ne pas le faire. Une fois que vous le faites, c'est de l'action. L'action c'est formidable, je sais ce que c'est. Mais vous devez comprendre d'où elle provient. » Les dialogues et les intrigues de ces films ont formé son code de conduite : le sens du bien et du mal. Sa morale a été forgée par son éducation baptiste, par le sens de la mesure propre aux

---

1. Le rôle principal de *Platoon,* que lui proposa Oliver Stone, et qui échut à Charlie Sheen.

petites villes américaines, et par le grand cinéma hollywoodien : un ensemble très cohérent.

Kevin voit tous les films dans lesquels joue Steve McQueen, et il cite souvent *Les Sept Mercenaires* comme l'un de ses films fétiches. Il voudra rendre hommage plus tard à Steve en tournant *The Bodyguard*. De toute façon, nous avoue-t-il, « J'aime tous ceux qui vinrent avant moi. J'admire Gregory Peck, James Stewart et Spencer Tracy. Je veux que mes enfants pensent de moi que je suis quelqu'un comme Spencer Tracy. » Il adore aussi *La Prisonnière du désert* pour John Wayne, *La Poursuite infernale* pour Henry Fonda. Ce dernier film a une telle influence sur lui qu'il voudra à tout prix interpréter Wyatt Earp un jour. Curieusement, en ce qui concerne James Stewart, Kevin ne cite parmi ses préférés que *L'homme qui tua Liberty Valance* et *La Conquête de l'Ouest*.

Il paraît inutile de souligner combien Kevin apprécie le réalisateur John Ford, puisque les quatre films qu'on vient de mentionner sont de lui. Il adore aussi les films de Frank Capra, d'où peut-être sa ressemblance avec les James Stewart et Gary Cooper de cette période. Étrangement, Kevin n'a jamais cité à notre connaissance parmi ses acteurs préférés Paul Newman ou Robert Redford – peut-être parce qu'ils appartiennent presque à la même génération que lui, et qu'il préfère les anciens de la grande époque. De même, les autres acteurs et les critiques prononcent plus souvent que lui le nom de Gary Cooper. Est-ce parce qu'il n'eut pas l'occasion de voir tous ses films, ou qu'il n'ose se comparer à lui ?

Pourtant, nous allons essayer de montrer combien son jeu et ses films le rapprochent de tous ces acteurs. Ils sont d'ailleurs inscrits dans son nom personnel : COoper, STewart, NEwman, Redford. D'autres lui ressemblent moins par leur jeu, mais plus par les films dans lesquels ils ont tourné, et ils complètent le tableau : Henry Fonda, John Wayne, Errol Flynn, Spencer Tracy, Gregory Peck et Steve Mac Queen, dont on a déjà parlé.

Kevin est en terminale à la Villa Park High School du grand Los Angeles. Il n'y est pas plus discipliné que dans le primaire et le secondaire. Quand ses parents partent quelques jours à San Francisco en 1972, pour assister à la remise de décoration de Dan, il s'empresse d'inviter des camarades chez lui, ayant peur de la solitude. Au cours d'une de leurs nombreuses javas nocturnes, ils cassent la table en verre du salon, mais ils parviennent à la remplacer par celle d'une caravane, volée dans un *trailer park*[1]. Cette année-là est très difficile, « une époque très confuse », avoue-t-il. Il sèche les cours, s'aperçoit au cours d'un match de base-ball, où il rate inexplicablement trois balles, qu'il a des problèmes de vision. Depuis il a besoin de lunettes, ce qui lui pose d'énormes problèmes pendant les tournages, puisque ce n'est que dans *JFK* qu'il en portera à l'écran. Ce handicap s'ajoute au complexe qu'il fait sur sa petite taille d'alors.

Curieusement, malgré sa fréquentation assidue des cinémas, Kevin ne songe toujours pas à devenir acteur. Pour lui, comme pour Gary Cooper avant lui, il s'agit d'un monde réservé, inaccessible pour quelqu'un de son milieu. Il faut dire que dans sa génération seuls les rejetons des personnalités du cinéma semblent avoir accès à la profession : les Fonda (Peter, Jane, puis Bridget), Douglas (Michael, Peter, Eric), Penn (Chris, Sean), Curtis (Jamie Lee), Bridges (Jeff, Beau), Fisher (Carrie), Minnelli (Liza), Ladd (Alan Jr., Cheryl, Diane), Mankiewicz (Chris, Tom, Francis), Heston (Fraser Clark), Kazan (Nicholas), Weinstein (Lisa, Paula), Ephron (Nora, Delia), Peck (Cecilia, Peter), etc. La liste est longue sans oublier les Jaffé, les Schneider, les Farrow, les Goldwyn, les Stevenson, etc. Arrêtons là !

Kevin a souvent confié que cet aspect des choses l'avait bloqué pendant très longtemps, et que sa vocation n'avait pu de ce fait se révéler que tardivement.

Autre élément déterminant : contrairement aux Américains de son âge, pour qui la « drague » est un sport obligé, Kevin fait preuve d'une timidité maladive envers les filles. Écoutons Peggy Stevenson, une de ses camarades de classe à la Villa Park High School : « J'ai toujours pensé que Kevin était beaucoup plus gentil et sensible que les autres garçons. Avec son passage du sport au cinéma, ces qualités se révèlent et brillent de mille

---

1. Phénomène typiquement américain : parc aménagé où d'immenses caravanes, grandes comme des appartements, sont habitées par des gens qui déménagent souvent et qui les emportent avec eux, ce qui leur évite de changer de maison autant de fois que de lieu de résidence.

feux. » Une fois de plus, il partage cette timidité à l'égard des femmes avec les deux acteurs auxquels il s'identifiera de plus en plus au fil des années : Gary Cooper et James Stewart. Cette même allure gauche, réservée et galante, loin de leur être préjudiciable, va en faire les coqueluches de ces dames, plus encore que les grands séducteurs. Kevin lui-même pense qu'il a été un attardé en ce qui concerne les choses du sexe, et que cela peut constituer un avantage.

Le voici donc en 1973, à 18 ans, se présentant au bac, qu'il décroche du premier coup. Après les épreuves, il construit un canoë et part naviguer sur les rivières que les deux grands explorateurs Merriwether Lewis et William Clark remontèrent au cours de leur fameuse expédition vers le Pacifique (1804-1806). Ainsi il va ramer sur le Missouri, la Snake, la Salmon (la « rivière sans retour [1] ») et la Columbia. Kevin est d'ailleurs persuadé que si la réincarnation existe, il a été l'un des pionniers des grands espaces dans une vie antérieure : un *Jeremiah Johnson* mâtiné de *Convoi sauvage* avec un zeste de *Will Penny* sur fond de *Josey Wales hors-la-loi*, pour ne parler que des films qu'il a aimés. On ignore s'il a pu voir *Les Horizons lointains* de Rudolph Maté, seul film sur l'épopée de Lewis et Clark, ou *La Captive aux yeux clairs* d'Howard Hawks, qui rend très bien compte de la vie des pionniers. Il se confie dans une interview au magazine *Time* : « Savez-vous pourquoi les Américains s'installant dans un autre pays se sentent parfois complètement chez eux ? Eh bien, pour moi, une petite route de campagne a toujours été l'endroit idéal. Je trouve très romantique l'image d'un homme sur un cheval, totalement indépendant, transportant tous ses biens avec lui. Quand j'avais dix-huit ans, j'ai quitté Los Angeles et construit un canoë, j'ai pagayé le long des rivières où Lewis et Clark naviguèrent au cours de leur périple jusqu'au Pacifique (...) L'histoire américaine tient une place essentielle pour moi. » Il n'est donc pas étonnant qu'il s'intéresse tout spécialement à l'Amérique de la Frontière, à celle des débuts, des pionniers.

---

1. Surnom donné à cette rivière à cause de ses rapides particulièrement dangereux, qui procura son titre au western d'Otto Preminger avec Marilyn Monroe (1954).

Kevin, son bac en poche, arrive à l'université de l'État de Californie à Fullerton [1], où il s'inscrit en marketing, un excellent choix à l'époque, fortement conseillé par son père. « J'ai obtenu mon diplôme en un peu plus de quatre ans. Aucun de mes condisciples dans la fraternité [2] n'y parvint. Ils le firent tous en cinq ou six ans. Mais je ne savais pas pourquoi j'allais en cours ; mon idée était d'en finir aussi vite que je le pouvais. » Ce manque de motivation, cette hâte à en sortir furent accentués par deux événements capitaux.

Le premier est sa rencontre avec Cindy Silva [3], une camarade de collège de quatre ans sa cadette, bien meilleure élève que lui, puisqu'elle termine Delta Khi [4] en biologie. Elle deviendra son épouse, mais pas pour la vie semble-t-il. Le deuxième est la découverte de sa vocation pour le cinéma.

Lors d'une soirée dansante, en mars 1975, il rencontre Cindy. « Ce fut un moment délicat pour moi, se souvient-elle, car je sortais avec un autre garçon à l'époque et j'étais allée à cette soirée avec sa sœur. Alors je vis Kevin. Je n'arrêtais pas de le regarder, mais je devais rester discrète. Il m'invita à danser, puis il s'éloigna, revint m'inviter une deuxième fois, s'éloigna à nouveau. Nous avons dansé ainsi cinq fois. Il portait un pantalon à deux sous, il avait les cheveux en arrière, un sweater sur les épaules et l'air si mignon. Bientôt ce fut comme pour Cendrillon, il était dix heures et demie et je dus partir. Je rentrai et réveillai ma mère. »

_____

1. Le S.A.T., équivalent de notre bac, ne donne droit à l'entrée dans les universités qu'en fonction des notes obtenues : si elles sont excellentes, l'étudiant a accès aux institutions privées prestigieuses et très chères (Stanford, UCLA, University of Southern California, Berkeley, Caltech, équivalents pour la Californie de Harvard, Yale, Princeton, Columbia, MIT) ; si elles sont seulement satisfaisantes, il doit se contenter des universités publiques, moins chères (le réseau des California State University pour la Californie, avec de nombreux campus dans tout l'État).

2. Institution exclusive des campus américains : il s'agit du bâtiment où l'on a sa chambre, et par extension des étudiants qui y logent.

3. Les Silva sont des descendants d'immigrés italiens.

4. Aux États-Unis, des lettres grecques désignent les forts en thème : Bêta Khi, puis Gamma Khi, encore plus forts, Delta Khi, et enfin les cracks, les Kappa Phi.

Son prince charmant se souvient lui aussi de ce moment magique. « Je ne fréquentais pas beaucoup les filles, je n'avais pas de vrais moments de détente avec elles, parce que ma mère me disait toujours : "C'est très facile de tomber amoureux, mais ne sors jamais avec une fille que tu ne voudrais pas épouser." Le samedi soir arrivait et les garçons étaient paniqués s'ils n'avaient pas une fille avec qui sortir. Je ne suis pas passé par là. Je ramassais les filles. J'étais habitué aux poules, je savais leur parler. Mais quand Cindy est entrée... elle était si belle, si parfaite, elle irradiait. Elle avait ces grands yeux que j'aime tant. Mais je ne pensais pas qu'elle me remarquerait. Je pensais que Blanche-Neige ne s'abaisserait pas à regarder un gars comme moi – un rat de Compton. Je n'étais pas le Prince charmant. Quand je l'ai rencontrée, ce fut le coup de foudre, bien que là aussi j'aie été très long à démarrer. » Après cette soirée, ils se virent souvent, au point de devenir inséparables. Il fallut cependant beaucoup de temps avant que Kevin ne se décide à embrasser la fille aux grands yeux : « Nous allions voir le film *Funny girl* et en chemin je voulus la présenter à mes parents. J'étais très fier qu'une fille comme elle sorte avec moi. Je voulais dire à mes parents : "Vous voyez, je ne suis pas un raté" [1]. »

Quant à sa vocation d'acteur, elle naquit le jour où il vit, pendant un cours de comptabilité où il s'ennuyait particulièrement, une annonce pour des auditions en vue d'une pièce intitulée *Rumpelstiltskin*. Il a très bien décrit l'épisode dans un entretien accordé au magazine *Studio* en mars 1991 : « Très tôt, j'ai eu conscience que si je voulais être totalement heureux dans ma vie, être une personne à part entière, je devais trouver quelque chose que je puisse faire passionnément. Et ce jour-là, quand j'ai passé cette audition à laquelle je m'étais inscrit presque par hasard, j'ai su que ma passion serait de jouer la comédie. Cela m'est apparu aussi clairement qu'un jour sans nuages. Je sais que ça peut paraître étrange, d'autant plus que ce jour-là je n'ai pas été choisi, parce que je n'avais pas été bon ! Mais je crois que le plaisir que j'avais pris à tenter ma chance était encore plus fort que si j'avais gagné ! Je savais que je venais de trouver ma voie

---

1. Entretien avec Edward Klein dans *Vanity Fair* de 1991, à qui il avoue, pour la seule et unique fois, « avoir couché avec des filles avant [son] mariage. Mais pas beaucoup ».

et que plus jamais je ne reviendrais en arrière. Mais il a d'abord fallu que j'apprenne ce que c'était, jouer. Je me suis inscrit à des cours. Au bout d'un an nous réalisions des petits films d'école, mais je me suis vite rendu compte que cela ne me suffisait pas. Ça ne me comblait pas, ça ne me procurait aucun plaisir. »

1978 va être pour lui une année exceptionnelle. Au début de l'année, il se décide à entrer dans une coopérative d'acteurs, la *South Coast Actors Co-op*. Il apparaît dans de nombreuses pièces de théâtre produites par la troupe, mais il n'est pas encore « assez courageux pour faire le grand saut ». Il continue ses cours de marketing, mais sans grande conviction, simplement pour faire plaisir à ses parents, traditionalistes, qui payent les études de leur fils et qui n'auraient rien compris à un tel revirement.

Après plusieurs étés au cours desquels Kevin a pêché le saumon ou travaillé sur des chantiers, tandis que Cindy était employée à Disneyland en costume de Blanche-Neige, le couple décide de se marier. Kevin a vingt-trois ans. Cette fois il ne leur faudra pas, comme les trois années précédentes, attendre la rentrée pour se retrouver.

Enfin Kevin obtient son diplôme, juste avant de partir en voyage de noces au Mexique, à Puerto Vallarta. Là prend place un autre épisode déterminant pour lui.

Les Costner rentrent de Puerto Vallarta dans le même avion que Richard Burton, vieil habitué du lieu [1]. Comme le raconte Kevin dans un entretien au *Première* américain : « Juste après mon diplôme, en rentrant de notre voyage de noces, j'ai rencontré Richard Burton dans l'avion. J'ai cru qu'il avait pris cet avion rien que pour me parler – mais il avait acheté tous les sièges autour de lui pour avoir la paix. J'ai fini par prendre mon courage à deux mains et je lui ai dit : "J'aimerais vous demander un petit conseil." Nous en sommes venus très rapidement à parler de choses personnelles. Il m'a prévenu qu'au départ je mangerais de la vache enragée. Je voulais savoir s'il pensait qu'on pouvait rester quelqu'un de bien dans ce métier. Il m'a dit que oui, il le pensait, et que je devrais essayer. Il m'a dit : "Vous avez

_____

1. Depuis le tournage sur place, aussi mémorable que mouvementé, de *La Nuit de l'iguane* de John Huston en 1963.

23

les yeux verts, n'est-ce pas ? J'ai les yeux verts." Ce que je préférais en lui, c'est qu'il n'avoua jamais l'évidence, à savoir que c'était une vie dure. Après cela j'ai eu une idée très claire de ce que je voulais faire. J'ai dit à Cindy que nous partions pour Hollywood et que j'allais chercher du travail comme ramasseur de poubelles, mais des poubelles de films. »

À son retour, Kevin ira travailler un mois dans une entreprise de bâtiment avant d'avoir le courage d'affronter sa famille. Mais il est résolu à changer de carrière. « J'étais dans le marketing. Un rat de laboratoire aurait pu faire mon travail. Je pensais qu'il était temps que je prenne le contrôle de ma vie. » Contrairement à ce qu'il veut bien raconter aujourd'hui, sa femme ne le prenait pas au sérieux. « Je suis rentrée un soir à la maison et [Kevin] était assis devant une vieille machine à écrire et un tas de papiers. Il me dit : "J'ai démissionné aujourd'hui. Je vais devenir acteur et scénariste." Je lui ai répondu, furieuse : "Scénariste ! Tu n'es même pas fichu d'écrire une ligne sans faire de fautes", tout en jetant ses papiers par terre. »

La décision de Kevin est très courageuse, car son père Bill n'est guère plus chaud que Cindy. « Mon père le prit plutôt bien, mais je sais qu'il était très inquiet. Il ne savait que faire pour me soutenir. Comme de nombreux pères, il voulait aider ses enfants et, dans le cinéma, il sentit qu'il ne pourrait rien faire pour moi, ce qui fut pour lui une grande déception. Et une grande peur aussi, parce que sans son aide il savait que je serais tout seul, sans aucun appui. » Kevin prend toujours la défense de sa famille, en minimisant leurs réactions défavorables. Nous ignorons celles de sa mère et de sa belle-famille devant l'ahurissante nouvelle. C'est le signe d'une tendance « macho » chez lui : seuls les avis des hommes semblent compter, du moins c'est ce qui transparaît dans les entretiens publiés.

Son père Bill est, comme tout ancien ouvrier américain blanc, attaché aux valeurs du passé, d'autant plus qu'il a des origines terriennes dans l'Oklahoma, un des États les plus traditionnels d'Amérique. Que son fils se lance dans une carrière cinématographique pleine d'aléas, au lieu d'en poursuivre une sûre et lucrative dans les affaires, le dépasse. Bill Costner, en homme respectueux des conventions, prédicateur à ses heures, serrait la vis à ses fils, leur interdisait d'être arrogants ou d'avoir la grosse tête. Lors d'un match de basket, il fut horrifié de voir son fils

Kevin « faire son cinéma » en public. « J'avais l'exhibitionnisme chevillé au corps, se souvient l'intéressé. Pendant un match de basket, je fus projeté sur les genoux d'une jolie fille. Elle buvait du Coca, et j'en pris une gorgée à la renverse. Il y eut un tonnerre d'applaudissements. Plus tard mon père me dit : "Tu es là pour jouer, un point c'est tout." »

La réaction de Bill Costner, quand son fils lui annonça qu'il allait faire du cinéma, fut certainement beaucoup plus hostile que Kevin ne veut bien l'avouer. Même si cette annonce lui rappela peut-être le jour où ils avaient visité Disneyland, l'année de son ouverture, et où ayant perdu son fils, Bill l'avait retrouvé dans les jambes du grand Walt Disney en personne. La rencontre était prémonitoire.

CHAPITRE II

LA CHUTE SUR LE SOL
DE LA SALLE DE MONTAGE

Hollywood fascine toujours les foules, autant que les professionnels du cinéma, du monde entier. Malgré la mort du système des grands studios, elle reste à la fois la capitale mondiale et la Mecque du cinéma. Le quotidien professionnel *Variety* est lu attentivement partout où il existe un embryon d'industrie du cinéma. Des millions de gens dévorent les échos qui proviennent de ce lieu mythique et rêvé.

Il paraît donc étrange qu'un Californien de Los Angeles – dont Hollywood est un faubourg –, ignore tout de la première activité de sa ville, activité à laquelle, de plus, il se destine. C'est pourtant le cas de Kevin Costner. « J'ai toujours été en dehors de l'industrie du cinéma. Quand j'ai finalement décidé de devenir un acteur, je ne savais même pas ce qu'il fallait faire pour commencer. Vous vivez dans un endroit appelé la capitale mondiale du cinéma, et en fait elle vous est totalement étrangère. Elle ressemblait pour moi à quelque chose d'impénétrable. »

Cela prouve que Kevin a un sacré culot, doublé d'une bonne dose d'inconscience, pour se lancer dans un tel pari. Les probabilités de réussir sont extrêmement faibles. Chaque jour, des milliers d'Américains et d'Américaines, attirés par ce miroir aux alouettes, l'apprennent à leurs dépens. L'affaire pour Kevin se complique encore quand sa femme Cindy renonce à utiliser ses brillants diplômes, pour prendre un emploi qui permette de faire bouillir tout de suite la marmite : hôtesse au sol de Delta Airlines. Il n'a plus droit à l'erreur : son échec professionnel signifierait la mort de son couple. Mais c'est là un de ses traits de caractère : mettre la barre très haut [1]. Il le dit dans un entretien paru dans le magazine *Studio* en septembre 1994 : « Le monde de la production n'est pas très éloigné du saut à la perche. D'ailleurs la barre est toujours trop haute. C'est un peu le saut dans le vide. » En ce qui le concerne, c'est son lot depuis ses débuts.

Il existe deux voies pour réussir à Hollywood : la voie royale et la voie galère. À de rares exceptions près (James Stewart, Henry Fonda, Paul Newman), les acteurs mythiques et les acteurs fétiches de Kevin sont passés par des galères. La voie royale est connue : sortir d'une grande école prestigieuse (Yale, Princeton ou Columbia pour l'art dramatique), passer par l'Actor's Studio (ou le Neighborhood Playhouse, ou l'American Academy of Dramatic Arts) et commencer sa carrière sur les planches à Broadway. Au temps de Gary Cooper, d'Errol Flynn et de John Wayne, la voie galère passait par des rôles de figurants ou de cascadeurs à cheval. Les westerns se tournaient à la chaîne et la demande était énorme. Avec un peu de chance, on obtenait des seconds rôles, et dès lors son physique et les fans faisaient le reste. Désormais la voie galère emprunte de multiples sentiers. L'un est la télévision et ses myriades de séries, où l'on passe des petits aux grands rôles avec de la chance, mais où souvent l'on reste aux petits. Le deuxième, ce sont les films minables, de producteurs à l'assise financière incertaine, souvent plus ou moins pornographiques : le plus souvent on s'y enterre. Autre sentier encore certainement le plus pénible : les petits boulots et les nombreuses auditions aléatoires pour décrocher le rôle qui vous fera remarquer.

Kevin enchaîne alors les petits boulots, comme Errol Flynn, Spencer Tracy, Gregory Peck, Steve Mac Queen et Robert Redford avant lui. Redford a, en plus des galères, deux points communs avec Costner : il s'est marié jeune et il fut une vedette du base-ball universitaire. Comme la plupart des aspirants acteurs américains aujourd'hui, Kevin est successivement chauffeur-livreur, emballeur de pains de glace, aide-cuisinier sur un

---

1. D'une manière assez significative, l'emblème de sa compagnie de production Tig est un sauteur à la perche.

thonier du port de San Pedro, etc. Sa femme ayant eu un jour un accident avec sa bicyclette, unique moyen de transport que le couple possède, ils découvrent avec horreur qu'il ne leur reste que treize dollars en banque, donc pas assez pour en acheter une neuve. Kevin est déprimé. « Ma vie n'était pas vraiment un succès à ce moment-là. En tant qu'homme, j'étais censé être celui qui fait bouillir la marmite. Pourtant, même alors, je sentais que j'avais besoin de vivre de cette façon pour parvenir à réaliser mes ambitions. Peu de femmes auraient pu comprendre cela. Mais Cindy me convainquit que tant que nous avions de quoi manger, tout allait bien. Quand nous nous souvenons de ces jours-là, nous réalisons que nous revenons de très loin. »

Gary Cooper avait été guide pour touristes dans le parc national de Yellowstone, puis chauffeur des cars qui promenaient ces touristes, parce que c'était mieux payé. Suivant sans le savoir son exemple, Kevin devient lui aussi guide dans les cars qui font la Pacific Coast Highway de Los Angeles à San Francisco, et les excursions autour des maisons des stars à Bel Air et Beverly Hills. Il a plus d'une fois rêvé devant ces somptueuses demeures appartenant à des gens qui faisaient le métier même auquel il aspirait. Qui, parmi les touristes qu'il promenait, aurait pu prédire qu'un jour pas si éloigné il serait une star à 8 millions de dollars (45 millions de francs) le film ?

Kevin s'est aussi mis à la charpente. L'architecte pour qui il a travaillé plusieurs fois se souvient : « Kevin me dit que deux choses allaient arriver. D'abord il deviendrait une grande star, ensuite il me ferait faire une maison pour Cindy et lui. » Deux promesses que Costner va réaliser : l'architecte lui construira en effet une maison dans les collines à La Canada, à l'opposé de Bel Air. Là encore, les mêmes traits de caractère dominent : une grande détermination, la fidélité envers ceux qui l'ont aidé, la reconnaissance, autant dire des qualités rarissimes dans le show business.

Pendant tout ce temps, il continue à suivre après les petits boulots des cours d'art dramatique. Ses semaines sont épuisantes. Pour être sûr que ses CV et ses photos parviennent aux agents et aux directeurs de casting, il se déplace lui-même pour les déposer en mains propres plutôt que de les envoyer par courrier. Il a droit à toutes les remarques désobligeantes et stupides de ceux qui se croient arrivés dans le métier, la palme revenant à un imprésario qui lui dit : « Écoutez, Donald Pleasance me rapportera plus d'argent cette seule année que tout ce que vous ferez jamais dans ce métier. » Aujourd'hui, l'acteur anglais Donald Pleasance aimerait que cette prédiction soit vraie. Quant à l'auteur de cette phrase impérissable, il doit se mordre tous les jours les doigts de ne pas avoir signé un contrat d'exclusivité avec Costner à ce moment-là !

Kevin passe toutes les auditions, se frotte dans les files d'attente avec tous les jeunes espoirs qui veulent percer comme lui. Il connaît ce que le héros du film *Body double* de Brian De Palma, l'un de ses futurs réalisateurs, vit dans les premières et dernières séquences de ce film. Parfois « le doute entrait à pas de loup – j'étais le petit garçon assis à l'arrière et demandant : "Quand est-ce qu'on va arriver ?" – mais je ne me suis jamais posé la question de savoir si j'étais ou non sur la bonne route. C'est l'aspect comique de la chose. Si vous êtes obsédé par votre objectif, vous oubliez 80 % de toutes les galères de la vie d'acteur, et les gens qui vous empêchent de progresser. »

Au milieu de 1979, les choses vont de mal en pis. Kevin, après 6 mois sans aucun travail, une période passée à dormir à l'arrière d'un camion dans un parking, est prêt à jeter l'éponge. Mais la chance tourne enfin. On lui offre un emploi de chef de plateau dans le plus vieux studio indépendant d'Hollywood : les studios Raleigh [1]. Ironie du sort, dix ans plus tard, Kevin et son associé Jim Wilson y placeront le siège social de leur compagnie de production. Là encore, à la mode Costner, Kevin révèle tout à ses futurs employeurs avant même d'avoir le poste. « Je ne savais pas si je devais dire à mes employeurs que j'étais acteur, que je n'avais même pas d'imprésario et que je n'avais jamais été auditionné pour un rôle d'acteur professionnel [2]. Finalement je le leur dis – et ils m'engagèrent quand même. » L'histoire ne dit pas s'il obtint l'emploi grâce à sa sincérité. Cette sincérité,

---

1. Construits en 1913 au coin de Melrose et Bronson Avenues, ils furent les premiers studios à louer – et les derniers ! – d'Hollywood. De nombreuses séries télévisées y sont tournées aujourd'hui.

2. Aux États-Unis, pour être acteur professionnel, il faut avoir sa carte syndicale de la Screen Actors Guild, sinon on est considéré comme indépendant.

comme un défi, aurait pu lui coûter la place et son avenir d'acteur, mais encore une fois Kevin préfère rater une occasion plutôt que de renoncer à sa personnalité profonde, un aspect de son caractère qui le fait traiter de maniaque et de tyran par les médiocres, ses principaux détracteurs. C'est là une caractéristique que possédaient aussi tous les acteurs dont il va devenir le digne successeur : les Gary Cooper, James Stewart, Paul Newman, Robert Redford, sans oublier les John Wayne, Henry Fonda, Spencer Tracy, Errol Flynn et Steve Mac Queen.

Les horaires à la carte et l'ambiance décontractée des studios Raleigh permettent à Costner de poursuivre ses cours d'acteur et ses ateliers d'art dramatique. Plus important encore, ce poste charnière lui donne l'occasion d'apprendre toutes les ficelles indispensables pour diriger un studio de production, telles que la mise en scène, l'éclairage, la photo et le montage. Très vite il aide les techniciens à éclairer les plateaux, assiste le metteur en scène pour tourner une scène délicate, joue même dans une publicité pour des ordinateurs, apprend tous les détails nécessaires au bon développement du film dans la lumière rouge du laboratoire, s'initie aux subtilités de la moviola[1]. « Je passais mon temps à regarder les autres, c'était une excellente école et aussi une formation technique. » Il apprend à apprécier le travail des techniciens, attitude qu'il conservera sur ses tournages et qui lui vaudra l'estime de ceux-ci, fait également très rare dans le show business. Aurait-il pu réussir sa première mise en scène sans le dur apprentissage des studios Raleigh ?

Son professeur d'art dramatique, Richard Brander, auprès duquel il prenait des cours à Studio City, lui offre ses deux premiers rôles, dans des productions à petit budget. C'était pour une modeste compagnie indépendante, la *Troma*, très connue aujourd'hui des fans de films d'horreur chargés d'hémoglobine (les films gore), pris au second, voire au troisième degré. Brander se souvient : « Le dévouement de Kevin envers le métier était de très loin supérieur à celui de tous ceux que j'ai eus en classe. Il avait une fureur d'apprendre et une connaissance de lui-même très aiguë. » Le premier de ces films fut la seule incursion du professeur derrière la caméra. Au vu du résultat, cela valait

---

1. Appareil qui permet de monter un film tout en le regardant.

mieux. Depuis, l'élève a très largement dépassé le maître. Le film, intitulé à l'époque *Malibu hot summer* (« L'été chaud de Malibu »), ressortira en 1989 sous le titre *Sizzle Beach USA* (« La plage lutine ») en vidéo.

Ce dernier titre est assurément mensonger, dans la mesure où il ne s'agit absolument pas d'un de ces nombreux films de plage anodins pour adolescents comme Hollywood en produisit au kilomètre dans les années 1960-1970. Il y est question d'un trio de jolies filles peu vêtues, vivant dans une maison sur la plage de Malibu. L'une d'elles fait de l'équitation dans un ranch voisin. L'« étalon » du ranch n'est autre que le patron, John Logan (Kevin Costner), tenaillé par une libido insatiable. Il ne faut pas longtemps pour qu'il aille batifoler dans les foins avec la fille en question, puis avec une deuxième. Ce film, très intellectuel et original, on s'en doute, et catalogué *nudie* [1] aux États-Unis, ne sera présenté pour la première fois (et sans doute la dernière) qu'en mai 1986 (sept ans donc après avoir été tourné) au festival de Cannes, où il n'obtint pas la palme d'or ! Il fit l'unanimité de la critique contre lui. *Variety*, la bible du cinéma, le traita, peut-être de manière excessive, de « porno alimentaire ». La nudité féminine y est omniprésente, puisque chaque scène vise à ce que l'une des filles retire le peu de vêtements qu'elle porte. Mais Costner peut être fier à juste titre, car plus loin *Variety* déclare : « Le jeu des acteurs, mis à part Costner, va d'amateur à atroce. » Kevin, qui déteste le film, dit qu'il s'agit d'une simple « affaire de seins et de fesses ». Eric Louzil, le producteur du film, devenu depuis l'un des réalisateurs de la *Troma,* se souvient : « Kevin était très nerveux au moment de tourner [la scène d'amour avec la femme du réalisateur, Leslie Brander]. Nous avons dû lui donner du vin pour le mettre en forme. Il n'était vraiment pas dans son assiette. Nous nous amusons toujours en revoyant cette scène... Il l'a embrassée, mais le cœur n'y était vraiment pas. » Il fut payé 500 dollars pour son interprétation. La *Troma* et Louzil auront l'idée, lorsque Kevin devint une vedette, de faire croire que le film était un porno et que Kevin Costner cherchait par tous les moyens à le racheter, ce qui est

---

1. On appelle ainsi les films non pornographiques mais qui montrent beaucoup de « chair nue » (*nude*).

absolument faux. Ils vendirent beaucoup de cassettes à des gogos, qui, amateurs de hard, en furent pour leurs frais.

Le deuxième film où Kevin figure, tourné par la *Troma* en 1979, ne sortira qu'en 1984 (!), et encore directement en vidéo. *Shadows run black* (« Les ombres courent en noir ») est un superbe navet consacré à un tueur à répétition, appelé l'« ange noir » par la presse. Ce tueur est obsédé par de très mignonnes étudiantes, mais pas avant que celles-ci ne se déshabillent devant la caméra. Le policier chargé de l'affaire, le sergent Rydell King (William J. Kulzer), suit méthodiquement les multiples meurtres, aiguillonné par la disparition de sa fille, une adolescente victime d'un enlèvement qui présente de troublantes coïncidences avec les meurtres précédents. Le principal suspect, Jimmy Scott (Kevin Costner), est un truand dangereux qui connaissait les victimes. Cependant, après son arrestation, les crimes continuent. Le film alors s'écroule : la fin est prévisible, car nous savons avec certitude qui est l'assassin. Malgré cela, le dénouement s'étire encore pendant toute la seconde moitié.

Kevin est encore une fois remarqué par *Variety* comme le seul élément intéressant du film, dont l'abondance de scènes torrides est de nouveau relevée. « *Shadows run black* se distingue seulement par le nombre élevé de jeunes filles bien faites qui sont montrées nues de face, un avantage évident pour le marché de la vidéocassette. Le niveau technique est faible et les acteurs, mis à part Kevin Costner, seulement semi-professionnels. »

Bref, malgré la mauvaise opinion qu'il a de ses premiers films, Kevin estime qu'il en a tiré une certaine expérience. « L'expérience m'aida. Je sus soudain quel type d'acteur je voulais réellement être – et jouer devint sacré pour moi. »

Deux ans se passent encore avant qu'il n'obtienne un petit rôle dans un obscur film de base-ball dont le titre, *Chasing dreams* (« En pourchassant les rêves »), s'applique parfaitement à son état d'esprit de l'époque. Costner y joue le frère aîné d'un adolescent qui se découvre au collège une aptitude certaine pour le base-ball. Cet adolescent, repéré par la grande équipe des St Louis Cardinals, signe un contrat avec eux, malgré l'opposition de son père. Il poursuivra sa carrière malgré un accident au cerveau provoqué par une balle reçue en pleine tête lors de la dernière partie d'un match décisif. Le rôle de Costner ne dure que quatre-vingt-deux secondes. Le film ne sortit qu'en 1989, quand la société Prism Entertainment le mit directement sur le marché de la vidéo, après le succès de *Jusqu'au bout du rêve* (*Field of dreams*), comme par hasard. Notons au passage la parfaite similitude des titres ; on peut parier que le film, au moment du tournage en 1981, ne s'appelait pas encore *Chasing dreams*. Prism Entertainment eut l'audace de faire figurer en premier plan sur la jaquette une photo de Kevin en habit de joueur de base-ball (il n'apparaît dans le film qu'en jeans !), avec un terrain en arrière-plan. Un honneur aussi exorbitant qu'inhabituel pour un acteur cité au générique en vingt-septième position, malgré une mention « Apparition spéciale » hâtivement rajoutée sur les cassettes commercialisées. Les avocats de Kevin Costner s'acharnèrent à faire retirer ces cassettes de la vente, sous le prétexte – justifié – de publicité mensongère et de reproduction non autorisée d'une photo truquée de l'artiste : las ! ils échouèrent.

Kevin n'a pourtant aucunement à craindre de voir sa réputation entachée par sa présence dans ce film. Il fait preuve d'un remarquable professionnalisme dans sa prestation au cours de la scène d'ouverture, et il est totalement absent du reste de ce magnifique nanar. La vedette, si l'on peut employer ce terme, est le plus effroyable acteur de toute l'histoire du base-ball au cinéma : David G. Brown. Il faut dire que le producteur et le scénariste ont eux aussi leur part dans la nullité du film ; or tous deux ne sont autres que David G. Brown lui-même. Seule la mise en scène, exécrable, lui échappe. Notons que le metteur en scène fut si satisfait du scénario qu'il crut bon d'y faire des additions, mentionnées au générique !

Le critique de *Variety* écrivit : « Le jeu et la diction de Costner sont aussi sûrs et maîtrisés ici que dans *Jusqu'au bout du rêve* (à huit ans d'intervalle). Costner a tourné dans ses débuts plus de films sans intérêt que la plupart des vedettes contemporaines. Dans celui-là, son rôle se limite à faire au héros (son jeune frère), au cours de la scène d'ouverture, un gentil discours alors qu'il part pour la fac de médecine. Les autres personnages parlent beaucoup de lui, mais, malheureusement pour ceux qui ont réalisé ce film, Costner ne réapparaît plus à l'écran. » Le reste de la critique est loin d'être aussi amène. Encore une fois, Kevin se sort avec les honneurs des tripatouillages auxquels se livrent les cinéastes peu scrupuleux qui l'utilisèrent à ses débuts.

Le système des grands studios [1] étant mort, un certain désordre règne sur le cinéma aujourd'hui, en dehors des grosses productions. Or, en 1981, la carrière de Kevin Costner semble tâtonner, et lui-même se pose de sérieuses questions. Son problème le plus crucial est qu'il n'a pas sa carte de membre du syndicat des acteurs, la fameuse Screen Actors Guild (SAG). Sans elle, toutes les productions des grands studios hollywoodiens lui sont fermées. Pour obtenir ce sésame, un acteur doit avoir tenu un rôle parlant dans un film reconnu par la SAG – et bien souvent, pour ne pas dire toujours, de tels rôles ne sont donnés qu'à des acteurs ayant déjà leur carte... Jusque-là, Costner n'avait obtenu de rôles au cinéma que dans des productions marginales de la nouvelle Poverty Row [2], hors syndicat.

Sans contacts ni agent, la plupart des portes lui demeurent closes. De plus, sa femme Cindy commence sérieusement à se lasser de son ambition têtue ; leurs amis prétendent qu'elle voulait alors qu'il renonce à jouer et qu'il prenne un « vrai travail » dans une banque ou quelque chose d'approchant. Ses camarades d'université deviennent pour lui un reproche vivant chaque fois qu'il les voit. Tandis qu'ils lui parlent de leurs nouvelles voitures, de leurs premières maisons avec piscine, de leurs promotions, Kevin ne peut que leur répondre : « J'ai un rendez-vous le

---

1. Système qui géra les studios de cinéma d'Hollywood de 1925 à 1965. Les acteurs, les scénaristes, les metteurs en scène, les techniciens étaient en majorité sous contrat avec un studio. Parfois, pour un film, les studios se prêtaient, moyennant finances, une star ou un metteur en scène ou les deux. Très peu de personnalités (comme Gary Cooper) travaillaient en « indépendant » car ils risquaient de ne plus faire de films pendant plusieurs années.
2. La « Ruelle de la pauvreté ». Nom donné dans les années trente aux compagnies et studios de production qui ne faisaient partie ni des cinq Majors (MGM, RKO, Twentieth Century-Fox, Warner Bros, Paramount), ni des deux Minors (Columbia, Universal), ni du grand indépendant (United Artists). Il est étendu aujourd'hui aux studios et compagnies qui ne font partie ni des conglomérats (Time-Warner, Sony-Columbia-Tri Star, Matsushita-MCA-Universal, Murdoch-News Corp. – Twentieth Century Fox, Viacom-Paramount, MGM-UA-Pathé-Crédit Lyonnais Pays-Bas, Polygram), ni des groupes (Disney Corp. – Miramax-Merchant/Ivory-Touchstone-Hollywood Pictures, New Line Cinema-Orion Pictures-First Line Features), ni des indépendants (New World Pictures, Carolco, Geffen Co., Castle Rock, Morgan Creek, Imagine Entertainment).

mois prochain », et ils ne comprennent pas. Il commence à se sentir sérieusement coupable des sacrifices que doit faire sa femme – mais il ne souhaite renoncer pour rien au monde. « En cours d'art dramatique, il y avait des moments où je me sentais comme un monstre, pas moins. Mais je sentais aussi que j'étais bon, au même moment ! Gagner de l'argent n'était pas le problème. Travailler n'était pas le problème. Ce qui me manquait, c'était le goût de vivre. » C'est dans une telle ambiance cafardeuse qu'une première chance se présenta, qui allait tout changer.

Ayant pris son après-midi aux studios Raleigh, Kevin se rend un jour à sa première grande audition, quand sa voiture d'occasion tombe en panne sur l'autoroute. Faisant preuve de l'esprit de décision qui caractérise ses personnages à l'écran, il l'abandonne sur la voie d'arrêt d'urgence, se met à jurer, à l'insulter, et fait de l'auto-stop. Il arrive en retard mais il obtient le rôle. Le film, à petit budget, est centré sur le thème du jeu. Intitulé *Stacy's Knights* (« Les chevaliers de Stacy »), il a été écrit par un jeune romancier, Michael Blake. Le metteur en scène en est Jim Wilson, un diplômé du Berkeley Film Institute, fondateur de la petite compagnie de production American Twist Productions qui finance le film. Jusque-là, Jim n'avait produit et réalisé que des courts métrages pour des clients comme Volvo et Kodak.

Il a un souvenir très vivant et précis de sa première rencontre avec Kevin Costner. « J'avais fait l'école de cinéma de Berkeley avec Michael Blake quelques années plus tôt et je l'avais engagé pour écrire le scénario. C'était le premier grand film que je mettais en scène, le premier scénario pour lequel Blake fut payé. Ce fut aussi le premier rôle en vedette de Kevin Costner. Nous avions auditionné une armée d'acteurs pour le rôle de Will Bonner quand Kevin se présenta. Le directeur du casting, Michael et moi-même trouvâmes à l'unanimité qu'il était le personnage. Je ne sais pas d'où lui venait son instinct. Son éducation n'était pas du tout celle d'un acteur. Il n'était pas très cultivé, il n'avait pas de bonnes notes à l'école, mais il avait cette formation de terrain et cette expérience de la vie qu'une foule d'apprentis acteurs qui ont été très encadrés, ont lu les bons auteurs, fréquenté les meilleures universités et les grandes écoles les plus prestigieuses n'ont pas. Je pense que c'est une question de trempe personnelle. » Costner quant à lui ne peut croire à sa chance, d'autant qu'elle lui offre une occasion de tourner en extérieurs. « Je me souviens que Jim eut à prendre cette grande décision, soit de me louer une grande chambre pour moi seul, soit de me mettre avec quelqu'un. Venant de celui qui me payait cinq cents dollars pour jouer, je me sentis comme un géant. » Pour la première fois, Kevin reçoit cinq cents dollars par semaine, tous frais payés.

Tourné à Reno dans le Nevada, *Stacy's Knights* raconte les aventures d'une timide étudiante en art dramatique, Stacy (Andra Millian), qui est également très forte aux cartes. Elle visite les casinos célèbres de la ville, accompagnée par son professeur, Jean (Eve Lilith) avec une seule idée en tête : faire un malheur aux tables de blackjack. Les deux amies rencontrent bientôt Will Bonner (Kevin Costner), un garçon du cru qui promet de leur faire passer du bon temps. Il se révèle très vite un opportuniste. Après avoir pris la mesure de l'étonnante mémoire visuelle et du potentiel de Stacy, il suggère une combine qui permettrait au trio de plumer le casino, propriété du caïd local, Schechy Poole (Mike Reynolds). Stacy est entraînée par Will, ils deviennent amants et mettent sur pied leur plan. Mais Poole compromet celui-ci en ordonnant à son meilleur croupier de se débarrasser de Stacy en trichant. Heureusement le père de Will, lui-même fameux joueur de cartes en son temps, emmène Stacy et ses aides, ses « chevaliers », voir un mystique appelé « the Kid » (Ed Semenza), qui va leur apprendre l'art aussi secret qu'ancien de compter au blackjack. Les tricheurs éliminent Will, mais Stacy, déterminée et ayant perdu sa timidité, recrute de nouveaux joueurs, ses nouveaux chevaliers. Pour tromper le personnel du casino, elle se déguise en homme, porte une moustache et des lunettes. Elle part finalement avec des gains de plus de 500 000 dollars (près de 3 millions de francs).

Malheureusement pour Kevin, le film quant à lui ne rapporte pas grand-chose, et son ambition personnelle n'est pas servie par l'inexpérience de toute l'équipe. Les critiques sont sans pitié : « Un film sans atouts », « Un téléfilm d'une intelligence en dessous de la moyenne », « Un mort-né mécaniquement mis en scène par Wilson » donnent le ton. Ils dégoûtèrent à tout jamais Wilson de la mise en scène. Qu'importe, le destin venait de lui faire un cadeau autrement plus magnifique : son amitié avec Kevin Costner, dont il allait devenir l'associé et grâce à qui il gagnerait un jour l'Oscar du meilleur film. Pour Costner, le film fut encore une fois « une expérience formatrice » car c'était son premier grand rôle. Il avait adoré être le centre d'attention d'une équipe de cinéma ; cela le changeait d'être la cinquième roue de carrosses douteux.

Remonté à bloc, il poursuit ses études d'acteur avec encore plus d'acharnement, tout en continuant à chercher d'autres rôles. À la fin de 1981, il essaye même de devenir mannequin, sans grand succès. Le photographe de mode Barry McKinley prend des photos de lui pour la couverture du magazine *GQ* de janvier 1982, et le paye soixante-quinze dollars pour la séance. Mais finalement le rédacteur en chef lui préfère le célèbre chef d'orchestre Zubin Mehta, et ses photos ne paraîtront jamais. Kevin se souvient encore avec horreur de cette séance et déclara que les photos « ne lui ressemblaient même pas. Ils n'arrêtaient pas de me coller tout un tas de saloperies dans les cheveux ».

Cette expérience de mannequin n'étant pas concluante, il reprend le chemin des studios, et au début de 1982 il est enregistré comme figurant aux studios Zoetrope, propriété à l'époque du célèbre et génial metteur en scène Francis Ford Coppola. Mais il doit attendre plusieurs mois avant d'avoir un petit rôle dans *Frances,* une production de la société du comique Mel Brooks, la Brooksfilms. Une ancienne directrice de casting chez Zoetrope, Jane Jenkins, se souvient : « Quelqu'un m'appela et me parla de ce jeune qui était très gentil et mignon comme tout, et me dit que nous devrions l'utiliser. Kevin vint alors et il se révéla être un grand type très mignon, mais aussi très malin. Nous le mîmes dans l'équipe de *Frances.* »

Ce film est une biographie de la très belle actrice Frances Farmer, dont la vie fut particulièrement tragique, dans les années quarante. Il se fit surtout parce que Jessica Lange, alors très demandée, s'était entichée de Farmer après avoir lu son autobiographie *Will there really be a morning* ? (« Le matin se lèvera-t-il un jour ? »). Elle tournait alors la nouvelle version du *Facteur sonne toujours deux fois,* de Bob Rafelson, et s'aperçut que le monteur Graeme Clifford partageait son intérêt pour Frances. Ils décidèrent de mettre en chantier le film : elle en tant qu'actrice, lui pour sa première mise en scène. Mel Brooks, dont la précédente production *Elephant man,* de David Lynch, avait été un gros succès, décida de les produire. Hélas pour lui, Graeme

Clifford était loin d'avoir le talent d'un Lynch. Kevin Costner obtint le rôle de Luther Adler, acteur de cinéma et du Group Theatre [1]. Frances Farmer fut une animatrice de ce mouvement en tant que comédienne et maîtresse d'un des fondateurs, l'auteur dramatique et scénariste de cinéma Clifford Odets.

Sur le plateau, Graeme Clifford et Costner ne cessent de s'accrocher. Très ironique, mauvais metteur en scène, Clifford ne supporte pas les conseils de Costner, dont l'expérience des plateaux lui paraît une menace à son égard. Les hostilités en arrivent à un point tel que les détracteurs de Costner citent toujours ce tournage à l'appui de leur thèse : ils accusent Kevin d'être un personnage tâtillon, arrogant et odieux, se mettant tout le monde à dos pour des futilités. Tout éclate quand Kevin refuse de prononcer la seule phrase du rôle, qu'il pense être, à juste titre semble-t-il, hors de propos. Il insiste en déclarant qu'il est impossible que Luther Adler dise : « Bonne nuit, Frances » à Farmer alors qu'ils sortent du théâtre à l'issue d'une représentation. D'après lui, étant donné qu'ils sortent séparément, Adler n'aurait jamais pu dire ces mots à Frances, et cela va en outre à l'encontre de son personnage. Aussi, au moment où Clifford déclare : « Luther dit bonne nuit à Frances », il entend Kevin lui répondre : « Non », et demande alors, surpris : « Pourquoi non ? » « Il ne ferait pas cela. » « Quoi ? » rétorque le metteur en scène novice qui n'apprécie pas de voir ce jeune acteur de rien du tout porter des jugements sur le dialogue. Kevin s'emporte : « Luther ne ferait pas cela. Il joue cette pièce avec Frances tous les soirs. Ils passent séparément par la sortie des artistes, lui dans un sens et elle à l'opposé. Il n'a aucune raison de lui dire bonne nuit. » L'équipe s'énerve, et Costner entend un sourd murmure, comme si chacun disait à l'unisson : « Prononce juste ces putains de mots ! » Alors, les projecteurs allumés et la caméra en train de tourner, Costner sort. Jessica Lange, qui joue Frances, se tourne vers lui, et il s'en va sans proférer un seul mot.

---

1. Créé dans les années trente par le metteur en scène Harold Clurman, il était destiné à rendre le théâtre accessible aux masses. Il était en même temps une école pour les comédiens. C'est l'ancêtre de l'Actor's Studio, et en France du TNP.

L'assistant-réalisateur le rappelle : « Tu dois dire quelque chose », essayant ainsi à la fois d'aider son patron et de secourir un jeune acteur inexpérimenté pour qu'il obtienne sa carte de membre de la SAG. En effet, s'il ne prononce aucun mot, Kevin ne peut prétendre à la carte du syndicat des acteurs. À la prise suivante, Jessica change d'approche. Au lieu de venir à lui, elle lui fait un signe de la main. Costner pense que c'est très bon et sent que le geste n'a pas besoin de réponse parlée ; aussi, du tac au tac, il lui rend son salut. Cette fois-ci, l'équipe croit devenir folle. À la quatrième prise, un silence de mort règne sur le plateau. Les techniciens ont décidé qu'il fallait équiper Costner d'un micro portable, pourtant il parle si bas que ses mots sont à peine audibles. Enfin, à quatre heures du matin, les techniciens du son confirment que Kevin a bien soufflé la fameuse ligne du dialogue : « Bonne nuit, Frances. »

Deux thèses s'opposent sur cet incident. La première estime qu'il fallait à Costner un sacré courage et un professionnalisme supérieur à celui du novice Clifford pour vouloir faire passer ce qu'il pensait être « dans le personnage » au risque de ne pas obtenir sa carte SAG. La suite des carrières respectives de Costner et de Clifford montre qui avait raison. Le second n'a fait que des œuvres médiocres, et *Frances* même est un film quelconque qui ne parvient pas à nous intéresser à ses personnages.

L'autre opinion y voit bien sûr l'amorce d'un comportement rigide, borné, insupportable. Le même type de comportement qui rendait Orson Welles agaçant pour le tout-Hollywood, et qui est en fait la marque d'un tempérament fort, peu enclin à céder à n'importe quel homme possédant un pouvoir et piquant une crise d'autorité infantile. Cela irrite beaucoup, à Hollywood et ailleurs, tous les béni-oui-oui prompts à critiquer ceux qui refusent de se soumettre aux grands patrons.

Évidemment ce comportement n'est pas facile à tenir, car il est éprouvant. Kevin se rappelle de ce qu'il ressentait, quand la scène fut terminée aux petites heures de l'aube. « J'ai marché jusqu'au bus – celui des figurants – je me suis assis tout seul et je me suis senti stupide, complètement idiot. J'avais envie de pleurer. Je me suis dit : "Mais qu'est-ce qui ne va pas chez toi ? Qu'est-ce qu'il y avait de si difficile à prononcer ces mots ?" » Cependant, à ce moment-là, l'assistant-réalisateur compréhensif s'approche de lui et lui fait signer un formulaire. Cela signifiait qu'il aurait sa carte de membre de la SAG.

L'ironie du sort veut que la scène, ainsi que tout le rôle de Kevin, soient coupés au montage. C'est le début d'une suite de rôles qui vont finir à la poubelle. Costner le prend plutôt philosophiquement. « C'est une loi de la vie d'acteur de cinéma que, plus son rôle est petit, plus il a de chances d'être coupé au montage. » Il déclare pour sa défense : « Henry Fonda n'aurait rien dit et Paul Newman se serait fâché. Parce que cela ne signifiait rien. Ce n'était pas bon. »

Quoi qu'il en soit, il reçoit sa carte SAG et peut avoir dès lors des rôles conséquents dans des productions reconnues par le syndicat. Presque aussitôt d'ailleurs, il obtient un rôle dans la grosse production de Coppola *Coup de cœur (One from the heart)*, qui reconstitue Las Vegas en studio et utilise les nouvelles techniques de télévision haute définition. Les vedettes en sont Frederic Forrest, Teri Garr et Nastassia Kinski. Une nouvelle fois, son rôle est coupé au montage, quoique tout se soit bien passé avec Coppola. Mais il en faut beaucoup plus pour démoraliser Kevin Costner, même à cette époque-là. Il signe pour un petit rôle dans *Night Shift* (« Équipe de nuit »), une comédie de l'ancien adolescent vedette Ron Howard, devenu réalisateur pour se débarrasser de son image de Richie Cunningham, personnage qu'il interprétait dans la série télévisée ressassée *Happy days* (« Les jours heureux »).

Comme son titre l'indique, le film parle du travail de Chuck Lumley (Henry Winkler, l'autre vedette des « Jours heureux », le « Fonz ») la nuit à la morgue de New York. Celui-ci a quitté son travail de golden boy à Wall Street parce qu'il en a marre et qu'il veut fuir son horripilante fiancée Charlotte (Gina Hecht). Il fait la connaissance du non-conformiste Billy Blaze (Michael Keaton, le futur Batman), et bientôt l'entreprenante paire d'amis monte un réseau de call-girls depuis la morgue en utilisant les idées de Billy, les compétences financières de Chuck et les limousines de l'établissement.

La scène où apparaît Kevin est brève : il est le premier d'une bande de six jeunes farfelus venus faire la bringue, et il ouvre les portes de la morgue. Dans une équipe totale de cinquante acteurs, il est cité en quarante-troisième position, et parmi un groupe de six en tant que « premier noceur » *(first frat boy)*. Si

vous voulez avoir une chance de l'apercevoir, il faut faire attention à la scène où six camarades de campus, conduits par
Costner, lancent un raid sur la morgue. Dans ce film comme
dans les précédents, il porte l'inévitable chapeau de cow-boy, qui
semble être sa marque à ses débuts. Son curriculum vitae
commence à s'étoffer, surtout si l'on compte les rôles coupés au
montage. Et quoi de plus naturel, après un film qui se passe dans
une morgue, que de le retrouver en cadavre dans le film suivant ?

C'est ce qui lui arrive avec *Les Copains d'abord* (*The Big
Chill,* « Le grand frisson ») du scénariste de *La Guerre des
étoiles* devenu metteur en scène, Lawrence Kasdan. Costner joue
le rôle d'Alex, celui dont le suicide et l'enterrement réunissent
ses anciens camarades d'université. Il devait apparaître en flash-
back au moment où ses amis se souviennent de lui et réévaluent
leurs propres vies à l'aune des vingt ans qui les séparent de
l'époque où ils étaient au collège ensemble. Ce film a donné
leurs chances à de nombreux jeunes acteurs et actrices qui ont
percé depuis : Tom Berenger, Glenn Close, William Hurt, Meg
Tilly, Mary Kay Place, JoBeth Williams [1], et les deux que Kevin
retrouvera deux ans plus tard : Kevin Kline et Jeff Goldblum.
C'est grâce à une directrice de casting, devenue productrice
depuis, Wallis Nicita, qui avait parlé de lui à Kasdan un an auparavant, que Kevin fut appelé pour lire le rôle et faire partie de
cette équipe qui allait devenir illustre.

Écoutons Costner : « Oh là là ! vieux, ce que j'étais nerveux,
et je ne le suis pas du tout d'habitude. Je ne me sentais pas
d'atomes crochus avec ce type mais je sentais qu'il était intéressé. Il m'a rappelé quatre fois et chaque entretien était plus
éprouvant nerveusement. » Hélas un autre appel de Kasdan allait
être plus fâcheux. Une fois encore son rôle de dix minutes va
disparaître au montage. « Il m'a dit : "Comment ça va, Kevin ?",
et avant qu'il continue je lui ai dit : "Vous m'avez coupé du film,
n'est-ce pas ?" » Il aurait été inhumain de ne pas être légèrement
déçu, mais pendant le tournage du film je m'étais senti très bien :
être un acteur, répéter, comprendre le sens de l'œuvre – et ce qui

---

1. Elle a retrouvé Kevin Costner sur le tournage de *Wyatt Earp* pendant
l'été 1993.

s'est passé là m'a conduit jusqu'à aujourd'hui », affirmera-t-il dans une interview parue dans *Time* le 26 juin 1989.

Effectivement, pour Kevin, *Les Copains d'abord* marque le grand tournant émotionnel et professionnel. Kasdan se souvient toujours de ce coup de fil qu'il avait dû passer à Kevin dix jours avant la sortie du film. « Il n'avait jamais eu un rôle important dans une grosse production hollywoodienne, et tout d'un coup il s'était retrouvé dans une œuvre avec Kevin Kline et Bill Hurt. Quand j'ai dû lui dire qu'il n'était plus dans le film, il a remarquablement bien réagi. Je pense qu'il était malheureux, mais l'expérience était si valorisante à ses yeux que cette rebuffade ne l'a pas détruit. Je lui ai dit : "Cela me fait autant de mal qu'à vous." Et je l'ai consolé en lui disant que nous ferions autre chose ensemble, et ce fut *Silverado*. Je pense que je l'ai écrit pour lui. »

Costner aurait pu être d'autant plus amer qu'il venait de refuser le rôle principal de *Wargames* de John Badham. Il était plus intéressé par le film de Kasdan, ce qui prouve une fois de plus la sûreté de son jugement, avant même que sa carrière n'ait vraiment débuté. Car si le film de Badham est intéressant et instructif, il n'a pas la classe des *Copains d'abord,* qui restera comme l'un des films phares des années quatre-vingt, emblématique de toute une génération. Côté recette, les deux films se valent, même si l'avantage va à celui de Kasdan qui a rapporté 120 millions de dollars (près de 700 millions de francs) et demeure le plus grand succès financier de Kasdan à ce jour.

Le pire, c'est que tout cela arrive après qu'il eut enfin trouvé un agent : J.J. Harris, de la très célèbre agence William Morris. C'est Wallis Nicita qui a recommandé Costner. Elle l'avait connu lors de la recherche des rôles du film *Mike's Murder* en 1981, où il avait auditionné face à l'actrice intuitive Debra Winger. Il n'avait pas obtenu le rôle, mais avait impressionné Nicita : « Ce garçon avait tout quand il est entré dans la pièce. Il a tous les instincts des grands. » Venant d'une des meilleures professionnelles du casting [1], le compliment n'est pas mince. Par chance, l'assistante de Nicita était la femme de Gary Lucchesi, à

---

1. À l'époque, elle faisait pratiquement le casting d'une production hollywoodienne sur trois.

l'époque imprésario à l'agence William Morris, qu'il devait quitter pour entrer au studio Tri-Star. Lucchesi le mit en contact avec son collègue J.J. Harris, qui fut heureux de le prendre. « Kevin avait confiance en lui dès le début. Je suis sûr qu'il l'aura toujours. C'est une personnalité hors du commun, dont la présence remplit une pièce, mais pas d'une façon ostentatoire. Il va vivre une vie sans ulcères. Je pense qu'il aura une carrière multidimensionnelle comme personne d'autre. Il a un tel appétit de vivre... Il n'est jamais rassasié, toujours satisfait et heureux. C'est vrai de tous les grands. » C'est justement J. J. Harris qui avait réussi à lui obtenir le rôle vedette de *Wargames*, que Kevin avait d'abord accepté, avant d'être contacté par Kasdan. Badham ne lui en tiendra pas rigueur.

Il faudra deux ans après la sortie des *Copains d'abord* pour que Costner admette les véritables raisons pour lesquelles son rôle fut coupé. Son jeu n'y était pour rien. « Le personnage devait être coupé. Il était si désagréable, tel qu'il était écrit, que vous vous demandiez dans les flash-backs pourquoi tous ces gens se réunissaient pour le pleurer. » Ceux qui ont pu voir les scènes coupées sont de cet avis, et l'un d'eux a résumé l'opinion générale en disant : « S'il (Kasdan) avait gardé le personnage, cela aurait foutu en l'air tout le film. » Néanmoins, tout le monde sut à Hollywood qu'une nouvelle étoile était née, même si personne ne pouvait voir sa prestation.

Kevin n'a guère le temps de pleurer, car sitôt terminé le film de Kasdan un rôle lui est proposé dans une production télévisée pour la chaîne publique PBS (Public Broadcasting System) : *Le Dernier Testament (Testament)*. La directrice du casting Margery Simkin n'a rien oublié de son magnétisme. « J'auditionnais une foule de gens dans un grand immeuble où il y avait énormément de secrétaires. Kevin était assis dans la salle d'attente, portant un jean et visiblement pas rasé. Il ressemblait à un vrai clodo. Après qu'il fut parti, toutes les femmes qui étaient dans la salle d'attente et toutes les secrétaires qui entraient demandaient : "Qui est-ce ?" Je n'ai jamais rien vu de pareil. Elles étaient toutes folles de lui. C'est le seul moment de ma carrière où, autant que je m'en souvienne, une telle émeute soit arrivée. Je n'ai jamais été surprise qu'il soit devenu une grande vedette." »

Pour l'heure, Kevin s'enthousiasme « pour cette petite chose – avec un budget de moins d'un million de dollars – pour la chaîne

PBS, qui a retenu toute mon attention. Je ne pouvais pas jouer le rôle vedette car c'est un rôle féminin (tenu par Jane Alexander), mais si j'avais pu porter une perruque, je l'aurais fait ». Kevin révèle un des critères qui vont lui servir dorénavant pour accepter un rôle : le fait qu'il ait envie de jouer tous les personnages. En tout cas, il est très charitable pour ce petit film, sorti en France en salles et sur Canal + sous le titre *Le Dernier Testament*, qui ne vaut pas grand-chose en dehors de lui et du thème de la guerre nucléaire. Comme *Le Jour d'après* de Nicholas Meyer, bien meilleur sur le même sujet, *Le Dernier Testament* de Lynne Littman parle des effets sur une petite ville californienne de l'éclatement de milliers de missiles nucléaires lancés sans avertissement par les Soviétiques.

Le film reçut un accueil sympathique de la critique américaine, qui le trouva « terriblement émouvant » et « exceptionnellement puissant ». Costner fut à juste titre fier de l'écho recueilli. « Je sentis dès le début que je participais à quelque chose de vraiment grand, et un an plus tard, quand le film sortit, nous réalisâmes combien il était merveilleux. Et l'on s'intéressa un peu à moi. » Kevin est très modeste : il est, avec Jane Alexander, le seul attrait d'un film par ailleurs long, terne, sans réel saillant, où il ne se passe presque rien. Les scènes où il prend la parole sont les seules poignantes (un critère qu'il commence à adorer) d'un film ennuyeux et morne. D'ailleurs la critique française ne s'y est pas trompée, trouvant le point de vue adopté trop sentimental et quotidien pour être intéressant. Kevin peut être content : ce film ne sera regardé à l'avenir que par ceux qui se pencheront sur sa carrière.

Après cette ambiance particulièrement sombre, Kevin a la chance de mettre un peu de soleil dans sa vie, en partant pour la Grèce jouer un rôle plus gai dans *Une table pour cinq (Table for five)* du médiocre réalisateur de télévision Robert Lieberman. Ce film fut presque totalement tourné à bord du bateau *Vistafjord* lors d'une croisière de Rome à Athènes, puis au Caire. Costner se sent tellement en confiance, en voyant les propositions se multiplier, qu'il donne sa démission des studios Raleigh, après y avoir passé plus de trois ans. Dans ce film, il joue l'un des jeunes mariés, avec Cynthia Kania dans le rôle de sa femme. Les acteurs avaient chacun leur cabine et pouvaient profiter des installations du bateau de luxe les jours où ils ne tournaient pas, se mêlant aux autres passagers, ce qui ajoutait de l'authenticité aux scènes tournées. Le film est surtout destiné à servir de faire-valoir à l'acteur Jon Voight, alors au faîte de sa carrière. Il venait de remporter un énorme succès avec le remake du *Champion (The Champ),* pourtant mal réalisé par le metteur en scène d'opéra protégé de Luchino Visconti, le surestimé Franco Zeffirelli. Les producteurs voulurent tirer profit de l'image du père de famille [1] qu'avait Voight en lui confiant cette fois-ci trois enfants au lieu d'un. Il joue le rôle d'un père divorcé, et le conflit parents naturels contre parents adoptifs constitue le cœur de ce drame familial plutôt lent.

En tant que jeunes mariés, Costner et Kania n'ont pas grand-chose d'autre à faire que d'être collés l'un à l'autre, en souriant béatement sur fond de paysages de carte postale. Le film eut l'honneur, assez immérité, d'être présenté au festival du cinéma américain de Deauville en 1983. Entre-temps, Kevin, désormais connu à Hollywood sous le sobriquet « Le visage sur le sol de la salle de montage », apprend sans trop de surprise que la plupart de ses scènes ont une fois de plus terminé à la poubelle de la Moviola. Malgré quelques succès, il est de plus en plus frustré en cette fin 1983. Le plancher de la salle de montage aurait eu raison des plus endurcis, mais pas de Kevin. Il emménage dans sa première maison, modeste, dans une banlieue du nord de Los Angeles, à La Canada.

N'arrêtant pas de harceler son agent pour décrocher des rôles, il obtient enfin la vedette dans une production canadienne intitulée *St Louis Square.* Ce n'est pas vraiment le film de qualité qu'il attendait. Pis encore, la malchance le poursuivant, le tournage n'ira même pas jusqu'au bout faute de moyens. Le film fera pourtant surface en 1989 (six ans plus tard) sur le marché de la vidéo sous le titre : *Le Marchand d'armes (The Gunrunner),* sorti par New World Video, une filiale de l'ancienne firme de Roger Corman, New World Pictures. En France, il aura même les honneurs de Canal +.

Costner y joue le rôle du trafiquant Ted Beaubien, pris dans les bas-fonds du Montréal de 1926, alors qu'il est en train de fournir illégalement des armes aux révolutionnaires chinois. Son

---

1. Il adoptait un jeune orphelin dans *Le Champion.*

frère cadet George (Ron Lea) se fait bêtement tuer alors qu'il essaye de monter lui aussi un trafic d'armes, et la petite amie de son frère, Rosalyn (Mitch Martin), se fait enlever pour être échangée contre le butin. Beaubien doit se tirer de ces deux mauvais pas, tout en se disputant constamment avec sa compagne Maude (Sara Botsford). Cette dernière, très indépendante, fait du trafic de whisky et tient un *speakeasy* [1] de mauvaise réputation. Ted Beaubien se tire de justesse des pattes des gangsters et part sur un bateau, sans doute à destination de la Chine.

Le film sent la production bricolée, ce qu'il est. Certaines scènes ont été arbitrairement mises bout à bout au montage. Visiblement, des scènes d'action n'ont pas été tournées et font cruellement défaut. Beaucoup d'autres sont mal éclairées et mal mises en scène par manque de moyens. Le film finit en queue de poisson sur un gros plan de Costner fumant une cigarette, qui appartient à des séquences du début (même lieu, même éclairage, même décor), suivi d'une scène d'actualités montrant un défilé de révolutionnaires chinois. Apparemment la fin prévue initialement n'a jamais été tournée.

Évidemment, les critiques furent au diapason du film. Celle de *Variety* en est une bonne illustration : « Un spectacle tout à fait sinistre... un film presque sans action qui ressemble à un téléfilm en dessous de la moyenne. » Kevin Costner, chaque fois qu'il est interrogé sur le sujet, s'en lave les mains, insistant sur le fait ahurissant qu'il ne fut pas payé et que la production s'arrêta bien avant la fin prévue du tournage. Il n'a pourtant rien à se reprocher car il est le seul et unique intérêt de cette petite bande. Le metteur en scène Nardo Castillo, un inconnu complet [2], n'a jamais fait d'autre film par la suite, ce qui laisse supposer qu'il aurait porté le chapeau pour les producteurs défaillants. Quoi qu'il en soit, fin 1983, la carrière de Costner semble plus s'orienter vers celle d'Audie Murphy que vers celles des grands acteurs légendaires américains.

Ce pauvre Audie Murphy, soldat le plus décoré de la Seconde Guerre mondiale, auteur d'un best-seller, *L'Enfer des hommes* (*To hell and back,* « Aller et retour en enfer »), s'était mis en tête

---

1. Nom donné aux bars clandestins du temps de la prohibition où l'on pouvait boire de l'alcool et « parler facilement », d'où leur nom.
2. S'agirait-il d'un pseudonyme pour un Canadien plus connu ?

de devenir une grande vedette hollywoodienne. Après sa démobilisation et au début des années cinquante, il figura en vedette dans nombre de tout petits westerns.

L'année 1958 fut le sommet de sa carrière, avec un petit film bien fait de Don Siegel sur des trafiquants d'armes vers Cuba, *The Gun Runners,* et *Un Américain bien tranquille (The quiet American)* de Joseph L. Mankiewicz, d'après le roman de Graham Greene. Mais Murphy retomba très vite dans les westerns de série Z[1]. Son seul titre de gloire est d'avoir été second couteau dans de grands westerns face à des acteurs de légende comme James Stewart et Burt Lancaster. Il est ironique de penser qu'en cette fin d'année 1983, Costner est plus proche d'Audie Murphy que de ces derniers.

Et pourtant « le visage sur le sol de la salle de montage » va montrer avec les années décisives 1984 et 1985 qu'il est prêt à devenir une nouvelle étoile comparable aux stars mythiques du firmament hollywoodien. Il dira plus tard qu'après *Le Marchand d'armes* « j'avais décidé alors : advienne que pourra, j'étais résolu à m'en tenir à de meilleurs rôles ». C'est ce qu'il fit, avec un certain succès. Dernière ironie, il est amusant de constater qu'il a d'abord interprété un homme lié à des trafiquants d'alcool, avant de jouer celui qui va les combattre avec acharnement, mais c'est une autre histoire.

---

1. Désigne des films tellement mauvais qu'on leur donne la dernière lettre de l'alphabet, par dérision vis-à-vis des productions A et B. La série B est le nom donné aux films d'une durée comprise entre 60 et 80 minutes, pour permettre une double programmation (deux films pour le prix d'un), dont le tournage n'excédait pas 20 jours et le coût 500 000 $ (de l'époque), à partir de 1932. Ces films furent produits d'abord par la RKO, l'Universal et la Columbia. Les autres compagnies y vinrent plus tard (1939 pour la MGM, à qui l'idée répugnait). La série B permit de tester de nouveaux acteurs, metteurs en scène et techniciens qui n'auraient probablement pas eu leur chance sans elle. Elle disparut au début des années 1950, la télévision la remplaçant par ses séries à épisodes. Seule la Twentieth-Century-Fox, probablement grâce aux énormes profits du Cinémascope, maintint son département B (au travers de la Lippert et de la Regal notamment) jusqu'en 1958. Certains studios, appelés par dérision *Poverty Row* (la ruelle de la pauvreté), ne faisaient que des séries B (Monogram, Republic, Grand National entre autres). Par contrecoup, on donne le nom de série A aux films d'après 1932 dont la durée dépassait 90 minutes, le tournage un mois et le coût un million de dollars (de l'époque).

CHAPITRE III

LA MISSION N'EST PLUS IMPOSSIBLE

Une scène forte, tirée de son futur chef-d'œuvre *Danse avec les loups,* décrit le mieux la fin de cette année 1983, assez sombre pour Costner. Kevin en lieutenant de la cavalerie de l'Union s'apprête à charger une deuxième fois les fusils sudistes braqués sur lui. Les nordistes, leur général en tête, pensent à juste titre qu'il s'agit d'un suicide. Costner avant de s'élancer s'écrie : « Pardonnez-moi, mon Dieu. » Puis il charge, les bras en croix dans une attitude christique, entraînant les nordistes derrière lui. Kevin en est lui-même alors à cette extrémité. Il vient de connaître l'une des plus amères déceptions de sa vie. Auditionné pour le personnage du photographe dans *La Déchirure (The Killing Fields)*, le remarquable film de Roland Joffé sur le monstrueux génocide pratiqué au Cambodge par les Khmers rouges, il doit s'effacer devant John Malkovich. Ce dernier, dont c'est le deuxième rôle, obtient de jouer le personnage qui va le faire vraiment connaître du grand public. Malkovich[1] colle d'ailleurs beaucoup plus au photographe de presse revenu de tout que Costner. Néanmoins Kevin sent que c'est un personnage puissant, qui restera dans le panthéon du cinéma, un rôle qu'il est dommage d'avoir raté.

Sa femme Cindy perd patience. La famille Costner et la belle-famille Silva trouvent l'obstination de Kevin de plus en

---

1. Il sera opposé pour la première fois à Kevin Costner dans *Waterworld* de Kevin Reynolds.

plus suicidaire et difficile à admettre. Pourtant, en ce début d'année 1984, il va prouver que malgré son besoin de travailler il n'est pas prêt à prendre n'importe quoi. Il refuse coup sur coup le rôle qu'acceptera Mel Gibson dans le premier film américain de l'Australienne Gilliam Armstrong, *Mrs. Soffel,* puis celui que tiendra finalement la falote vedette de télévision Robert Urich dans le médiocre *Ice Pirates* du peu inspiré Stewart Rafill.

Il a amplement raison : les films sont des échecs, artistiques autant que commerciaux. Il est assez cocasse de constater qu'un rôle lui est proposé *avant* Mel Gibson. Il faut dire que le beau Mel n'a pas encore percé aux États-Unis, et qu'il n'est alors que la vedette des deux premiers *Mad Max* australiens. Comme Kevin, ce n'est qu'en 1985 qu'il sera définitivement consacré par Hollywood avec *Mad Max 3 – le Dôme du tonnerre.* Pour l'instant Mel n'est qu'un acteur australien – d'origine américaine certes, et dont les films connaissent un succès mondial. Il n'est pas encore la « bête noire » de Costner.

Pourtant 1984 n'est pas une si mauvaise année pour Kevin. Le jeune Américain des plaines de l'Oklahoma croit toujours à sa bonne étoile. Il saute de joie quand un réalisateur inconnu du nom de Kevin Reynolds l'engage pour le rôle vedette d'*Une bringue d'enfer (Fandango),* un film mélancolique. Reynolds raconte la scène. « Nous avions déjà auditionné deux cents personnes pour le rôle de Gardner Barnes. Au moment où je commençais à désespérer, Kevin entra. Quinze secondes après qu'il se fut mis à lire les répliques, je sus qu'il était le personnage. » Encore un metteur en scène à qui Costner fait une forte impression. La profession est toujours subjuguée par son charisme : c'est la meilleure preuve qu'il a raison de s'obstiner.

Costner, lui, est heureux pour plusieurs raisons. La première est que le film est produit par Amblin Entertainment, la compagnie de production du *wonderkid* d'Hollywood, Steven Spielberg, dont Reynolds est un protégé, et c'est une garantie de qualité.

La deuxième raison est que Kevin s'aperçoit qu'il a déjà entendu parler de *Fandango.* « Quand j'étais directeur de plateau (aux studios Raleigh), je cherchais toujours des petites pièces de théâtre, des films d'étudiants ou des choses de ce genre-là, dans lesquelles je pouvais jouer après le travail. Ainsi je fus amené à lire un rôle pour un film d'étudiant [1], une version courte de *Fandango* [2]. Cela m'avait beaucoup plu, et à un autre acteur aussi. Évidemment, je n'ai pas eu le rôle. Trois ans plus tard, j'arrive dans ce bureau pour l'audition d'un autre film appelé *Fandango,* et c'est le même ! »

La troisième raison est plus concrète : en lisant le scénario, Kevin s'aperçoit que Gardner Barnes, son personnage, est présent dans presque toutes les scènes. Ce qui lui fait dire avec son remarquable sens de l'humour : « Ils vont y passer des nuits entières pour trouver cette fois-ci un moyen de me couper au montage ! »

Le tournage d'*Une bringue d'enfer* se fait en extérieurs dans des zones désertiques du Texas et de l'Oklahoma. Costner, pour la première fois, contemple le berceau de sa famille paternelle, cet Oklahoma dont son père lui a tant parlé. L'ambiance est extraordinaire et les deux Kevin deviennent très vite des amis inséparables. Tous deux ont eu autant de mal à percer, et leurs adolescences se ressemblent. Kevin Reynolds se souvient : « Nous avions des environnements similaires. J'étais un morveux de l'armée de l'air [3]. Vous avez tendance à construire votre propre monde magique, à vivre à l'intérieur de vous-même. Vous développez une imagination active. Peut-être est-ce pourquoi il (Costner) fait ce qu'il fait et je fais ce que je fais. Vous apprenez à être loin des gens. » Reynolds avait navigué entre le Texas et le Nouveau-Mexique et avait lui aussi été bercé par le cinéma. Après des études de droit, il décida de suivre l'école de cinéma de l'université de Californie du Sud. L'un de ses courts métrages d'étudiant, *Proof,* attira l'attention de Spielberg, qui fit tout pour que Reynolds puisse tirer un long métrage de ce *Proof,* comme lui-même avec *Duel* quatorze ans auparavant. Les fidèles colla-

---

1. De l'université de Californie du Sud (U.S.C.), la plus réputée au monde des écoles de cinéma. Spielberg et George Lucas (*La Guerre des étoiles),* entre autres, en sont diplômés.

2. Le titre était *Proof,* jeu de mots sur « preuve » et sur le degré alcoolique prouvé, obligatoirement mentionné aux États-Unis sur les boissons alcoolisées.

3. Ballotté d'une base aérienne à l'autre, comme Costner l'était de site Edison en centrale électrique.

borateurs de Spielberg, Frank Marshall [1] et Kathleen Kennedy, réunirent l'argent sous la bannière d'Amblin Entertainment et permirent aux deux Kevin de réussir leur percée ensemble. Ce lien va les rapprocher définitivement. Reynolds rejoint le noyau de ce qui va devenir le *Ride back gang* [2], le clan de ceux qui aident Kevin à percer. D'ailleurs la bande qu'on voit dans le film a probablement donné cette idée à Costner, toujours à la recherche d'un groupe d'amis depuis sa plus tendre enfance.

Comme co-vedette, Costner a Sam Robards, le fils de Jason Robards Jr. et de Lauren Bacall, une façon pour lui d'approcher l'Hollywood mythique des grandes stars et des dynasties. Les autres acteurs sont Judd Nelson et Brian Cesak, ainsi qu'une jeune Suzy Amis prometteuse. Nelson devait faire lui aussi une percée remarquée en 1985 dans le film de John Hughes : *The Breakfast Club,* devenu un film culte auprès des adolescents de cette génération. La future vedette Glenn Headley joue le petit rôle de Trelis.

Une bringue d'enfer est l'un de ces films qui ont été faits sur le modèle d'*American Graffiti* (1973), le phénoménal succès de l'ancien condisciple, grand ami et souvent associé de Steven Spielberg : George Lucas, créateur de *La Guerre des étoiles* [3] et du procédé sonore THX, puis fondateur de la société ILM [4]. La plupart de ses émules, *More American Graffiti* (1979) du scénariste-réalisateur B.W.L. Norton, *National Lampoon's Animal*

---

1. Passé depuis à la réalisation avec *Arachnophobie* (1992) et *Les Survivants (Alive)* (1993). Sa femme Kathleen Kennedy, elle, demeure productrice.

2. Expression utilisée dans de nombreux westerns, dont l'excellent *Jardin du diable* avec Gary Cooper, où le héros vient rechercher (*ride back*) son ami resté en arrière pour retarder leurs ennemis, en général des Indiens. Costner choisit ce nom pour désigner la philosophie de son clan : personne n'est laissé seul, surtout s'il a des ennuis.

3. Il nous prépare (pour 1995) le début de *La Guerre des étoiles,* attendu depuis 17 ans ! N'oublions pas : *L'Empire contre-attaque* commence par un avis annonçant « Chapitre V ». Comme il s'agit de la suite de *La Guerre des étoiles,* logiquement trois chapitres, donc autant de films, se situent avant cette *Guerre des étoiles.* Lucas n'a rien mis en scène depuis ce dernier film (1977) !

4. Industrial Light and Magic, compagnie créatrice d'effets spéciaux, derrière toutes les grandes machines d'effets spéciaux de ces dernières années, des *Terminator* à *Jurassic Park.*

House (1978) du débutant John Landis, *Porky's* (1981) et sa suite *Porky's II – the Next Day* (1983) du même tâcheron Bob Clark, ne valent pas grand-chose, même si certains firent un malheur au box-office. Comme tous ces films estudiantins, *Une bringue d'enfer* suit une bande de jeunes diplômés partis faire une virée, avant d'être pris par la mobilisation et envoyés dans la tourmente vietnamienne en 1971.

Le film s'ouvre sur une de ces éternelles surprises-parties de *fraternity*[1] à Austin, capitale du Texas et ville dont sont originaires les héros. Gardner Barnes (Kevin Costner) et son ami Kenneth Waggener (Sam Robards), en retard pour enterrer sa vie de garçon, viennent de recevoir leur feuille de mobilisation pour le Viêt-nam. La stupeur passée, Gardner suggère à leur bande : les *Groovers* (Ceux qui sont dans le rythme, dans le vent), constituée de Phil Hicks (Judd Nelson), de Dorman (Chuck Bush) et de Lester (Brian Cesak) de faire une virée jusqu'au Mexique pour déterrer « Dom ». Ils s'embarquent dans la Cadillac d'occasion de Phil, justifiant la présence de ce dernier dans la bande. Mais ils s'égarent dans le désert et tombent en panne d'essence. Après de nombreuses aventures, les Groovers arrivent à l'endroit où ils ont enterré Dom, qui n'est autre qu'une bouteille de leur champagne favori : Dom Pérignon. Kenneth décide finalement de se marier. Les Groovers, par de multiples stratagèmes, réussissent à faire organiser le mariage par tous les habitants d'une petite ville de la frontière, autour du kiosque à musique. La mariée arrive, après moultes péripéties d'un hippy et de son avion (poursuite par un hélicoptère de la police, atterrissage sur une bretelle d'autoroute pour demander son chemin). Le mariage se passe dans la bonne humeur et une chaude ambiance. Gardner et la mariée se lancent dans un fandango endiablé. Elle était son ancienne petite amie... Après le départ des époux dans la Cadillac que leur a donnée Phil, les Groovers se séparent et Gardner, seul sur une colline dominant la ville, porte un toast à sa vie passée.

Sans être un chef-d'œuvre comme *American Graffiti*, *Une bringue d'enfer* est largement au-dessus de tous les films estu-

---

1. Nom donné à un bâtiment abritant des élèves de même année sur les campus américains.

diantins qui ont fleuri entre 1979 et 1984. L'ombre du Viêt-nam y est constamment présente, et le personnage de Gardner Barnes bien plus complexe et fouillé que certains autres rôles qui vont rendre Costner célèbre. Sous des dehors de noceur futile qui prend la vie comme elle vient, toujours du bon côté, Gardner recèle des blessures qu'il cache à sa bande pour ne pas les inquiéter. L'échec de sa liaison avec la future femme de son ami, sa mobilisation pour le Viêt-nam lui laissent un goût très amer qui gâche pour lui, sans qu'il le montre, les frasques dans lesquelles il entraîne sa bande. Affublé de lunettes de soleil dont une branche est cassée et de la queue-de-pie du mariage, il laisse vagabonder ses pensées, moins guindées que son habit, et Costner fait très bien passer les deux facettes, la dualité de son personnage. Il apprend à se servir des accessoires pour exprimer ses attitudes secrètes. Il n'est pas étonnant que Gardner Barnes demeure à ce jour l'un des personnages que Kevin préfère. C'est le premier dans sa carrière qui le rattache à la veine comique de Gary Cooper, celle du séducteur, qui va de *One sunday afternoon et Sérénade à trois (Design for living)* du grand Ernst Lubitsch, tous deux de 1933, à *Ariane (Love in the afternoon,* 1957) du délicieux Billy Wilder, en passant par *La Huitième Femme de Barbe-Bleue* (1938) et *Boule de feu* (1941).

Présenté au festival de Venise en 1984, *Fandango* y est applaudi, mais quand il sort en octobre 1984 aux États-Unis, c'est un désastre. Le film arrive péniblement à glaner 2 millions de dollars. La maison de distribution y croit si peu qu'elle le sort dans une unique salle à Paris, en plein mois d'août 1988, affublé d'un titre ridicule. Il ne tiendra même pas l'affiche un mois [1]. Seule la meilleure revue de cinéma française, *Positif*, dans son n° 332 d'octobre 1988, fait une critique juste et bienveillante du film. Pour le reste de la presse, spécialisée ou non, c'est le silence, ou l'habituelle exécution des films américains dont les metteurs en scène sont inconnus ou pire, non reconnus par la chapelle des critiques qui soutiennent le cinéma d'auteur. Il faut dire que la presse américaine elle-même, dans ses critiques, ne

---

1. Depuis, les chaînes câble-satellite *Ciné-Cinémas* et *Canal Jimmy* ont eu l'occasion de le diffuser avec succès, en 1992 et 1993. Il est également sorti en vidéo.

s'intéresse qu'à Costner. Pour le quotidien professionnel du cinéma *Variety* : « Costner est une présence dynamique au cœur du film. Assez charismatique pour tenir à la fois sa bande et le film à bout de bras, il a l'étoffe d'imprévu dangereux qui fait les acteurs de haut vol et de grande lignée. Les autres ne sont pas à son niveau mais font bien ce qui leur est demandé. » Irma Velasco dans *People* renchérit : « Costner est tout à fait capable de parler à un fauve excité pour qu'il n'utilise pas ses crocs. »

L'échec d'*Une bringue d'enfer (Fandango)* est totalement immérité. Encore un film à (re)découvrir ; sa sortie en vidéocassettes et sur les chaînes câble-satellite le permet. Costner fut néanmoins très satisfait de l'expérience. « Il a changé toute ma perspective. C'est un mélange de pas mal de choses, mais finalement c'était un petit film réellement bon, l'un de mes préférés. » Ce sera aussi l'un des rares échecs financiers d'Amblin Entertainment, qui en connut peu [1].

Toujours pas reconnu, Costner a néanmoins le culot et le cran de refuser des rôles. On comprend qu'il ait décliné celui de *Grandview USA* du piètre réalisateur Randal Kleiser, qui reviendra à Patrick Swayze, futur chouchou de ces dames. Son refus du rôle vedette, confié à Jeff Bridges, dans le bon (sans plus) film noir du trop tôt disparu Richard Marquand *A double tranchant (Jagged Edge,* 1985), peut apparaître dicté par la peur de jouer un personnage ambigu, finalement antipathique sous des dehors charmeurs. Il n'en est rien : un meurtrier odieux qui manipule son avocate grâce à son charme n'a rien de sympathique aux yeux de Kevin, donc rien d'ambigu. Mais il ne veut pas entacher son image de marque à peine naissante avec une histoire qui n'est pas suffisamment émouvante. Il est vrai qu'il sort de la déconvenue de *Mask* du bon faiseur Peter Bogdanovich. Costner n'a pu décrocher l'un des rôles principaux, qui échoit à Eric Stoltz. Personnellement, en dehors du défi que cela représente pour un acteur, nous ne voyons pas ce qu'un visage déformé par un masque aurait pu apporter à Kevin. Ce rôle ne fit d'ailleurs rien pour la carrière d'Eric Stoltz, malgré le côté émouvant de l'histoire.

Cette année 1984 se finit en définitive mieux que 1983 pour Kevin Costner et annonce l'année de la percée : 1985.

---

1. L'autre échec cuisant est l'hilarant *1941* de Steven Spielberg.

John Badham, le metteur en scène du grand succès *Wargames,* que Costner avait abandonné pour le suicidé des *Copains d'abord,* ne lui en garde pas rancune, puisqu'il tient à lui confier le rôle vedette d'*American Flyers,* son nouveau film. Kevin doit jouer l'un des frères Sommers, rivaux dans ce qu'il est supposé être la course cycliste la plus dangereuse et difficile du monde : l'« Enfer de l'Ouest » *(Hell of the West),* dans la réalité la Coors International Classic. Perfectionniste comme toujours, Costner s'entraîne intensivement pour le personnage. Il parcourt les rues de Los Angeles, développant ses muscles des jambes, apprenant à jouer des pignons et des plateaux et à s'imprégner des subtiles tactiques de course. Son côté jusqu'au-boutiste le pousse à s'exercer le plus possible pour être crédible dans le rôle. Steve Tesich, qui a écrit le scénario, se souvient de sa première promenade à bicyclette avec Costner dans Griffith Park. Ils approchent de la fameuse colline où trente ans plus tôt James Dean et Corey Allen s'affrontaient dans *La Fureur de vivre (Rebel without a cause).* Tesich sent que l'athlétique acteur est en train de gagner tout doucement du terrain sur lui. Respirant à fond, Tesich se bagarre pour le rattraper. Selon le scénariste, Costner « voulait vraiment me battre. Ce n'était pas seulement un désir intérieur, cela se voyait au grand jour. Je voulais être au-dessus de lui. Je devais le battre, et je le fis. Pourquoi ? C'était mon sport... et mon scénario, bon Dieu ».

Cette performance permet à Kevin d'obtenir définitivement le rôle de Marcus Sommers. Le tournage a lieu dans les États du Missouri pour les scènes se passant à Saint Louis, du Kansas pour les scènes d'entraînement entre les deux frères Sommers, et du Colorado pour toutes les scènes de course, qui sont filmées pendant la célèbre Coors International Classic, patronnée par la bière la plus connue de l'Ouest, la favorite de Paul Newman [1] : Coors. Rae Dawn Chong, la partenaire de Kevin dans *American Flyers,* ne soupçonne pas alors qu'il deviendra une grande vedette, mais elle se souvient fort bien aujourd'hui de l'impression qu'il lui faisait. « Kevin est sexy et très mystérieux. Il n'est pas du tout

---

1. Par contrat, Newman exigeait dans tous ses films une scène où il buvait de la Coors. Il a largement contribué à la notoriété de cette bière.

homme à femmes comme la plupart des hommes qui savent qu'ils sont beaux. C'est un homme véritable. Il est comme Robert Redford ou Clint Eastwood – dur au vrai sens du terme. »

Il est vrai que Costner ressemble beaucoup à Redford : mariage de bonne heure avec une camarade de collège, petits boulots tout en apprenant le métier d'acteur, galère pour arriver à percer, même façon de gérer sa carrière et son image tout en gardant la maîtrise de ses projets. Kevin va également monter un jour son propre projet comme Clint Eastwood le fait depuis longtemps déjà en cumulant les fonctions de producteur, metteur en scène et acteur (via sa compagnie Malpaso [1]). Clint et Kevin se sont d'ailleurs retrouvés sur un film en 1993, quelque peu poussés par leur distributeur commun, la Warners. Mais en 1985, il n'y a rien pour assimiler Kevin à ces deux grandes vedettes, mis à part leurs débuts difficiles. La remarque de Rae Dawn Chong est donc perspicace et révélatrice.

Elle rejoint ce qu'en dit le scénariste Steve Tesich. Ce dernier a toujours été impressionné par la façon dont Costner joue et dont il se comporte avec les femmes. « Je l'ai vu un jour dans un bar, se pencher sur le comptoir, et je n'ai jamais vu quelqu'un se pencher mieux sur un comptoir. Les hommes ont toujours tendance à se méfier des autres hommes. Lui non, et moi non plus, c'est pourquoi nous nous entendons si bien. Un homme sait tout de suite d'où sort un autre homme. Vous savez que Kevin a travaillé de ses mains. Il n'a pas peur de travailler dur et de transpirer. Vous savez qu'il a été sportif à la façon dont il marche, dont son corps bouge, dont il se relaxe. Vous savez qu'il apprécie les femmes mais pas de façon trouble ni névrosée. »

Décidément Kevin laisse des impressions durables aux gens des deux sexes qui le côtoient. Il vient d'avoir trente ans et pense qu'il est grand temps de percer comme l'ont d'ailleurs fait, Cooper, Stewart, Redford et Mac Queen à cet âge [2].

Le Prix de l'exploit [3] conte les pérégrinations cyclistes des

---

1. Ce qui veut dire « mauvais pas » en espagnol et rappelle à Eastwood sa période de galère.
2. Ni Fonda, ni Eastwood, ni Newman, par contre, n'ont encore percé à trente ans.
3. Titre français de la cassette vidéo, le film n'étant jamais sorti en salles en France !

deux frères Sommers : David (David Grant) l'éternel étudiant et Marcus (Kevin Costner), le médecin des sportifs de l'université du Wisconsin où il habite. Avec son ami le Dr Conrad (John Amos), Marcus s'efforce de mettre en forme son frère, qu'il appelle toujours Davy, pour la course cycliste la plus difficile : *Hell of the West (L'enfer de l'ouest)*. Les deux frères s'entraînent ensemble pour la course. Un jour, David surprend une conversation entre Marcus et le Dr Conrad. Il en déduit qu'il serait atteint d'anévrisme cérébral comme son père, qui en est mort. Le grand jour arrive : Sara (Rae Dawn Chong) compagne de Marcus, et les deux frères Sommers partent avec leur camion-atelier pour le Colorado. Ils arrivent sur les lieux de la course et, alors que Marcus gagne la première étape, David manque de se faire éliminer. En pleine descente dangereuse, au cours de la deuxième étape, Marcus est atteint d'une crise d'anévrisme. Il se savait touché mais ne voulait pas le dire à son frère, avant que celui-ci ne prenne son avenir en main et gagne la course. Les deux frères sont ainsi réunis, ainsi que leur mère (Janice Rule), arrivée en catastrophe avec le Dr Conrad. David, tandis que Marcus récupère dans le camion, va gagner *Hell of the West* après un duel acharné avec Muzzin, l'éternel rival sportif et sentimental de son frère.

Bien que ce soit le premier film américain consacré à une épreuve cycliste, le film n'est pas un succès. John Badham ne réédite pas le « coup » qu'il avait réussi avec le base-ball et les *Bingo Long Travelling All Stars and Motor Kings*. Aux États-Unis, bien que tourné avant, il sortira après *Silverado,* où Costner perce véritablement. Le film a pourtant beaucoup d'atouts : d'abord l'utilisation d'acteurs noirs remarquables (Amos et Townsend), ce qui est une constante chez Badham (rappelons-nous *Bingo Long...*, *Tonnerre de feu,* etc.), ensuite une façon exemplaire de tourner les scènes intimistes, assez exceptionnelle pour un réalisateur plutôt réputé pour ses films d'action. Il suffit de citer le critique et scénariste de cinéma Richard Sean Lyon : « John Badham est l'équivalent contemporain des solides artisans hollywoodiens Henry Hathaway et Raoul Walsh. Comme eux, John Badham ne peut pas sauver un film mal conçu, mais il ne peut pas non plus en ruiner un bon. C'est un professionnel sûr et fiable. » Description très juste de ce metteur en scène, pas aussi mauvais que le laisse entendre une certaine critique, acquise aux auteurs les plus narcissiques et confidentiels.

Les commentaires aux États-Unis sont assez durs. *Variety* déclare : « Cette production surgonflée ne fait que pomper de l'air chaud dans trop de directions à la fois et arrive épuisée. » David Ansen, dans l'hebdomadaire *Newsweek,* déclare qu'« Il est tentant de blâmer *American Flyers,* car c'est le film, sans vergogne, le plus manipulateur de l'année. Il mêle deux des thèmes les plus mélos de l'époque : la compétition athlétique "gagne-pour-le-Gipper [1]" (ici la course à vélo) et le coup de la "maladie-héréditaire-qui-frappe-aveuglément-la-jeunesse". Ce dernier thème est épicé par la question énervante de savoir lequel des deux frères va mordre la poussière – Marcus, le docteur, qui aurait été un prétendant sérieux, ou le gamin Davy, qui a besoin de réaliser son rêve et de se prouver qu'il est bon. Ce qui est exaspérant, c'est que le scénariste Steve Tesich, qui a déjà écrit le film consacré au cyclisme *La Bande des quatre (Breaking away),* et le réalisateur John Badham *(La Fièvre du samedi soir)* ne sont pas des nuls : les dialogues et les détails sont constamment supérieurs aux thèmes larmoyants. De même que le tranquillement puissant Kevin Costner, qui prouve que sa percée de *Silverado* n'était pas du vent. »

Bien plus sensible et juste, Lawrence O'Toole déclare dans le magazine *Maclean's* : « *American Flyers* est extrêmement humain et sympathique, en partie parce qu'il parle de personnages qui, sous des vernis plutôt communs, montrent des qualités plus profondes. Badham sait comment ralentir pour faire passer les moments sensibles du film, c'est une réussite pour lui et pour le scénariste Steve Tesich (lauréat de l'Oscar du meilleur scénario 1979 pour *La Bande des quatre)* de faire que de telles scènes ne soient pas lassantes... *American Flyers* est une rareté à l'heure actuelle – un film de scénariste. Il exprime la vision puissante et personnelle d'un homme. Sans nous noyer sous les pleurs, *American Flyers* touche certains points sensibles dans sa

---

1. Allusion au célèbre film de Ronald Reagan où, immobilisé, il fait jurer à son équipe de gagner le match décisif pour lui : le Gipper, surnom que ses équipiers lui ont donné. (*Knute Rockne All American* (1940) de l'artisan Lloyd Bacon.)

description émouvante de deux frères qui sont des étrangers l'un à l'autre. »

Cette dernière critique très favorable nous fait comprendre pourquoi Costner a accepté le rôle : le caractère poignant de l'histoire, ce qui sera une constante de ses rôles à venir, et les autres personnages que le sien, qui sont tous intéressants, qui existent. « Après que les producteurs d'*American Flyers* se sont appropriés tout le mérite et tout l'intérêt du film, j'ai été obligé de me consoler avec les mots gentils d'inconnus, qui me dirent que la tragédie les avait touchés. Ce fut une pépite d'or qui me permit d'aller plus loin dans le long fleuve tranquille de la vie. » Mais Kevin n'apprécia pas les changements de scénario pratiqués par John Badham : « J'aimais le scénario de Tesich mais pas la mise en scène de Badham. Je crois à l'éthique de l'Ouest. Je crois que votre parole vous lie. Je ferais n'importe quoi pour un metteur en scène qui n'essaye pas de me prendre pour un imbécile. »

Malgré l'échec du film, Costner et Tesich sont restés bons amis, comme l'atteste ce dernier : « Kevin est un type gentil, comme un baba cool des années soixante. Pour moi il sort de cette époque – toujours à l'aise avec ces choses qui veulent dire "Je suis un homme". J'apprécie beaucoup cela. » On ne peut en dire autant des relations Costner-Badham. Le conflit avec certains metteurs en scène devient lui aussi une constante des relations de Costner avec la profession. Elle nous semble provenir de deux facteurs : l'exigence perfectionniste de Kevin, et sa formation de chef de plateau qui lui permet de voir rapidement ce qui cloche dans un film. *American Flyers* ne rapporte, encore une fois, que 2 millions de dollars en Amérique du Nord (États-Unis et Canada). En Europe, guère plus, même dans des pays aimant le cyclisme comme la France, l'Italie, l'Espagne et le Benelux. Il est présenté au festival de Venise en septembre 1985 avec *Une bringue d'enfer (Fandango)*, et au même moment au festival du cinéma américain de Deauville avec *Silverado,* dont c'est la première en Europe. Bien que la France soit une nation très cycliste, *American Flyers* n'y trouvera jamais de distributeur, ce qui est un comble. Il sortira uniquement en vidéo sous le titre *Le Prix de l'exploit* en... 1991, dans le sillage du raz de marée *Danse avec les loups*. Dans les comptes rendus de Deauville et Venise, il passe inaperçu par rapport à *Fandango* et *Silverado*.

Le film, il est vrai, est déséquilibré. Toute la première partie, consacrée aux problèmes entre les deux frères et au spectre de la maladie, est fabuleuse. Elle s'assimile à un *road-movie* [1], sans la violence d'*Easy Rider* de Dennis Hopper, autre acteur-réalisateur. Le film bascule au moment de la course. Badham, manifestement, a cru bon d'y ajouter des clichés pour épicer, croyait-il, le plat : l'équipe russe qui nargue les Américains, les allusions aux Jeux de Moscou et à la prise de drogue par les athlètes communistes, la brute qui est le rival de Costner à vélo et dans sa vie sentimentale. Hélas, le film ne fait que dériver vers une compétition à la Rambo. Badham, en voulant mélanger road-movie, film intimiste et film d'action s'est fourvoyé : le liant ne prend pas et c'est dommage. Mais le film n'est pas nul pour autant, surtout pour Costner, qui y apparaît, pour la première fois et très provisoirement semble-t-il, avec une moustache ! Il ne doit pas plus en rougir que Paul Newman de *Virages* (*Winning*, 1969) du très moyen James Goldstone, ni Steve Mac Queen de *Le Mans* (1971), du très quelconque Lee H. Katzin, consacrés tous deux à la course automobile, que Newman et Mac Queen pratiquèrent. Robert Redford eut plus de chance avec *L'Ultime Randonnée* (*Little Fauss and Big Halsey*, 1970), du très inégal Sidney J. Furie, dont c'est l'un des meilleurs films, et qui s'intéresse lui à la course moto.

Le Prix de l'exploit est le premier de la carrière de Costner qui le relie à ces acteurs mythiques, dont il va devenir pratiquement le seul descendant. Au moment où ceux-ci tournent les films en question, ils ont respectivement : Newman 44 ans, Redford 35 ans, Mac Queen 41 ans. Costner, à 30 ans, est donc le plus jeune à jouer un personnage de sportif.

L'épisode *American Flyers* se finit par une anecdote amusante. Costner a préféré aller à Venise plutôt qu'à Deauville. Son collègue et futur « ennemi » Mel Gibson présente justement à la Mostra *Mrs. Soffel,* rôle que Kevin avait refusé. Un soir ils se saoulent tous les deux au bar Excelsior. L'acteur australien a tellement entendu parler de la performance sportive de Kevin pendant le tournage d'*American Flyers* – Kevin y pédale tout le

---

1. « Film de route », plus généralement film itinérant, qui est un genre typiquement américain repris par certains Européens (Wim Wenders, Bertrand Blier entre autres).

temps sans aucune doublure (encore une autre constante de sa carrière) – que Mel se met en tête de faire la course avec lui. Ils sortent et Mel retrouve à l'extérieur des vélos qu'il avait aperçus en entrant dans le bar. Costner raconte dans une interview à *Première* : « Nous sommes sortis et tous les vélos étaient verrouillés. Alors Mel se met à courir et en trouve un, mais pas deux. Je lui dis que je pédalerais, puisque c'est moi qui avais fait ce film de vélo. Et ce fut géant. Nous étions là, sur le Lido, et Mel sur le guidon, ressemblant à *E.T.* ! »

Il est amusant que Kevin fasse référence à un film de Spielberg. Ce dernier, au vu d'*Une bringue d'enfer,* de son protégé Kevin Reynolds, va engager Costner. Spielberg crée et produit pour la chaîne NBC la série télévisée *Histoires fantastiques (Amazing Stories).* Cette série est un événement, car c'est la première fois que Steven Spielberg revient à la TV depuis ses débuts à la fin des années soixante. Ce sera aussi la seule incursion, jusqu'à aujourd'hui en tout cas, de Costner à la télévision. Le seul épisode de la série que Steven Spielberg va mettre en scène, intitulé *The Mission* (« La mission »), bêtement traduit par *La Mascotte* en France, va permettre à Costner d'entrer pour la première fois dans la peau d'un personnage légendaire s'il en est, un pilote de bombardier de la Seconde Guerre mondiale. Tous les acteurs mythiques dont il va devenir le digne descendant, ainsi que les autres qu'il aime, ont interprété ce personnage : Gregory Peck dans le chef-d'œuvre du genre, *Un homme de fer (Twelve o'clock high)* du grand Henry King (1949), Clark Gable dans le bavard *Tragique Décision (Command decision)* du moyen Sam Wood (1948), Errol Flynn dans *Dive bomber (Bombardier en piqué)* et *Les Chevaliers du ciel (Captains of the clouds),* tous deux de 1941 et de son cher [1] et très sous-estimé Michael Curtiz, Gary Cooper dans le magistral *Condamné au silence (The Court Martial of Billy Mitchell,* 1955) du maître Otto Preminger, enfin James Stewart, dans *Strategic Air Command* du très régulier autant que remarquable Anthony Mann (1955). Décernons une mention spéciale à Clark Gable et surtout à James Stewart, qui le firent dans la réalité, au risque de

---

1. En fait Flynn a toujours détesté Michael Curtiz et ses méthodes dictatoriales !

leur vie : Gable en tant que mitrailleur et surtout instructeur[1], Stewart comme pilote et chef d'escadrille au cours de vingt-trois missions sur l'Allemagne, tous deux à bord des légendaires forteresses volantes B-17.

Dans l'épisode de Spielberg, le capitaine Spark (Kevin Costner) emmène son bombardier B-17 et son équipage pour leur vingt-troisième mission[2] au-dessus de l'Europe occupée. Tout se passe bien pendant le voyage aller et le bombardement sur l'Allemagne. Lors du retour vers l'Angleterre, des chasseurs allemands les attaquent et endommagent sérieusement l'avion, à tel point que Jonathan (Casey Siemaszko), le mitrailleur sous le ventre de l'appareil, ne peut sortir de son habitacle. Comble de malchance, Spark est incapable de sortir le train d'atterrissage endommagé dans l'escarmouche. Le mitrailleur Static (Kiefer Sutherland) comprend qu'ils vont être obligés de faire un atterrissage sur le ventre, ce qui écrasera Jonathan, la mascotte de l'équipage. Tous les équipiers essaient de trouver une solution ou de réconforter Jonathan. Spark et Static sont accablés et impuissants. Finalement Jonathan – un dessinateur hors pair – a une idée de génie : il dessine l'avion avec le train d'atterrissage bien sorti et miraculeusement un jeu de roues, comme celui qu'il a dessiné, apparaît sous la carlingue, permettant à l'avion d'atterrir sans problème. Dès que Jonathan est libéré du fuselage abîmé, les roues disparaissent comme par enchantement.

Bien que ce soit le meilleur épisode de la série, ce n'est pas un succès. L'ensemble de la série n'atteint d'ailleurs pas l'audience escomptée. Il semble que le public du milieu des années quatre-vingt la trouve trop proche de la série fétiche *La Quatrième Dimension (Twilight Zone)*, que certaines chaînes locales montrent toujours aux États-Unis et que les Français découvrent, avec retard, au même moment[3]. NBC sera tellement déçue

---

1. Il se plaignit amèrement d'être maintenu au sol comme un emblème que l'on exhibait devant le plus de recrues possible plutôt que de l'envoyer dans des missions périlleuses.

2. Après vingt-trois missions, les équipages étaient rapatriés aux États-Unis pour servir d'instructeurs. Bien peu réussirent cet exploit.

3. Il faudra attendre l'été 1994 pour que France 3 en diffuse pour la première fois en France une cinquantaine d'épisodes en version originale (dans l'émission du matin *Continentales*) !

qu'elle réunira *The Mission* avec deux autres épisodes, *La Mauvaise Tête (Go to the head of the class)* d'un autre protégé de Spielberg, Robert Zemeckis [1], et *Papa, Momie (Mummy Daddy)* de William Dear pour en faire un film, *Histoires Fantastiques,* qui n'aura guère plus de succès que la série quand elle était passée lors de la saison 1986-1987.

Cet échec immérité n'incite pas Kevin à continuer à travailler pour la télévision, et ne lui assure toujours pas la percée qu'il attend depuis six ans maintenant.

Celle-ci va venir de Lawrence Kasdan, le metteur en scène des *Copains d'abord,* qui se sent un peu coupable du « grand frisson » (*Big Chill,* titre américain du film) qu'il donna à Kevin Costner en le coupant au montage. Or il ne pense que du bien de lui : « Kevin est un acteur intelligent qui fait de bons choix – une star classique américaine qui est aussi un bon acteur. Il n'a jamais désespéré. Kevin est un acteur qui contribue au film, clair et très direct. J'ai écrit Jake dans *Silverado* pour lui : je pensais que je le lui devais après *Les Copains d'abord.* Mais il savait que ce n'était pas du tout cuit, que ce n'était pas gagné d'avance. Et puis il avait des millions d'idées pour Jake. Il arriva avec des trucs super. Il est très créatif. Il pense à son personnage de la meilleure façon – pas du tout pour se faire mousser ou voler des scènes, mais en se demandant comment ce personnage pourrait agir autrement. Ce qu'il peut faire est sans limites. » Kevin va le prouver maintenant.

---

1. Futur réalisateur de la série des *Retour vers le futur,* de *Qui veut la peau de Roger Rabbit ?* et du grand succès de 1994, *Forrest Gump.*

CHAPITRE IV

GO WEST... TO SILVERADO !

L'année 1984 est décidément faste pour l'Amérique. Le taux de chômage baisse tous les mois, et il atteindra l'année suivante son niveau le plus bas depuis 1945. Dans le monde, la voix du pays se fait de nouveau entendre. Les États-Unis ne sont plus la risée du monde, comme du temps du président Carter. Les vieillards du Kremlin s'enlisent en Afghanistan, comme les Américains en leur temps au Viêt-nam.

Pour Kevin Costner, c'est aussi une année importante. Il a déjà tourné *Une bringue d'enfer* et *Le Prix de l'exploit,* deux films où il est en vedette. Même si ce sont des échecs tant en Amérique qu'en France, Kevin a prouvé qu'il pouvait jouer des premiers rôles. En outre, il va avoir trente ans. À cet âge, James Stewart (en 1937) vit sa carrière s'emballer puisqu'il tourna trois films capitaux : *Mariage incognito (Vivacious Lady)* de George Stevens, *Vous ne l'emporterez pas avec vous,* son premier rendez-vous avec Frank Capra, et *Le Lien sacré (Made for each other)* de John Cromwell pour David O'Selznick. Au même âge Gary Cooper (en 1931) tourna dans quatre films, un western (*Fighting Caravans*, « En combattant les caravanes »), deux comédies (*I take this Woman,* « Je prends cette femme », *His Woman,* « Sa femme ») et surtout l'un de ses rares films policiers, *Les Carrefours de la ville (City Streets),* qui fut un triomphe pour son réalisateur, Rouben Mamoulian, venu de Broadway, et pour ses interprètes. Henry Fonda débutait (en 1935) à ce même âge, en vedette, seul à réussir cet exploit. Il interprétait une comédie, *The Farmer takes a Wife* (« Le fermier prend femme ») de Victor Fleming, et la nouvelle version par Henry King du superbe mélodrame muet du grand David Wark Griffith, *À travers l'orage* (*Way down East,* 1920), ainsi qu'une comédie de John Cromwell, montée de toutes pièces pour la diva Lily Pons. Errol Flynn, en pleine gloire à trente ans, en 1939, tourne son premier western, *Les Conquérants (Dodge City)*, ainsi que *La Vie privée d'Elizabeth et d'Essex* de son metteur en scène fétiche Michael Curtiz.

Kevin Costner sent peut-être confusément l'importance de cet âge. Le western est son genre de prédilection depuis l'enfance – mais le western est un genre interdit à Hollywood depuis la catastrophe de *La Porte du paradis (Heaven's Gate)*. L'onde de choc qui en résulte sur le genre mérite que nous nous y arrêtions un moment. *Heaven's Gate* a été réalisé par un Italo-Américain, Michael Cimino, dont le talent – aussi grand que celui d'Orson Welles – est reconnu par ses pairs. Son précédent film *Voyage au bout de l'enfer (The Deer Hunter)*, première grande fresque sur le Viêt-nam et ses conséquences, a obtenu trois Oscars en 1978, dont les plus prestigieux (meilleur film, meilleure mise en scène). Un palmarès assez rare à l'époque, qui sera largement dépassé par un certain Kevin Costner une grande décennie plus tard.

United Artists, rassurée par ce brillant résultat, lui laisse la bride sur le cou pour le tournage d'une histoire authentique : la guerre du Johnson County (le titre initial était, au premier tour de manivelle, *The Johnson County War*).

En 1892, à Cheyenne (Wyoming), les grands éleveurs de l'État se réunissent dans leur élégant Cheyenne Social Club pour trouver un moyen radical d'arrêter les vols de bétail en pleine expansion. L'ancien major de l'armée de l'Union (pendant la guerre de Sécession) Frank Wolcott décide de créer un corps de *regulators* [1] « régulateurs » qui abattraient tous les fermiers immigrants figurant sur une liste établie par l'ex-lieutenant Frank Canton et censée contenir tous les voleurs présumés ! Tom Smith, ex-shérif du Texas, ramène à Denver (Colorado) vingt-quatre tireurs professionnels – des tueurs ! – auxquels se joi-

---

1. Tireurs assermentés, plus ou moins légaux, car n'obéissant qu'à leur employeur.

gnent les éleveurs du Wyoming. Ils constituent un train partant de Denver et allant vers la Powder River (à plus de deux mille kilomètres de là) : un wagon contenant cinquante-deux hommes armés et deux journalistes, trois wagons de vivres, d'armes et de munitions, plusieurs autres de chevaux. Le train s'arrête à Casper (Wyoming), et les « chasseurs » s'engagent à cheval vers le repaire supposé des voleurs. Un matin, en chemin, un inconnu leur indique un « ranch » où il aurait dormi en compagnie de plusieurs voleurs. Il s'agit en fait de la cabane qui abrite Nathan Champion et Nick Rae, utilisés à l'occasion comme *regulators* par les éleveurs du coin.

Champion résiste toute une journée avant d'être abattu, le temps pour les fermiers et les immigrants de la ville voisine de Buffalo (Wyoming), aidés par les vrais voleurs, de constituer une milice sous la conduite du shérif et d'encercler notre groupe de régulateurs. Les cinquante-deux en question résistent plusieurs jours à leurs cinq cents assaillants, jusqu'à ce que les troupes du fort McKinney, envoyées par le président des États-Unis Benjamin Harrison (dont un cousin aurait fait partie des cinquante-deux), s'interposent et ramènent les régulateurs à Cheyenne – où ils ne seront jamais jugés, pas même pour les deux meurtres de Champion et de Rae. L'épisode est peu glorieux pour l'histoire des États-Unis : il représente la dernière tentative organisée – qui n'eut pas plus de succès que celle des Indiens – des éleveurs pour « écraser » la foule des fermiers immigrants *(homesteaders* [1]*)* qui s'implantent sur leurs pâturages ouverts. Cimino relate correctement l'épisode d'un point de vue historique, en y ajoutant les personnages, réels, mais pas contemporains de l'action, d'Ella la « Reine de Sweetwater », dite Kate Maxwell, et de Jim Averill, son associé dans l'exploitation d'un ranch-saloon aux hôtesses très accueillantes pour les cow-boys. C'est la seule liberté prise par Cimino avec la chronologie. Mais ce n'est pas cela que lui reprochent l'ensemble des critiques américains après la première du film à New York, le 18 novembre 1980 – au point que la première de Los Angeles sera annulée.

---

1. Pionniers s'installant sur la prairie ouverte (sans barbelés) où broutait le bétail des éleveurs.

Pour ces critiques, Cimino attaque le mythe sacro-saint de la grande démocratie américaine, l'accueil à bras ouverts des « damnés de la terre », des « persécutés », leur intégration sans problème dans la communion du grand rêve américain : « à chacun selon son mérite ». En outre, il laisserait entendre que les « listes noires » ne sont pas le seul fait du sénateur McCarthy [1], mais une habitude fâcheuse de certains éléments de la nation, et pas des moindres !

Les critiques, ne pouvant guère insister sur ce dernier point, se gaussent de la durée : 3 h et 39 mn. Affolée par ce tir très groupé, la firme United Artists massacre le film au montage et sort une version abrégée de 2 h 20 mn, paradoxalement plus lente que l'originale, certains épisodes y semblant incongrus. Les critiques redoublent leurs attaques, et pour une fois le public les suit. United Artists ne récupérera jamais sa mise de fonds et fera faillite, avant d'être rachetée par Kirk Kerkorian, le « raider » de la MGM, qui deviendra ainsi la MGM/UA. Cimino en subit un ostracisme qui persiste encore aujourd'hui ! Le scandale éclabousse en outre le genre, déjà fort mal en point. Les hommes de décision d'Hollywood ont, depuis *La Porte du paradis,* une aversion maladive à l'égard du western.

Or en 1984, Lawrence Kasdan, le scénariste-metteur en scène qui se fait un nom en revisitant tous les genres importants d'Hollywood, décide de réaliser un western. Comme il l'explique dans un entretien télévisé avec le critique François Guérif [2], il lui semblait que l'époque était mûre pour ranimer ce genre roi du cinéma américain, qui l'avait fait rêver pendant toute son enfance. « Une génération entière a grandi sans voir de westerns. Mon frère Mark et moi-même les adorions quand nous étions gosses. Nous souhaitons que *Silverado* soit pour les jeunes une

---

1. Sénateur du Wisconsin qui s'empara de la Commission des Activités anti-américaines (H.U.A.C.) déjà existante avant-guerre pour déclencher une « chasse aux sorcières » envers les communistes ou prétendus tels, pendant la guerre froide. Son influence dura de 1948 à 1954, où il « tomba » en voulant s'attaquer à l'armée.

2. Auteur d'essais sur le cinéma (on lui doit un livre remarquable sur *Le Film noir* (1979, éd. Henri Veyrier) et critique pour *Première* et *Studio* entre autres, il est aussi le créateur et rédacteur en chef de l'excellente revue *Polar*.

initiation au western, et pour les adultes un rappel de ce genre, dont il réunit tous les archétypes. »

Kasdan pense alors au jeune Costner, sacrifié dans *Les Copains d'abord*, et envers qui il a une dette. Il avait beaucoup apprécié Kevin et il veut donc lui donner un rôle conséquent. Il ne peut lui offrir un premier rôle, car le « star power [1] » de l'acteur n'est pas assez élevé. Mais Kasdan aime les histoires à multiples personnages, à l'instar des écrivains de sa lointaine Russie d'origine, qui permettent de nombreux rebondissements. « C'est vrai que j'adore les grandes fresques avec une foule de personnages et de multiples ramifications entre eux. Mais dans ce cas précis, j'avais en tête cette image de quatre cavaliers. Ce sont des étrangers, mais chacun va reconnaître dans l'autre une compétence particulière. A partir de cette constatation, ils se regroupent, forment une bande et finissent par avoir une énorme confiance les uns dans les autres [2]. » Kasdan a d'ailleurs écrit de toutes pièces le rôle de la tenancière de saloon pour la trop rare actrice Linda Hunt [3]. Qu'à cela ne tienne, il va donc créer avec son frère Mark un autre personnage pour Kevin Costner.

Kasdan réunit une pléiade de jeunes acteurs qui montent : Kevin Kline [4] et Jeff Goldblum (déjà de la bande des *Copains d'abord*), Scott Glenn, Danny Glover, Rosanna Arquette, ainsi que le Monty Python John Cleese et l'excellent second rôle Brian Dennehy. Le tournage se passe dans un État connu dans l'histoire de l'Ouest [5], mais rarement utilisé en extérieurs par les films hollywoodiens, le Nouveau-Mexique. Aux dires de Scott Glenn et de Kevin Costner, l'ambiance fut très chaleureuse, presque familiale, et aucun conflit avec la production ne fut à déplorer. Pourtant, débutant le 26 novembre 1984, le tournage

---

1. Capacité à attirer les foules sur son seul nom.
2. Interview dans le magazine *Première* de septembre 1985.
3. Elle avait réussi l'exploit de jouer un Javanais, en étant tout à fait crédible, dans *L'Année de tous les dangers* de l'Australien Peter Weir, avec comme partenaire Mel Gibson.
4. Devenu depuis un acteur fétiche de Kasdan : il joue dans cinq des huit films réalisés par ce dernier (à la fin 1994), dont le dernier en date, *Paris-Match*, tourné à Paris, et qui n'a rien à voir avec le magazine du même nom.
5. Billy the Kid y sévit et le futur écrivain de *Ben Hur,* Lewis Wallace, en fut gouverneur.

fut victime de déplorables conditions météorologiques jusqu'au 14 mars 1985. Kasdan déclara : « Malgré des conditions météo particulièrement éprouvantes, les comédiens et les techniciens ont donné le meilleur d'eux-mêmes. Nous avons vécu tous les aléas de la vie des pionniers ! Cette expérience a été particulièrement gratifiante et je suis prêt à tourner un nouveau western. »

Une ville en dur fut construite en douze semaines et resservit à l'été 1993 pour le tournage de *Wyatt Earp,* western déjà annoncé par Kasdan en 1985. En dehors de cette ville avec ses quarante-sept bâtiments, d'autres scènes furent filmées à Tent Rocks, dans les réserves indiennes de Tesuque et de Nambe, ainsi qu'au Ghost Ranch entre le Pecos et le Rio Grande.

Le film nous raconte comment, à la suite d'un voyage qui doit le conduire en Californie avec son frère Jake (Kevin Costner), Emmett (Scott Glenn) va sauver Paden (Kevin Kline) d'une mort certaine et défendre un cow-boy noir, Mal Johnson (Danny Glover), contre un shérif raciste (John Cleese) qui voulait pendre Jake. Le lien qui se tisse entre ces quatre hommes, à la suite de diverses péripéties, au long du périple, les entraîne à prendre parti dans une guerre opposant les fermiers immigrants à un « baron » du bétail, soutenu par Cobb (Brian Dennehy), shérif et patron du plus grand saloon de la ville de Silverado, un ancien ami de Paden. Ensemble, Emmett, Jake, Paden et Mal arriveront à débarrasser la ville de McKendrick, le baron du bétail, et de Cobb et sa bande, malgré la traîtrise de Slick (Jeff Goldblum, autre acteur habituel de Kasdan), le joueur professionnel amant de la sœur du cow-boy noir. Après les règlements de comptes, Emmett et Jake partent pour la Californie, Mal reprend la terre de son père dont s'était emparé McKendrick et Paden devient shérif, tout en conservant le saloon de Cobb avec l'ancienne associée de ce dernier : Stella (Linda Hunt). Seule Hannah (Rosanna Arquette), arrivée avec le convoi d'immigrants que nos quatre héros ont protégé, devra attendre l'hypothétique retour d'Emmett.

Ce résumé montre que *Silverado* respecte les thèmes du western, codifiés par Frank Gruber [1], romancier-scénariste, William

---

1. Dans son chapitre *The Western* du livre *TV & Screen Writing,* University of California Press, 1958.

K. Everson, critique-historien [1], et le critique français Jean Mitry. Nous préférons, plutôt que citer leurs différentes classifications, parler de cycles [2] qui recoupent l'histoire de l'Ouest.

Ainsi *Silverado* est-il au croisement de plusieurs cycles :

– le peuplement, avec le convoi de pionniers défendu par nos quatre héros ;

– le bétail, avec le conflit entre éleveurs (McKendrick contre les autres) mais aussi entre éleveurs et fermiers (McKendrick contre le convoi de pionniers) ;

– le banditisme et la loi (Cobb le shérif est un ancien hors-la-loi, ainsi que Paden son ex-complice).

De ce fait, c'est un western tout à fait classique. Il intègre aussi de nombreux thèmes récurrents dans les films du genre :

– l'itinéraire initiatique (*road movie* avant la lettre) ;

– l'amitié unissant plusieurs personnages ;

– le conflit entre passé et présent (surtout quand les intérêts s'opposent).

----

1. Dans son livre *The Pictorial History of the Western Film* (« L'histoire illustrée du western ») Citadel Press, 1969, et surtout l'indispensable *The Western from Silents to Cinerama* (« Le western du muet au Cinérama »), Orion Press, 1962, non traduits en français.

2. Ce sont :

– la conquête (les Indiens avant l'invasion, les trappeurs, les découvreurs, etc.) ;

– le peuplement (les caravanes, les convois de pionniers, les immigrants, les fermiers, les villes, etc.) ;

– les moyens de communication (le Pony Express, les diligences : Wells Fargo, Overland Stage...), le train, les bateaux sur les fleuves, la Western Union : le télégraphe, etc.) ;

– la constitution de l'empire : guerres contre l'Angleterre et le Mexique ; guerres d'indépendance du Texas, de la Californie, de l'Arizona...) ; conflit avec la Russie pour l'Alaska ; ruées vers l'or et l'argent...) ;

– la guerre de Sécession (l'esclavage, l'anti-esclavagiste John Brown, le conflit Nord-Sud, la lutte agriculture-industrie, Abraham Lincoln, la naissance des services secrets, etc.) ;

– les guerres indiennes (les grands chefs, les batailles, les massacres, les tribus, la cavalerie, les généraux, les traités jamais respectés, etc.) ;

– le bétail (les ranches, les conflits fermiers-éleveurs, les batailles moutons-bœufs, la lutte pour la prairie ouverte, les heurts (la guerre des barbelés) entre éleveurs, les convois d'acheminement du bétail, etc.) ;

– le banditisme et la loi (les voleurs, les desperados, les hors-la-loi connus, les shérifs, les milices, les juges, etc.).

En outre, le scénario entremêle habilement toutes les situations du western, sauf les Indiens [1] et le convoi d'acheminement du bétail. Aux jeunes qui n'ont encore jamais vu de western au cinéma, ce film donne une vision d'ensemble qui doit leur mettre l'eau à la bouche. Les autres se laissent envahir par le tendre poison de la nostalgie.

Toutefois se pose le problème de la datation précise des faits, ce qui est relativement rare dans un western classique. Nous avons cependant quelques indices. Mal est noir et a travaillé aux abattoirs de Chicago, créés vers 1870. Mal et son père ont des carabines Henry, apparues en 1864, en pleine guerre de Sécession. Emmet se sert d'une Winchester 73, sortie évidemment en 1873, et Jake possède 2 colts Peacemaker apparus la même année. Nous sommes donc forcément après 1873, mais quand ?

Le « classicisme » du film est renforcé par la palette des personnages : des shérifs hauts en couleur et anciens hors-la-loi, un « baron » du bétail accapareur de terres, des pionniers qui arrivent pour bâtir leurs fermes, des cow-boys dévoués à leur patron au point de transgresser la loi, des hors-la-loi parfois représentants de la loi, une tenancière de saloon au grand cœur, un joueur professionnel pourri jusqu'à l'os, un jeune tireur d'élite impétueux et intrépide, des entraîneuses qui sont source de bagarres, la cavalerie représentée par un de ses officiers, le barman raciste et provocateur, le fonctionnaire de l'enregistrement des terres.

Ce respect des règles du genre est aussi souligné par le choix des lieux : le désert, la prairie, le poste de cavalerie, la prison-bureau du shérif, la potence, les saloons, le ranch, la petite ville et sa rue unique, le canyon étroit servant de repaire aux voleurs, etc.

Mais le film est aussi novateur par son humour, assez inhabituel à la grande époque du western, où le manichéisme tranché ne laissait que peu de place à l'ironie. Entre ce qu'il faut faire et ce que le « méchant » se permet de faire, à ses risques et périls, la marge autorisée ne permettait aucun bon mot.

Le film sort aux États-Unis en juin 1985, soit quatre mois après l'autre grand western de l'année, *Pale Rider,* du grand

---

1. Séquence prévue, mais non tournée, car elle coûtait trop cher, selon Kasdan dans l'entretien télévisé avec Guérif.

acteur et réalisateur Clint Eastwood. Cette coïncidence va beaucoup le servir, car Eastwood est le seul à avoir soutenu le genre à bout de bras depuis le dernier chef-d'œuvre incontesté, *La Horde sauvage (The Wild Bunch,* 1969) de Sam Peckinpah. Les années 1970 voient ce genre tomber en désuétude, sous les coups de boutoir conjugués des westerns spaghetti, sans parler des « choucroutes [1] », et de la télévision. La société a changé. L'Ouest légendaire ne fait plus rêver : on lui préfère la drogue et l'horreur. Seuls *L'Homme des hautes plaines* (*High Plains Drifter,* 1973) et *Josey Wales hors-la-loi* (*The Outlaw Josey Wales,* 1976) de ce cher Eastwood maintiennent le véritable western en vie pendant ces années sombres. Elles sont toutefois illuminées par deux joyeuses parodies, qui n'auront aucun succès tant auprès du public que de la critique : *Les Joyeux Débuts de Cassidy et le Kid (Butch Cassidy & the Kid-the Early Days)* de Richard Lester et *Un rabbin au Far West (The Frisco Kid)* du vétéran Robert Aldrich, tous deux en 1979.

C'est encore ce précieux Eastwood qui sera avec *Bronco Billy* à l'origine de la grande année 1980 : douze westerns sortis en salles et huit à la télévision aux États-Unis, ce qui ne s'était pas vu depuis 1960. Cette année 1980 est marquée également par un retour aux personnages historiques : huit westerns sur les vingt sortis leur sont consacrés. Malheureusement, 1980 finit aussi sur le scandale du chef-d'œuvre très controversé aux États-Unis *La Porte du paradis*.

En 1984, Kasdan n'a donc pas froid aux yeux. Il fait même preuve d'un courage certain en faisant un western à la suite d'Eastwood. Au contraire de ce dernier, il n'a ni popularité ni « star power », *Silverado* étant son troisième film de metteur en scène. Pour Kevin Costner aussi, c'est un choix important de carrière, l'un de ces choix qui vous propulsent au sommet ou vous laissent à jamais dans le marais du cinéma, où grouillent des acteurs mis à toutes les sauces parce qu'ils n'ont pas une image forte dans le public. En bref, un sacré coup de poker, mais l'audace est un trait de caractère bien ancré chez Kevin, comme la suite de sa carrière le confirmera.

---

1. Nom donné aux westerns allemands, la plupart du temps tournés en Espagne, d'où leur autre sobriquet de westerns « paella » !

Le premier week-end d'exploitation du film aux États-Unis est catastrophique. Si catastrophique que Lawrence Kasdan n'hésite pas à investir de sa propre poche dans une campagne publicitaire supplémentaire. Très vite, l'effet *Pale Rider* (un énorme succès) fait boule de neige. Cela, ajouté à la campagne supplémentaire, précipite le mouvement en faveur de *Silverado*.

En France, le film sort pour la première fois au festival de Deauville en septembre. Il y est d'autant plus remarqué que *Pale Rider* a été présenté à Cannes en mai. *Silverado* trouve très vite un distributeur, ce qui n'arrivera jamais à *American Flyers,* montré à ce même festival.

Si le public, notamment les jeunes, est assez vite conquis, la critique spécialisée est beaucoup plus réservée. La revue de cinéma la plus dure – surprise [1] – est *Positif* qui hurle au mauvais plagiat. Tout à fait logiquement, *Les Cahiers du cinéma,* d'abord dans une « Lettre d'Hollywood » de leur correspondant Bill Krohn, puis dans une critique d'Hubert Niogret, ne sont guère plus tendres. La palme de l'incompréhension revient à l'historien Jean Tulard, qui dans son *Guide des films* trouve comme seule explication à cette « demi-déception (...) une raison évidente à partir du moment où on la formule : le film vise un public jeune » (! ?). Ce qui ne l'empêche pas de donner au film deux étoiles, le même score qu'il accorde à l'un des chefs-d'œuvre du genre, *La Rivière de nos amours (The Indian Fighter)* d'André de Toth !

Seule *La Revue du cinéma,* en publiant un entretien avec Lawrence Kasdan et Scott Glenn, en plus de la critique faite dans le même numéro par son rédacteur en chef Jacques Zimmer, prend acte de la renaissance du genre. Personne ne signale que deux acteurs crèvent l'écran : Brian Dennehy, qui vole à Kevin Kline toutes les scènes où ils sont ensemble, et

---

1. Des revues cinéphiles françaises : *Positif, Les Cahiers du cinéma, Cinéma, La Revue du cinéma* (devenue *Mensuel du cinéma*), elle est la plus favorable au cinéma américain. Ce n'est pas le cas des autres, plutôt franchouillardes et souvent, par idéologie (marxiste surtout), plutôt anti-américaines. Les autres revues de cinéma françaises sont soit très spécialisées (ex : *L'Écran fantastique, Mad Movies,* etc.), soit grand public (ex : *Première, Studio, Le Cinéphage,* etc.).

Kevin Costner, qui attire plus l'attention que son rôle ne le vou-drait normalement. Costner n'a que le *fifth billing* (cinquième nom à apparaître au générique) après Kevin Kline, Scott Glenn, Rosanna Arquette et John Cleese, juste avant Brian Dennehy ; il n'entre en scène pour la première fois qu'après vingt minutes de film. Son rôle est, avec celui de Scott Glenn, le moins ambigu de tous. Il est le jeune *gunfighter* (tireur rapide et habile), ambi-dextre [1], impatient comme Billy the Kid. Il aime un peu trop les femmes. (À chaque fois qu'il a des ennuis, il vient d'embrasser une femme convoitée par un autre.) Il est fidèle à son frère et à sa famille. (Cette fidélité surpassant à l'occasion le respect de la loi.) Il est acrobate et souple (la première fois que nous le voyons dans la prison de Turley, il saute en se tenant par les mains d'un barreau à l'autre tout en parlant à son frère) et exé-cute toutes ses cascades sans doublure. C'est un jeune chien fou. Alors qu'il vient de s'évader de la prison avec Paden, ce dernier lui intime silence. Ignorant ce rappel à l'ordre, il se met à tirer sur les marches de l'escalier d'en face que descend un homme.

Le personnage joué par Costner ne manque pas non plus d'humour : après que Paden s'est interposé au saloon de Sil-verado, quand Tyree l'a menacé de son colt, il se retourne vers les deux adjoints de Tyree, dans son dos, tend son index droit vers eux et crie « pan, pan » dans leur direction. Son adresse ambidextre est stupéfiante et il la prouve à plusieurs reprises : lors de son évasion avec Paden, lors de l'attaque du campement des pionniers par les cow-boys de McKendrick, où il en abat plusieurs, et lors du règlement de comptes final, quand il se tient au coin d'une maison dont chaque côté est longé par un adjoint du shérif Cobb et qu'il les tue tous les deux en même temps avec ses deux colts. Le rôle est incontestablement de ceux qu'appré-cie le grand public, qui aime ce genre de héros sympathique et drôle, et *a fortiori* les cinéphiles. Il vaut à Costner le prix de la Révélation de l'année, décerné par le très puissant Syndicat des patrons de salles de cinéma, mais aussi de figurer parmi les jeunes acteurs prometteurs de l'année dans le *Screen World*

---

1. Une rareté : seul Henry Fonda, dans *L'Homme aux colts d'or (Warlock)* du réalisateur Edward Dmytryk, peut se targuer d'une telle dexté-rité.

1986, publication annuelle passant en revue tous les films sortis au cours des douze mois écoulés. Lui-même déclare au magazine *Première* de décembre 1985 : « J'incarne un personnage très impulsif, presque autant que moi dans la vie ! J'aime parler de ce film parce que non seulement il est formidable, mais qu'en plus nous nous sommes *marrés comme des gamins* en le tournant. Il n'y avait aucune rivalité entre nous, puisque tous nos personnages ont une égale importance. »

Par rapport au genre du western, son personnage est dans la lignée de ceux incarnés par Gary Cooper dans *Le Cavalier du désert (The Westerner)* de William Wyler (1940), par James Stewart dans la superbe quadrilogie d'Anthony Mann, *Les Affameurs (Bend of the River,* 1952), *L'Appât (The Naked Spur,* 1953), *Je suis un aventurier (The Far Country)* et *L'Homme de la plaine (The Man from Laramie),* tous deux de 1955. Le rapprochement n'est pas anodin dans la mesure où le critique et écrivain Pierre Coursodon et le metteur en scène Bertrand Tavernier ont pu dire dans leurs *Trente Ans,* puis *Cinquante Ans de cinéma américain* [1] que ces films représentaient « ce que le genre a donné de plus parfait et de plus pur ». De même Claude Beylie, important critique de cinéma, dans un numéro de 1961 d'*Études cinématographiques* consacré au western (nᵒˢ 12/13), s'écrie : « si la mythologie du western est si forte, c'est qu'elle s'est incarnée en quelques types humains exceptionnellement représentatifs, purs échantillons du génie de la race. Si le western a rayonné à travers le monde entier, c'est que des hommes, des acteurs, dépositaires du génie américain, l'ont fait (et le feront tant que durera la pellicule où sont gravés leurs exploits) rayonner universellement. C'est que le western, plus qu'aucun autre genre de film, est tributaire de ses interprètes. Quels sont-ils ? Leurs noms sont connus du public mieux que ceux de Huston, de Stevens ou de John Ford, et je serais enclin à dire que c'est justice : ce sont, entre autres, Errol Flynn, Clark Gable, Tyrone Power, Gary Cooper, James Stewart [2] ».

On ne peut rêver meilleur compliment ni surtout meilleur

---

1. Nathan éditeur, 1991. Alors que *Trente ans* parut en 1972 aux éditions C.I.B.
2. Notons, avec surprise, que Beylie omet John Wayne !

éloge, concernant ce genre exclusivement américain (même s'il fut pâlement copié et plagié par les Européens) qu'est le western. Un peu plus loin, dans le même article, Claude Beylie s'inquiète : « Faut-il craindre que la merveilleuse épopée de l'Ouest américain ne cesse bientôt, faute de combattants ? Alors les jeunes générations se souviendront, entre tant d'ancêtres glorieux, du plus étonnant de tous : Gary Cooper. » Nous pouvons le rassurer, plus de vingt ans après cet article Kevin Costner poursuit le combat – pas seulement avec *Silverado* – et incarne lui aussi ce que « Cooper symbolisa à nos yeux » : « les vertus primordiales de loyauté, de justice, de propreté morale ». Jusque dans sa tenue, le personnage de Kevin descend en droite ligne des héros, plus ou moins connus, interprétés par Errol Flynn, Gary Cooper, John Wayne et James Stewart. Nous sommes loin du débraillé des westerns « révisionnistes » prétendument réalistes ou répondant à une vision trop européenne : un chapeau reconnaissable entre tous levé frontalement en visière, une superbe veste de peau à franges et surtout une ceinture à deux colts campent incontestablement le personnage. Grâce à lui, Kevin Costner entre par la grande porte dans la mythologie westernienne.

Les critiques français peuvent sembler fondés à parler de plagiat, tant il est vrai que nombre de situations types du western sont montrées dans *Silverado*. Lawrence Kasdan le reconnaît : c'est le risque d'un genre qui a plus de quatre-vingt-cinq ans d'existence ! Il est vrai aussi que le baron du bétail assoiffé de terres, la famille persécutée et le thème de la vengeance sont présents dans *Pale Rider* (qui fut très bien accueilli par ces mêmes critiques), mais aucun personnage ressemblant à celui de Costner n'y figure. Pour aller dans le sens des puristes, *Silverado* démarque, en reprenant la même situation, inversée, le remarquable *Quatre Étranges Cavaliers (Silver Lode)* d'Allan Dwan. Dans ce film, présenté en 1991 à la remarquable *Dernière Séance* d'Eddy Mitchell, les *Quatre Étranges Cavaliers* du titre français apportent l'insécurité, le mensonge et la délation dans une petite ville tranquille et industrieuse. Soulignons que le titre américain *Silver Lode* (très proche de *Silverado,* presque paronymique) désigne aussi une petite ville. Rappelons enfin que *Silver Lode* figure en bonne place dans tout référendum mené auprès de critiques de cinéma, tant aux États-Unis qu'en Europe, et portant sur les meilleurs westerns sortis avant 1969 : il est classé en moyenne quinzième [1]. Bertrand Tavernier le classe cinquième et Jean Wagner, critique cinéma-jazz de l'hebdomadaire *Télérama,* dans les dix meilleurs.

Nous pouvons ajouter que dans son anthologie *Great Hollywood Westerns* [2], le critique et écrivain Ted Sennett, tout en reconnaissant que les héros de *Silverado* sont aux prises avec des thèmes et des situations classiques depuis William S. Hart [3] – le conflit entre *ranchers* et *homesteaders,* les légitimités passant d'un côté à l'autre de la loi – estime « pourtant que *Silverado* n'est pas une simple anthologie des clichés du western (...) Kasdan, clairement, espère que le public va sourire avec un sentiment de reconnaissance devant les idées et les caractères familiers et vieillis, puis rire de leur manque de sagesse. (...) Virtuellement, chaque scène est filtrée par une sensibilité moderne – la nostalgie teintée de satire. Une évasion de prison tourne à la farce et la scène finale se trouve tellement remplie d'événements (un duel, une charge de bovins, un autre duel, etc.) qu'il (Kasdan) plane entre l'hommage et la caricature. Avec une grande perversité, Kasdan a joué des caractères emblématiques du western avec des acteurs tout à fait incongrus : le comédien britannique John Cleese en shérif, la minuscule actrice Linda Hunt en barmaid (sa diction précieuse et cultivée est comiquement à côté de la plaque), le monsieur-je-sais-tout citadin Jeff Goldblum en joueur professionnel, parmi d'autres. *Silverado* déconcerte autant qu'il divertit ».

Nous souscrivons tout à fait à cette analyse, proche de celle du critique Gilles Gressard dans son anthologie *Le Western* [4]. D'ailleurs cet aspect a certainement troublé les critiques français, assez peu portés vers les transgressions des codes du western. Quoi qu'il en soit, Kevin Costner fait un choix peu évident en début de carrière. Loin d'être un arriviste, il n'hésite pas à

---

1. Nous avons établi ce résultat à partir des listes dressées par cinquante-trois critiques américains, français et britanniques.
2. 1990, AFI Press-Abrams, New York City.
3. Célèbre acteur et parfois metteur en scène des années vingt à qui l'on doit une codification précise du héros de western.
4. J'ai Lu, 1989.

prendre des risques, tout en restant dans un classicisme de bon goût, loin des opportunistes mercenaires tels Sylvester Stallone, Mickey Rourke ou Tom Cruise, prêts à enfourcher n'importe quel dada à la mode, du moment que cela paie bien. C'est ce trait de caractère avant tout, dont il va souvent faire la preuve par la suite, qui l'inscrit dans la lignée des grands acteurs américains mythiques, les Gary Cooper, James Stewart, Errol Flynn, John Wayne, Henry Fonda... Avec *Silverado,* l'identification se précise. Le choix risqué s'est révélé payant. On peut prédire que *Silverado* deviendra un « film culte », ce qui n'est pas mal pour un acteur qui d'une certaine manière vient de finir ses classes. En outre, Kevin a réuni autour de lui un clan solide, prêt à lui apporter son soutien, à lui fournir des rôles, à parler de lui. Cette bande comprend maintenant Jim Wilson, Michael Blake, Kevin Reynolds, Lawrence Kasdan, et dans une moindre mesure Steven Spielberg. C'est un atout précieux dans une profession aussi dure et fermée que le cinéma. Le jeune Californien, habitué des salles obscures, est maintenant passé sur l'écran, comme ses héros d'adolescence. Il ne lui reste plus qu'à figurer en vedette dans un autre des genres rois du cinéma américain : ce sera le policier, version historique.

LES MÉTAMORPHOSES
D'UN GRAND ACTEUR

Dr Jekyll
Kevin Costner en
officier de la Navy
(Sens unique).

Mr. Hyde
Kevin Costner en
vengeur solitaire
(Revenge).

Il faut bien gagner sa croûte ... comme contrebandier d'armes
(dans *Le Marchand d'armes*).

ou dans *Une bringue d'enfer*.

L'HISTOIRE
DE DÉBUTS
DIFFICILES

... avant
d'appuyer sur les
pédales (coureur
cycliste dans
*Le Prix de
l'exploit*).

Tireur ambidextre dans l'Ouest sauvage *(Silverado)*.

À L'AISE PARTOUT

Au bal du Président *(Sens unique)*.

La scène du landau dans la gare de Chicago *(Les Incorruptibles)*.

Avec son fils Joe sur le tournage de *Danse avec les loups* (à Pierre, Dakota du Sud).

Bootleggers ... vos papiers ou je tire !

INCORRUPTIBLE

Avec Sean Connery et Brian De Palma sur le tournage du film.

Duo à trois.

DUO, TRIO

Avec Madeleine
Stowe et Antony
Quinn sur le
tournage de
Revenge.

CHAPITRE V

LE PLUS SEXY DES INCORRUPTIBLES

Le producteur Art Linson a eu quelque succès avec *Melvin & Howard* de Jonathan Demme et avec la comédie *Car Wash* de Michael Schultz. Mais son incursion dans la mise en scène [1] n'ayant pas été probante, il lui faut revenir à la production avec un coup d'éclat. Originaire de Chicago, il décide de faire un film sur *Les Incorruptibles* au début de l'année 1986, car la mode est aux reprises des séries télévisées qui ont eu un gros succès [2]. Art Linson prend comme scénariste David Mamet, dramaturge très prolifique, qui a déjà écrit les scénarios du *Verdict* de Sidney Lumet et de la nouvelle version du *Facteur sonne toujours deux fois* de Bob Rafelson, qui ont très bien marché. Satisfait du scénario, Linson le communique en mai 1986 au réalisateur Brian De Palma. Ce dernier juge, sans complexe, que c'est lui « la première star du film. Le studio, dit-il, comptait sur mon nom pour attirer les spectateurs. C'est pour cela que j'ai pu choisir mes acteurs en toute liberté ». Il est évident qu'avec une telle position un conflit devait survenir avec David Mamet, lauréat du prix Pulitzer [3]. Cependant Mamet lui-même a déjà pris des libertés avec l'histoire, qui n'a rien de très dramatique.

---

1. Ses deux films *Where the Buffalo roam* (1981) et *Attention délires* (*The Wild Life*, 1984) n'ont pas été des succès.
2. Les films d'après la série *Star Trek* recueillent alors une immense audience.
3. Prix sans équivalent en France, bien qu'on le compare à tort au Goncourt. Il récompense autant l'originalité du sujet que la qualité littéraire. On ne peut pas en dire autant du Goncourt !

À Chicago, en 1929, un groupe de six hommes d'affaires, se surnommant « Groupe secret des six » pour préserver l'anonymat de ses membres, décida de se débarrasser définitivement d'Al Capone, et dans ce but recruta Alexander Jamie comme enquêteur spécial. En septembre 1929, le Groupe entreprit de former une brigade spéciale d'agents de la Prohibition, triés sur le volet et d'une honnêteté à toute épreuve. Les agents de la Prohibition, corps constitué en 1928 pour suppléer aux carences des agents du Trésor dans la poursuite des *bootleggers* [1] qui enfreignaient la loi Volstead [2], avaient, avec raison semble-t-il, mauvaise réputation parmi la population. En effet, la moitié étaient corrompus par ceux-là mêmes qu'ils auraient dû pourchasser. En septembre 1929 donc, Elliot Ness, un jeune agent de vingt-six ans qui pensait que les brasseries d'Al Capone pouvaient être fermées par un commando de douze hommes décidés, fut chargé du recrutement de cette brigade spéciale. Il ne put trouver que dix agents de la Prohibition sûrs, pratiquement tous d'origine irlandaise. Ceci ne faisait que renforcer l'avis du district attorney Johnson qui, interrogé sur le projet, avait répondu : « Pourrons-nous trouver assez d'agents irréprochables ? »

Parallèlement le Groupe secret des six avait constitué un autre commando constitué d'Hemer L. Irey, directeur de l'administration des Contributions directes, et de deux agents du Trésor, Frank Wilson et Michael F. Malone (dont le nom fut longtemps caché sous celui de Frank O'Rourke). Ce dernier travailla un temps avec Ness, puis se disputa avec lui car il ne supportait pas son style de « star » tirant toujours la couverture à lui. Malone infiltra le gang Capone grâce à son allure d'Italien. Frank Wilson et quatre autres agents du fisc se chargeaient de l'aspect strictement financier des activités d'Al Capone.

---

1. Nom donné aux contrebandiers d'alcool, car à la fin du siècle dernier ils cachaient l'alcool dans leur botte le long de leur jambe (*bootleg* = jambe de botte). Le nom est resté pour désigner toute contrefaçon : il sert aujourd'hui pour les disques et cassettes vidéo pirates entre autres.
2. Le *Volstead Act,* du nom de son inspirateur, voté en octobre 1919, institua la prohibition d'alcool sur l'ensemble des États-Unis, jusqu'à son abrogation en 1933 par le président Franklin Roosevelt. Elle fit la fortune de la Mafia avant tout. Jamais la consommation d'alcool ne fut aussi élevée aux États-Unis : elle diminua de moitié dès la fin de la Prohibition.

Jamie chargea Ness de fermer les brasseries et les distilleries du Syndicat formé par Capone. Pendant les six mois qui précédèrent la sortie de prison de ce dernier en 1930, les hommes de Ness fermèrent six brasseries, saisirent des camions chargés de tonneaux ou de caisses et détruisirent de la bière et de l'outillage. Le Syndicat tenta de les acheter ou de les tuer, en vain. Les journaux et les gangsters les baptisèrent les « Incorruptibles » *(The Untouchables)*. Ils devinrent si gênants qu'en septembre 1930, Al Capone fit une collecte parmi le Syndicat et les gangs alliés pour réunir un trésor de guerre, afin de combattre le Groupe secret des six. Ce groupe avait reçu de son côté l'appui du président américain Herbert Hoover. Cependant, malgré les lourdes pertes financières infligées par Ness et ses hommes à Al Capone, et bien qu'ils eussent réuni des preuves d'infractions à la loi Volstead, Elliot Ness ne fut pas aussi efficace qu'il voulut bien le faire croire. Chicago ne manqua jamais d'alcool et Ness ne vint jamais à bout de Capone, qui avait de nombreuses autres cordes à son arc : le racket (l'assurance forcée et provoquée), le contrôle des syndicats ouvriers, le trafic d'influence auprès des patrons (grâce à ce précédent moyen de pression). Il faut dire que Ness convoquait la presse avant chaque raid et lui révélait ses plans de bataille afin de se faire valoir. De telles méthodes réduisaient bien évidemment l'efficacité des perquisitions. Pire, lors du procès d'Al Capone, aucune des charges pour fraude à la prohibition ne tint ; il ne put être condamné que pour fraude fiscale. En clair, l'équipe Wilson et Malone fut seule responsable de la chute d'Al Capone.

Tout cet aspect historique n'enthousiasme guère David Mamet. Il bâtit un scénario qui brode autour du thème, d'autant plus que les deux épisodes pilotes [1] de la série télé, *Le Tueur de Chicago (The Scarface Mob)* de Phil Karlson en 1959 et *Le Train d'Alcatraz (The Big Train/Alcatraz Express)* de John Peyser en 1960, les plus proches de la réalité, ne lui sont d'aucune aide. Art Linson est satisfait, mais les choses se gâtent

---

1. Premiers épisodes, qui servent à vendre une série complète à une chaîne de télévision. Ceux-ci sortirent dans les salles de cinéma en Europe. C'était la première fois que des épisodes d'une série télé passaient dans les salles obscures.

quand intervient le metteur en scène retenu, Brian De Palma. Après plusieurs rencontres avec le producteur et le metteur en scène, Mamet s'aperçoit que De Palma n'a pas du tout la même vision que lui des personnages et de la trame de l'histoire. Brian a pu dire lors d'une interview : « En lisant et relisant le scénario, je m'étais aperçu que je m'intéressais davantage aux personnages qu'à l'action. » Finalement, Mamet doit retoucher son scénario, de telle sorte qu'il n'a bientôt plus rien à voir avec l'histoire. Les historiens d'Al Capone et de son époque le lui reprocheront à juste titre. Qu'importe, De Palma est content, il tient son vaste opéra américain : un croisement entre les grands classiques policiers et les westerns. En bref la légende, vue par De Palma, est un film-opéra mélangeant l'héritage de divers grands classiques du cinéma, non seulement américain [1] mais aussi mondial [2].

Le scénario verrouillé, il reste à découvrir les acteurs capables d'incarner des mythes. Pour Elliot Ness, De Palma fait vite le tour : Harrison Ford, Mel Gibson ou William Hurt, mais aucun n'est libre ou intéressé. « Ce qui nous a bien arrangés, avoue De Palma. J'estimais en effet qu'il ne fallait pas que l'aura d'une star occulte la fraîcheur en même temps que la candeur décidée de Ness. » C'est Kevin Costner qui obtient le rôle, sur recommandation de Steven Spielberg [3], car pour De Palma : « Kevin avait l'âge du personnage, l'intégrité et l'honnêteté nécessaires. Il était disponible et voulait vraiment le rôle. Je l'avais trouvé bon dans ses films précédents, et Lawrence Kasdan et Steven Spielberg, qui avaient travaillé avec lui, me l'ont aussi très chaudement recommandé. »

D'après les journaux *Première* et *Libération*, Kevin aurait eu peur de risquer d'être comparé à son désavantage avec Robert

---

1. *La Brigade héroïque (Saskatchewan)* de Raoul Walsh et le superbe *Traquenard (Party Girl)* de Nicholas Ray entre autres.
2. Le film plagie et parodie à la fois la célèbre séquence des escaliers d'Odessa du *Cuirassé Potemkine* d'Eisenstein, dans la scène de tuerie sur les escaliers de la gare de Chicago.
3. Avec qui De Palma était en train de travailler sur l'adaptation du roman de Michael Crichton *Congo*, que devait interpréter Sean Connery et qui resta en plan. En 1994, le projet est repris sous la houlette de son auteur Michael Crichton, réalisateur à ses heures. Sean Connery serait toujours de la partie.

Stack, le précédent Elliot Ness du feuilleton télévisé. Cela paraît très surprenant quand on sait à quel point, dans la série et dans ses films, Stack joue figé. Douglas Sirk lui-même eut un mal fou à l'animer un tant soit peu dans *Écrit sur du vent (Written on the Wind)* et *La Ronde de l'aube (The Tarnished Angels),* ses deux meilleurs films [1]. Si cette anecdote se révélait exacte, elle confirmerait la fragilité, le manque de confiance en soi de Kevin, une constante de son caractère – pourtant alliée à une solide détermination, à la volonté d'arriver à ses fins envers et contre tous. En tout cas, il fallut une entrevue de quatre heures pour que De Palma décide Costner à jouer Elliot Ness.

Les autres acteurs furent plus faciles à trouver. Bien que portant les mêmes noms, les personnages qu'ils interprètent n'ont rien à voir avec leurs modèles réels : Sean Connery incarne Malone, l'Irlandais chargé d'infiltrer le gang Capone, qui dans la réalité ne travailla que peu de temps avec Ness. Charles Martin Smith, un autre transfuge de l'équipe Lucas – Spielberg [2], interprète Wallace le comptable du Trésor, qui ressemble beaucoup à l'agent réel Frank Wilson, et Andy Garcia (le futur *Parrain III*) le seul authentique lieutenant de Ness, George Stone. Al Capone ne pouvait être incarné par personne d'autre que Robert De Niro – De Palma y pensait depuis longtemps : « Nous nous connaissons depuis toujours. J'ai dû le rencontrer quand il avait dix-huit ans et moi vingt-trois. Nous avons débuté ensemble dans le métier en tournant *The Wedding Party* ("Le mariage"). Nous sommes restés très amis, et je cherchais depuis un certain temps déjà une réalisation que nous aimerions faire ensemble. Capone s'est présenté à nous. » Malgré cette évidence la Paramount se fait tirer l'oreille : elle a peur que le cachet exigé par De Niro (un million de dollars soit près de six millions de francs) ne soit disproportionné par rapport à la taille du rôle et ne vienne grever un budget qui ne cessait déjà de grossir. Les précédentes exigences de Marlon Brando pour *Superman, Le Parrain* et *La Formule* [3] aidèrent à

---

1. Ce dernier fut projeté le 8 décembre 1991 sur FR3 dans l'excellent *Cinéma de minuit* de Patrick Brion.

2. Il avait joué dans *American Graffiti* de Lucas et dans *Les Aventuriers de l'arche perdue* de Spielberg.

3. Il exigea des cachets supérieurs à plusieurs millions de dollars pour des rôles ne dépassant pas deux minutes à l'écran !

faire aboutir les tarifs de l'acteur – d'autant plus que la Paramount avait initialement contacté l'acteur britannique Bob Hoskins, plus vraiment donné depuis son prix d'interprétation à Cannes pour *Mona Lisa* l'année précédente.

Tout le monde étant en piste, le tournage peut commencer en extérieurs à Chicago. Il dure quatre mois à partir du 18 août 1986, car il y avait des frictions. Dans l'article qu'il publie dans le numéro de juin 1987 de la revue *American Film,* David Mamet raconte : « Pendant le tournage d'*Engrenages (House of Games*[1]*)*, Art Linson vint de la préproduction[2] des *Incorruptibles,* de Chicago à Seattle par avion pour me demander des changements dans le script souhaités par lui et De Palma. Je dois dire hélas que mon manque de coopération fut accru à la fois par l'absence de sympathie nécessaire, par le manque de temps pour se concentrer sur les problèmes de quelqu'un d'autre, et pour dire vrai, par une pincée au moins de cruauté jouissive du style, les gars vous m'avez mis constamment mal à l'aise pendant deux mois (...) et je devais comprendre votre position (...) maintenant *vous* comprenez la mienne... Je me souviens d'Art Linson me suppliant de faire des retouches sur *Les Incorruptibles* et de la joie fabuleuse et durable que je tirais d'un simple et digne "Va te faire foutre". Je me souviens de l'appel de Kevin Costner du lieu de tournage pour me remercier du script ; je me souviens d'avoir été invité à dîner par Sean Connery. »

Le film a coûté 24 millions de dollars (140 millions de francs actuels), soit une somme rondelette pour l'époque. Malgré cela, De Palma eut parfois des problèmes d'argent sur le tournage, ce qui explique les appels au secours auxquels Mamet fait allusion. Le plus invraisemblable fut l'épisode de la gare de Chicago, où Ness et son seul Incorruptible survivant doivent mettre la main sur le comptable d'Al Capone. L'épisode, qui n'a rien d'historique, comportait dans le scénario un train d'époque complet sur un quai de la gare. La production n'a plus d'argent et refuse le train. Que fait De Palma ? Il tombe en arrêt devant l'escalier de la gare, qui lui rappelle l'escalier fameux d'Odessa, celui du

---

1. Son premier film en tant que metteur en scène.
2. Période précédant le tournage d'un film : recherche des acteurs, repérage des lieux de tournage, dessin du *storyboard*, etc.

Cuirassé Potemkine du grand Eisenstein. Il vient de trouver sa célèbre scène au ralenti, parodiant celle du cinéaste soviétique. À partir d'un blocage de la production qui aurait pu se révéler désastreux, son génie fait d'une pierre deux coups : il résout son problème de budget et permet à Costner de montrer tout son talent en faisant évoluer la psychologie de son personnage en peu de temps sous le feu de l'action. C'est la marque d'un grand metteur en scène, alliée à celle d'un grand acteur.

Nous sommes à Chicago, en 1930, et Al Capone donne aux gens ce qu'ils veulent : de l'alcool. Elliot Ness se rend au quartier général de la police, où il annonce à la presse la création d'une brigade spéciale pour lutter contre la violence liée au trafic d'alcool. L'accueil des journalistes est goguenard. Il se fait présenter les policiers de la brigade et leur intime de ne plus toucher une goutte d'alcool, car ils doivent montrer l'exemple.

Les policiers font un premier raid avec le célèbre camion équipé d'un bélier, popularisé par le feuilleton télévisé, sur une cargaison de whisky canadien. Ils font chou blanc, les caisses étaient remplies d'ombrelles chinoises. Les journaux font des gorges chaudes de ce fiasco. Ness erre en rentrant chez lui et tombe sur un flic intègre qui lui fait la leçon : Malone.

Le lendemain, Ness est la risée de sa brigade. Il reçoit dans son bureau Wallace, un comptable envoyé par Washington, qui ne lui parle que de chiffres, et engage Malone. Ensemble, ils vont recruter à l'école de police un Italien qui se fait appeler George Stone. À eux quatre, ils font un raid fructueux sur une brasserie clandestine de Capone. C'est leur premier succès, qu'ils célèbrent dignement : champagne et photo !

Après de nombreuses péripéties, dont une charge à la frontière canadienne avec la police montée, Ness arrive à faire juger Al Capone pour fraude fiscale, malgré la mort de Wallace et de Malone. Al Capone passe devant le tribunal et, en dépit de ses manipulations [1], est condamné à onze ans de prison. Ness quitte son bureau et remercie Stone, le seul rescapé des Incorruptibles. En sortant, un journaliste lui demande ce qu'il va faire mainte-

_____

1. L'une d'elles entraîne la mort de son second, l'exécuteur Frank Nitti. En réalité Nitti succéda à Al Capone après sa mort en 1947, et ne fut abattu qu'en 1952 !

nant que la Prohibition va être supprimée [1] : « Aller boire un verre. »

Comme dans tous les films de De Palma, un tel résumé ne donne pas une idée juste du film. Brian est avant tout un metteur en scène, c'est-à-dire qu'il privilégie l'image sur le scénario. Ainsi, dans la première séquence où Al Capone est interviewé en train de se faire raser, la scène est filmée du plafond très haut et, par une plongée de la caméra, nous nous rapprochons des personnages, pour finir en plan américain [2]. Quand Capone fait un bon mot, nous avons droit à un gros plan sur lui ; de même, un long travelling latéral est utilisé pour le premier assaut contre une distillerie, suivi d'un travelling avant sur le camion équipé du bélier pour accentuer l'impression de force. Les mêmes procédés de mise en scène sont utilisés lors de l'attaque du convoi à la frontière américano-canadienne (panoramique sur le pont de la frontière puis travelling latéral sur les montagnes, où nous découvrons les Incorruptibles à cheval avec la police montée, enfin arrêt sur eux en plan américain), lors de l'assassinat de Malone, lors de la séquence où les marches de la gare de Chicago nous ramènent à l'escalier d'Odessa en un long ralenti, et pour terminer lors de la poursuite sur les toits de Frank Nitti.

Mais l'humour noir de David Mamet marque la fin de chacune de ces scènes. Celle d'ouverture, où Capone conclut que la violence n'est pas de son fait, s'enchaîne avec la bombe du bar qui tue une fillette. L'assaut contre la distillerie s'achève sur Ness photographié en train d'ouvrir une ombrelle chinoise au lieu de bouteilles de whisky. L'attaque du convoi de whisky à la frontière, où Wallace prouve qu'il est capable de se servir d'un fusil aussi bien que d'un livre comptable, se termine sur lui en train de boire après l'assaut une rasade de whisky, giclant de tonneaux percés, pour se remonter le moral. De même, à Stone qui lui demande : « Où est Nitti ? » Ness répond : « Dans la voiture », alors qu'il vient de le projeter du haut de la terrasse

---

1. Autre erreur : elle fut abrogée par Roosevelt en 1933, et pas en 1930 sous Hoover !

2. Plan prenant les acteurs à partir de la taille et occultant de ce fait les jambes et les pieds.

– chute qui s'est effectivement terminée sur une voiture dont Nitti a traversé le toit. Les exemples ne manquent pas.

Kevin Costner n'a jamais été aussi bon. Non seulement il fait aisément oublier [1] le style raide et froid du Ness de Robert Stack dans le feuilleton télévisé, mais il donne de l'humanité au personnage. Dans l'interview qu'il accorde à Peter Biskind, rédacteur en chef de la revue *American Film* de l'American Film Institute [2] en juin 1987, il déclare : « Je pense qu'Elliot Ness, très honnêtement, ne sera pas un personnage sympathique pendant le premier quart du film. Mais je n'ai aucun problème à jouer un personnage stupide ou naïf ; ce n'est pas mon orgueil qui va se mettre en travers. Et puis David Mamet le fait évoluer très vite. Elliot devient aussi très violent. Mais la puissance physique est une partie importante de mon jeu et j'y étais préparé. Je me sens bien avec un revolver dans la main. Je me sens bien à poursuivre des méchants. Je ne pense pas que ce soit *L'Inspecteur Harry* [3] ou dans le même genre. Trouver le ton qui convenait, parce que nous ne voulions pas en faire une B.D., fut quelque chose de très difficile dans le film. »

Au sujet de De Palma, il déclare : « Brian m'écoutait toujours. Il ne s'énervait jamais quand je lui demandais quelque chose. Chaque fois que je posais une question, il avait une réponse. Dans le film, j'ai une petite fille et je la mets au lit, et je voulais développer un rite avec elle. Vous savez, un rite de papa : un baiser puis un baiser esquimau et enfin un baiser papillon, parce que nous allons avoir une autre scène où nous serons séparés. J'ai commencé à le faire et tous les autres acteurs m'ont dit : « Qu'est-ce que tu fais ? » Mais Brian a parfaitement compris.

---

1. Ce ne sera pas l'avis des *Cahiers du cinéma* dans leur n° 400, comme on le verra un peu plus loin.
2. L'AFI est une institution qui cumule défense du cinéma américain, préservation et conservation du patrimoine cinématographique (on lui doit la restauration de plusieurs films), enseignement du cinéma (2e et 3e cycles), prêts aux jeunes cinéastes (beaucoup de films de débutants lui doivent l'existence) et remise de prix aux vétérans (les fameux *Life Achievement Awards* récompensant l'ensemble d'une carrière) avec une cérémonie aussi prisée que celle des Oscars.
3. Film de Don Siegel avec Clint Eastwood, qui fut à l'époque attaqué pour sa violence. Le cinéma a fait bien plus fort depuis.

Qu'il ait apprécié ou non, il ne s'est pas mis en colère pour me répéter ce que j'avais à dire. Peut-être qu'il n'a pas aimé du tout, mais il m'a laissé le faire. »

Le rôle de Costner lui donne l'occasion d'exprimer une gamme variée de sentiments. Pour ce faire, Kevin a discuté longuement avec Al Wolff, un rescapé de l'équipe des véritables Incorruptibles [1]. Costner sait passer d'un personnage naïf, idéaliste et respectueux des lois, même quand elles sont absurdes, à un être violent, très déterminé parce qu'il s'est fixé un but et que ses équipiers meurent autour de lui. De Palma lui rend hommage dans un entretien publié par la revue *Starfix* en octobre 1987 : « À aucun moment nous n'avons pensé à la série télévisée. Film et série ont seulement en commun un personnage, Ness, et leur titre. Le Ness de Robert Stack n'était pas un personnage, mais une force. Il était toujours à donner des ordres à ses hommes. Il n'y avait guère de psychologie dans cette figure de dur à cuire. Avec Costner, nous avons affaire à un homme qui découvre, et c'est là le sujet principal du film, combien il est difficile de faire triompher, au sein d'un monde corrompu, les vérités auxquelles il croit et les principes moraux dans lesquels il a été élevé. »

C'est un tournant dans la carrière de Costner. Pour la première fois, il joue un personnage à la fois réel et mythique dans l'inconscient américain. En outre ce personnage a déjà été incarné dans un feuilleton qui a été le plus gros succès [2] de l'histoire de la télévision. Pour un acteur, c'est un défi à relever. Kevin doit également s'imposer face à deux grandes stars : l'un sobre, Sean Connery [3], l'autre exubérant, De Niro. Il mesure

---

1. Ness quant à lui est mort d'une crise cardiaque en 1957, après avoir rédigé ses Mémoires.

2. Le plus long aussi, 117 épisodes dont 3 qui seront remontés pour être projetés en salles de cinéma, fait unique dans l'histoire de la télévision. Des petites stations américaines l'achètent encore, les télévisions étrangères aussi. Les chaînes françaises le ressortent périodiquement, 30 ans après sa création.

3. Les bons rapports de Kevin avec Connery furent troublés par une gaffe monumentale. Au cours d'une pause, Costner improvisa, comme il adore le faire, les rôles des films qu'il aime. Cette fois-ci devant ses partenaires il joua *Hombre* et se moqua de la pionnière du film en imitant sa voix stridente. À la fin, après avoir fait rire l'équipe, il demanda à la ronde : « Qui était cette actrice, au fait ? » Et Connery de répondre sèchement : « C'était ma femme ! »

pour la première fois que son jeu ne peut s'approcher de la « Méthode » de l'Actor's Studio, pratiquée par Robert De Niro. Son style d'expression est définitivement ancré dans le passé, similaire à celui des acteurs mythiques. « J'ai décidé de jouer Ness d'une manière uniforme et quelque peu démodée tout au long du film. » Il ne sera jamais un adepte de la Méthode. Ironie des choses, Kevin a son nom au générique avant ceux de Connery et De Niro, au statut de stars autrement plus élevé que le sien.

C'est pour lui un rôle décisif. Le personnage s'adresse à la conscience américaine, qui est, en 1987 comme en 1930, tiraillée entre les vraies valeurs : la loi, la justice, l'amitié, le respect de l'autre et la solidarité, qui ont permis à l'Amérique de survivre dans les temps difficiles puis de devenir la première puissance mondiale, et les valeurs nouvelles incarnées par les gangsters de Capone : le *big business,* l'efficacité à tout prix, la réussite matérielle rapide, l'argent facile, facteur de reconnaissance sociale et de pouvoir. La réponse donnée par Costner-Ness n'est pas ambiguë : les valeurs traditionnelles doivent toujours nous guider, même s'il nous faut parfois utiliser les nouvelles pour y parvenir. Costner a trente-deux ans et il sait ce qu'il veut : tourner des grands films épiques qui inculquent aux Américains la pérennité des valeurs qui ont contribué à la grandeur de leur pays.

Au même âge, pour Gary Cooper, 1933 est une année de consolidation de son image : il tourne la comédie d'Ernst Lubitsch *Sérénade à trois (Design for living),* un drame de guerre d'Howard Hawks, *Today we live* (« Aujourd'hui nous vivons »), une comédie dramatique du metteur en scène oublié et méconnu Stephen Roberts, *One Sunday Afternoon* (« Un dimanche après-midi », inédite en France), enfin il est le Chevalier blanc de la conventionnelle *Alice au pays des merveilles* de l'inégal Norman Z. [1] McLeod. Pour John Wayne, 1939 est l'année de la grande consécration, puisqu'il passe de la série B à la série A avec le merveilleux rôle de Ringo dans la *Chevauchée fantastique (Stagecoach)* de John Ford. Quant à James Stewart, il acquiert en 1940 un statut d'acteur à multiples facettes, puisqu'il joue successivement dans l'une des meilleures

---

1. Comme « zéro », d'après certains critiques à la langue acérée.

comédies du grand Lubitsch, *Rendez-vous (The Shop around the corner)*, dans le chef-d'œuvre de la comédie américaine, *Indiscrétions (The Philadelphia Story),* du fin et élégant George Cukor, avec Cary Grant et Katharine Hepburn. Puis, changement brutal de genre avec *The Mortal Storm* (« La Tempête mortelle ») de l'idéaliste Frank Borzage, où il joue un jeune étudiant allemand, le seul de son université à résister à la montée du nazisme. Enfin, dans *No Time for Comedy* (« Pas de temps pour la comédie »), il incarne un auteur de pièces de théâtre qui s'aperçoit que sa femme a toujours été son inspiratrice. Henry Fonda se contente de jouer en 1937 dans l'impérissable chef-d'œuvre de Fritz Lang *J'ai le droit de vivre (You only live once),* et dans deux films insignifiants, *Slim* de Ray Enright avec Pat O'Brien et *That Certain Woman* du méconnu Edmund Goulding. Plus près de nous, Robert Redford est la vedette de trois films marquants : *Butch Cassidy et le Kid,* le chef-d'œuvre du trop rare George Roy Hill, *Willie Boy (Tell them Willie Boy is here)* d'Abraham Polonsky [1] et *La Descente infernale (Downhill Racer)* de Michael Ritchie, le meilleur film réalisé sur les champions de ski. Le chouchou de Kevin, Steve Mac Queen, vit également en 1962 la meilleure année de sa carrière, avec trois films de guerre, *L'homme qui aimait la guerre* de Philip Leacock, *La Grande Évasion* de John Sturges et *L'enfer est pour les héros* de Don Siegel.

Dans l'ensemble, pour ces acteurs mythiques, l'année des trente-deux ans est importante, parce qu'elle détermine leur avenir. Avec Ness, Costner se situe dans la droite ligne des personnages qu'ils ont interprétés, même quand ils sont en marge de la loi (Fonda dans le Lang, Redford dans *Butch Cassidy et le Kid,* Wayne dans le Ford). L'identification avec ces grands acteurs commence à se faire, et les journalistes à s'intéresser à Kevin.

---

1. Une liste noire circulait entre les studios pour ne pas donner de travail aux gens suspectés de sympathies communistes. La plupart du temps, ils continuèrent à travailler à l'aide d'un prête-nom (Philip Yordan fut le plus utilisé chez les scénaristes) ou s'exilèrent (Losey, John Berry, Cyril R. Endfield entre autres pour les metteurs en scène). Voir les films *Le Prête-nom* de Martin Ritt et *Liste noire* d'Irwin Winkler pour comprendre cette période. Se reporter également à la bibliographie en fin d'ouvrage. Polonsky y figura pendant vingt ans.

Il faut dire que le grand succès des *Incorruptibles* y est pour beaucoup. Le film rapporte 76 millions de dollars et sera sixième au box-office de l'année. Sorti en juillet 1987 aux États-Unis, ce sera le plus grand succès de l'été. Il est présenté en septembre au festival du cinéma américain de Deauville, sous les applaudissements, même si, sous la plume perfide de Iannis Katsahnias, *Les Cahiers du cinéma* d'octobre l'assassinent [1] au nom d'Eisenstein et de l'effet Koulechov [2]. Dans le même numéro, Pascal Bonitzer, dans son compte rendu – d'une rare mauvaise foi [3] – de la Mostra de Venise le 5 septembre, s'en prend à « Kevin Costner dont le "look" d'honnête Américain moyen [4] ne nous fera pas oublier Robert Stack (*sic !*) ».

La revue de cinéma *Positif* sera évidemment moins obtuse : elle s'amuse du jeu « de gros sabots dans le musée du cinéma », et applaudit à l'interprétation remarquable de Sean Connery et Robert De Niro, dans son numéro de décembre. Hormis Bonitzer déjà cité et Hubert Niogret dans *Positif* de septembre 1987, aucune revue cinéphile française ne parle de Costner. Il faut remarquer que dans son article Niogret parle de « mise en scène inventive, acteurs remarquables (aussi bien le premier rôle peu connu, Kevin Costner pour Elliot Ness, que son coéquipier Sean Connery pour Jim Malone) », ce qui constitue un beau compliment, mérité.

Le succès populaire en France vient confirmer le triomphe américain. Le film, avec deux millions et demi de spectateurs, est la septième recette de 1987. Sur l'ensemble du monde, il rapporte 46 millions de dollars de bénéfices, une aubaine pour Sean Connery qui s'est fait payer au pourcentage sur les recettes, la production ne pouvant lui donner son cachet habituel.

---

1. On ne badine pas avec les géants soviétiques en ce soixante-dixième anniversaire de la glorieuse révolution bolchevique.

2. Célèbre metteur en scène soviétique, qui révéla l'importance du montage en insérant le même gros plan d'un acteur au milieu de séquences comiques, dramatiques, sanglantes, ce qui donnait l'impression que l'acteur riait, pleurait, etc. Koulechov donna son nom par la suite à tous ces effets de montage.

3. D'après lui, les Mémoires de Ness sont « sans doute romancés mais dans l'ensemble véridiques », alors que selon les historiens ils sont loin de la vérité. Voir notre bibliographie en fin d'ouvrage.

4. C'est exactement ce que la critique française des années 1930 et 1940 disait de Gary Cooper.

Costner a réussi à rendre sympathique et fragile un personnage qui ne l'était certainement pas dans la réalité, prouesse non négligeable, qui embellira la légende de Ness. Mais les amateurs de vérité historique devront chercher ailleurs pour étancher leur soif [1]. Il faut dire que ce n'est pas la seule fois où Kevin idéalise considérablement un personnage réel.

Les Incorruptibles sont en soi une belle réalisation cinématographique, mais qu'en restera-t-il plus tard, particulièrement dans l'histoire du genre policier [2] ? *Les Incorruptibles* recourent

---

1. Par exemple dans un petit téléfilm de Michael Pressman, *Le Dernier Crime d'Al Capone (The Revenge of Al Capone),* où Ness n'est pas présenté sous un jour sympathique (mais véridique), et où l'on s'attache aux pas de ceux qui ont vraiment fait tomber Al Capone.

2. Il serait utile pour cela d'ouvrir une parenthèse. Comme le western, le policier est un grand genre américain, même s'il a été repris par d'autres cinémas nationaux (la France au tout premier rang). Des thèmes précis au nombre de douze, y ont été codifiés :
   – le gangster, généralement une figure historique ou un membre d'un gang indéterminé ;
   – la loi et l'ordre, avec leurs représentants honnêtes ou corrompus : flics, agents fédéraux (FBI), agents du Trésor, avocats, procureurs (DA), agents de l'immigration, etc. ;
   – les amants contrariés, fugitifs, traqués ou injustement poursuivis ;
   – le délit, de ses préparatifs à ses conséquences : hold-up, vol, escroquerie, chantage, etc. ;
   – le criminel sous toutes ses formes : tueur à gages, psychopathe, névrosé, terroriste, kidnappeur, preneur d'otages, poseur de bombes, etc. ;
   – le racket et la corruption quels qu'ils soient, individuels ou organisés ;
   – le syndicat du crime et ses œuvres, prostitution, meurtre, drogue, jeu, mainmise sur les syndicats ou sur une profession, trucage dans un sport, etc. ;
   – la manipulation des esprits, qu'elle soit le fait d'une organisation politique, religieuse (religion ou secte), terroriste, d'un État (espionnage, désinformation, manipulation) ;
   – la prison et/ou l'évasion, justifiée ou non ;
   – l'enquête criminelle, très souvent menée par un faux coupable ou l'un de ses proches voulant prouver son innocence, ou par quelqu'un voulant connaître les circonstances d'une mort ou d'une disparition ;
   – le détective privé dans tous ses états, qui mène une enquête pour le compte d'un client ou pour venger un proche ;
   – la vengeance personnelle.

aux thèmes policiers du syndicat du crime, de la loi et de l'ordre, du racket et de la corruption, du gangster (Al Capone) et de la vengeance personnelle. La richesse du film est ainsi démontrée, n'en déplaise à ceux qui crient au plagiat. Eu égard à chacun de ses thèmes, il est certain qu'il n'occupera pas le premier rang, mais il figurera en bonne place parmi les films des vingt dernières années. En tout cas, ce film n'a pas engendré une de ces suites routinières comme l'autre série culte de la télévision américaine, *Star Trek*, en produisit [1]. Dieu merci pour De Palma et pour Costner, ils n'ont pas été réduits à tourner *Les Incorruptibles VI – Le Retour d'Al Capone* ! Si cela avait été le cas, adieu la filiation avec les grands acteurs mythiques.

Quoi qu'il en soit, *Les Incorruptibles* permettent à Kevin Costner d'inscrire un genre majeur de plus à son palmarès, et lui donnent un tremplin qu'il va exploiter dans la reprise – camouflée – d'un excellent film noir des grandes années : *Sens unique (No Way out)*. Pour Costner, ce sera le sens du succès.

Certains lecteurs pourront s'étonner de ne pas voir mentionner le très célèbre « film noir ». Contrairement à certains auteurs français ou américains, nous ne considérons pas ce dernier comme un genre à part entière mais comme un sous-genre du policier, puisqu'il peut emprunter lui aussi les 12 thèmes ci-dessus, même s'il ne recouvre pas tous les styles possibles du policier.

1. Aux dernières nouvelles, un *Star Trek VII* serait envisagé, alors que la nouvelle série télévisée *Star Trek : the Next generation* « Star Trek, la nouvelle génération » bat son plein malgré la mort récente (1992) du créateur Gene Roddenberry.

CHAPITRE VI

LE TOURNANT

Avant, même d'entamer le tournage des *Incorruptibles*, Costner s'est lancé dans la préparation d'un film d'espionnage. C'est une nouvelle version inavouée de *La Grande Horloge (The Big Clock)*, film noir de John V. Farrow, père des actrices Mia et Tisa Farrow, mais bien oublié de nos jours. L'agent de Kevin lui a trouvé ce rôle, dont personne ne voulait. Le plus drôle dans ce tournage, c'est qu'il a lieu en plein été 1986 à Washington, alors que l'action est censée se dérouler en plein hiver ! On imagine aisément le pauvre Kevin en uniforme chaud, avec manteau, casquette, et gants blancs, en pleine canicule – car l'été à Washington est étouffant, une énorme chaleur moite.

Sur le plateau, l'ambiance est bonne, bien que tout le monde ait à faire ses preuves. Le réalisateur Roger Donaldson, un Néo-Zélandais installé aux États-Unis depuis peu, en est à son deuxième film américain (son quatrième au total), et son précédent [1] n'a été un succès ni financier ni critique. Sean Young est une superbe actrice mais, trop indépendante, elle a de multiples déboires avec les médias et avec son agent, quand ce n'est pas avec les patrons des studios. Kevin Costner, lui, n'est la vedette d'une production importante que pour la deuxième fois (la première ayant été un four : *Le Prix de l'exploit*), mais il est confiant car il sait qu'il va tourner avec De Niro et Sean Connery dans le prochain De Palma, encore

---

1. La cinquième version des *Révoltés du Bounty*, avec Mel Gibson et Anthony Hopkins.

97

une fois en vedette. Sean Young le taquine en le traitant de « jeune premier », ce qui le fait grimacer. Kevin va recevoir un cachet de 500 000 dollars et disposer d'une suite (à 1 000 dollars la nuit) dans le plus bel hôtel de Washington, grâce au producteur Mace Neufeld, impressionné par ses relations avec Spielberg et Sean Connery [1].

Dans ce rôle, il va mettre non seulement beaucoup de sa personnalité, mais aussi de petites touches singulières pour faire craquer son image lisse, transparente et propre d'*all american boy* [2]. Seuls les plus grands acteurs de ce « look », de Gary Cooper à Harrison Ford en passant par James Stewart, Henry Fonda, Errol Flynn, puis Paul Newman et Robert Redford, ont réussi une telle mutation. Costner s'entend bien avec Sean Young, et il suit à la lettre les conseils du vieux routier Gene Hackman, un remarquable partenaire qui n'a plus rien à prouver. Il confie dans un entretien publié par *Starfix* en novembre 1988 : « *Sens unique* est le genre de film que je préfère. Son scénario est exceptionnellement habile, plein de fausses pistes et de retournements. Farrell est certainement mon rôle le plus complexe à ce jour : chacune de ses scènes se déroule sur trois niveaux – personnel, professionnel, policier –, et cet homme sociable, dévoué et charmant, dissimule derrière une façade rassurante de bien étranges secrets. »

Le premier titre du film était *Deceit* (« Désinformation »), mais il sera changé pendant le montage en *No Way out* (« Sans issue »). Les distributeurs français, toujours pleins d'imagination débordante (d'originalité ?), le transforment en *Sens unique*. Nulle part au générique, pas même dans des articles critiques, il ne sera fait mention du film original qui l'a inspiré, *La Grande Horloge* [3] (*The Big Clock*). Seul le roman [4] du même titre de Kenneth Fearing peut

---

1. Neufeld fera plus tard *À la poursuite d'Octobre rouge* avec cet acteur qu'il admire.

2. Expression typiquement américaine désignant le garçon sain, sportif, moral, beau et pudibond.

3. *La Grande Horloge* est un film rare en France où il n'a plus été montré, en dehors de la Cinémathèque, depuis sa sortie. Il n'est diffusé que très épisodiquement à la télévision aux États-Unis et en Angleterre. Il est toujours inédit à la télévision en France. Il n'est sorti en vidéo nulle part dans le monde.

4. Il est important de noter que le grand écrivain de romans policiers Jonathan Latimer en avait écrit l'adaptation cinématographique.

aider à l'identifier. L'intrigue met en scène un homme traqué dans un gratte-ciel, qui se remémore les circonstances l'ayant entraîné dans ce mauvais pas. Rédacteur en chef d'un magazine sur le crime, *Crimeways*, George Stroud (Ray Milland dans un de ses meilleurs rôles) se fâche avec le propriétaire Earl Janoth (Charles Laughton) et va se trouver accusé du crime que ce dernier a perpétré sur sa maîtresse. Après de multiples péripéties, dont le meurtre du directeur général Earl Hagen (l'excellent second rôle George Macready), Janoth sera démasqué par Stroud et se tuera en tombant dans la cage d'ascenseur.

Le scénariste Richard Garland a une idée géniale : plutôt que faire un remake tout bête, il transpose l'histoire en 1986 au Pentagone. Ainsi la CIA, le ministre de la Défense, les sénateurs anticommunistes, les conseillers militaires apparaissent-ils dans le contexte de la Guerre froide. Cette transposition va permettre plusieurs rebondissements et donner une énorme publicité imprévue au film, puisque le scandale de l'Irangate éclate peu avant sa sortie.

Sens Unique commence alors que le commandant de la marine Tom Farrell (Kevin Costner) se fait « cuisiner » par deux hommes patibulaires qui ont l'air de policiers. Excédé de répondre à leurs questions, il se dirige vers la grande glace de la pièce et dit : « Quand va-t-il sortir de derrière le miroir ? » Un flash-back nous ramène six mois plus tôt pendant l'*Inaugural Ball,* fête donnée par le président américain à ses amis et relations à l'issue de son intronisation. Tom y est invité par son ami Scott Pritchard (excellent Will Patton), bras droit du secrétaire à la Défense, à qui il le présente. Au cours du bal, Tom est très attiré – et c'est réciproque – par une superbe créature, Susan Atwell (craquante et sensuelle Sean Young, la troublante « répliquante [1] » de *Blade Runner*). Ils deviennent amants, mais Tom souffre de plus en plus de devoir partager Susan avec son patron, le secrétaire à la Défense David Brice (l'excellent et très crédible Gene Hackman). Un jour Brice, dans un accès de fureur, tue Susan accidentellement, puis, affolé, se précipite chez Pritchard. Celui-ci refuse qu'il se rende au FBI et préfère monter un coup

---

1. Un répliquant est un robot complètement similaire à un humain mais dépourvu d'émotions.

qui servira à Brice personnellement (en faisant porter le chapeau du meurtre à quelqu'un d'autre) et politiquement (en rassurant les faucons sur sa fermeté vis-à-vis de l'Union soviétique) : accuser du meurtre la soi-disant taupe Yuri. Ce dernier serait un Russe élevé aux États-Unis depuis sa plus tendre enfance et qui travaillerait au Pentagone. Ils chargent Farrell de l'enquête. Celui-ci poursuit son investigation à la recherche d'une preuve de sa propre innocence, tout en s'efforçant de « saboter » l'implication de l'espion Yuri, sans en avoir l'air. Il s'y prend mal, car plusieurs éléments risquent de l'incriminer. Après de nombreux rebondissements, il tient enfin la preuve incriminant Brice, et se précipite dans le bureau de ce dernier en l'accusant. Scott arrive alors chez Brice et, voyant qu'il ne peut convaincre Tom, se suicide afin d'être accusé lui-même. Les recherches s'arrêtent. Tom s'enfuit, non sans avoir fait parvenir la preuve au chef de la CIA. Nous sommes dans la chambre du début. De derrière le miroir sort le majordome de Farrell, qui s'exprime en russe : Tom n'est autre que Yuri.

La trame suit bien *La Grande Horloge*, avec quelques astuces qui pimentent le scénario : le fait que Tom et Susan soient amants, Sam Hesselman, l'ami handicapé, et le majordome espion de Moscou, qui n'existaient pas dans l'original. L'arrière-plan politique est lui aussi fascinant : le combat des faucons, emmenés par le ·sénateur Duval et son obligé le patron de la CIA, contre les colombes dirigées par le secrétaire à la Défense Brice ne manque ni de saveur ni de justesse. De nombreuses scènes réalistes rappellent certaines péripéties de l'actualité plus ou moins récente. C'est tout l'intérêt du film. Le réalisateur Roger Donaldson constate d'ailleurs : « *Sens unique* est un film typiquement américain, avec une intrigue extrêmement serrée. C'est un film qui exploite l'aura mythique du Pentagone et dont la trame présente avec l'actualité des similitudes aussi fortuites que troublantes. Il y a entre le héros de *Sens unique* et celui de l'Irangate des convergences remarquables, mais celles-ci sont le fruit du hasard... »

Sa réalisation, par contre, est très conventionnelle ; un atout pour Kevin Costner qui domine le film. Son personnage lui permet sans conteste toutes les nuances de jeu. Il va pouvoir montrer le vrai Kevin Costner. Certes, le *all americain boy* à la Robert Redford que les revues américaines ont présenté à satiété les rares fois où elles ont parlé de lui est présent, mais il se révèle timide, temporisateur, conciliant. Le regard clair et franc, le sourire réservé mais facile, impeccable dans son uniforme de marin, il est le gendre dont rêvent toutes les mères de famille de San Francisco à Athènes, en passant par Londres et Paris. Son apparition lors du « bal inaugural », sa présentation au secrétaire à la Défense font partie d'une longue tradition du cinéma américain. Elles nous rappellent entre autres les apparitions de Gary Cooper en lancier du Bengale de Sa Gracieuse Majesté dans *Les Trois Lanciers du Bengale* (1935) d'Henry Hathaway, en officier de l'US Navy dans *Horizons en flammes* (1949) de Delmer Daves ou dans *La marine est dans le lac* (1951) d'Hathaway encore ; d'Errol Flynn en général Custer dans *La Charge fantastique* (1941) de Raoul Walsh, de James Stewart en général de l'US Air Force dans *Strategic Air Command* (1955) d'Anthony Mann, de Fonda en colonel Thursday de l'US Cavalry dans *Le Massacre de Fort Apache* (1948) de John Ford et en lieutenant Roberts de l'US Navy dans *Permission jusqu'à l'aube* (1955) de Mervyn LeRoy et John Ford. Mais cette attitude de surface cache l'autre aspect de sa personnalité : un homme tenace, coriace, qui ne baisse jamais les bras, tel qu'il apparaît dans les dernières séquences des *Incorruptibles*. De multiples scènes du film le dévoilent : lors du sauvetage en pleine tempête, où malgré les périls il refuse d'attendre l'équipe de secours pour sauver la vigie, lors des scènes avec Will Patton, où il est obligé de lutter pied à pied sans se dévoiler. Cette façon de répondre à l'adversité sans se plaindre ni s'apitoyer est également classique dans le cinéma américain, où le héros doit faire siennes les injonctions du poème de Rudyard Kipling « Tu seras un homme, mon fils... »

Mais si le rôle de Tom montre que la personnalité profonde de Kevin correspond à l'héroïsme classique, il en dévoile aussi une facette jusqu'alors mal exploitée : la séduction. La célébrissime scène où Kevin et Sean Young font l'amour dans une limousine quelques heures après leur rencontre va faire du bruit en Amérique. Le puritanisme s'y manifeste de nouveau avec virulence, depuis que le sida commence à faire ses ravages. Ce n'est pas bon pour l'image de Costner ; des ligues de vertu s'en prennent au *all american boy* se livrant à des ébats répréhensibles, associés d'habitude à des acteurs qu'on montre du doigt comme Mickey Rourke ou Rob Lowe. De surcroît, ces galipettes sont accomplies sous l'uniforme prestigieux de la Navy : quelle honte !

Kevin choisit la seule défense intelligente, il se tait et ne répond pas. Son mariage avec sa camarade d'université Cindy marche depuis neuf ans sans problème majeur, alors à quoi bon... En outre, il vient d'être papa pour la deuxième fois : sa seconde fille Lily est née deux jours après la fin du tournage. En revanche, ces scènes très érotiques lui valent pour la première fois d'être nommé « Sex Star 1987 » par le magazine *Playboy*, dont l'importance dans la vie et les pensées des hommes en Amérique n'est plus à démontrer. Ce point est nouveau et capital, dans la mesure où il élargit considérablement le public de l'acteur. Jusque-là Kevin Costner, mis à part le Jake de *Silverado*, était plutôt un acteur apprécié des femmes, et par là même considéré par les hommes comme un rival. Si le rôle de Ness allait dans le sens de l'identification des Américains à Costner, il ne suffisait pas. Tom Farrell va provoquer le déclic, grâce au nouvel aspect de la personnalité de Kevin qu'il révèle.

Au-delà de l'*all american boy*, de la « bombe sexuelle », le personnage de Tom Farrell permet à Costner de montrer son aptitude à cacher d'importants aspects de ses pensées et de ses actes : il n'est pas si facile à déchiffrer que son visage ouvert le laisse supposer. Il peut jouer les taciturnes, et ses grands yeux verts dissimulent alors d'insondables pensées. Plusieurs scènes en gros plan ou en plan général le montrent perdu dans un autre monde. Lui-même n'hésite pas à avouer qu'il recèle des secrets que personne ne percera jamais. Il peut aller jusqu'à jouer un espion russe sans que cela nuise à son image pas encore bien établie. Peu d'acteurs ont réussi cette performance : ce sont toujours les mêmes, Cooper, Fonda, Wayne, Stewart, Flynn, Newman, Redford.

Il va falloir désormais compter avec lui : il est beaucoup plus que son aspect de « jeune premier » ne le laisse apparaître. Il n'est plus seulement le « nouvel acteur remarqué de 1986 » que l'annuaire professionnel *Screen World* couronnait dans sa livraison de 1987 au côté de Charlie Sheen. Sa cote quadruple à chaque film, il se détache du peloton des jeunes acteurs prometteurs. Dans son édition de 1988, *Screen World* le place vingtième au box-office de 1987, loin devant Harrison Ford, vingt-cinquième, qui n'a pas sorti de film cette année-là. Or en 1987 la concurrence est rude : *Crocodile Dundee,* la sensation australienne de l'année, propulse sa vedette Paul Hogan au cinquième rang du box-office. Michael Douglas, le fils de Kirk, est deuxième grâce à *Liaison fatale (Fatal attraction)* d'Adrian Lyne et *Wall Street* d'Oliver Stone. Quant au premier, Eddie Murphy, sa place est due au *Flic de Beverly Hills II* et à *Raw* (« Cru »). Mais il y a aussi le jeune Michael J. Fox, rescapé du *Retour vers le futur*, qui nous livre *Le Secret de mon succès*, et quel succès : il est troisième ! Arnold Schwarzenegger, en courant *The Running Man* (« L'homme qui court ») et en chassant le *Predator* (« Le prédateur »), est quatrième. Cher arrive pour la première fois dans le Top 20 avec *Éclair de lune* et *Suspect dangereux*, qui la propulsent à la neuvième place. Costner réalise donc, parmi une telle concurrence, un superbe score, qu'il doit cependant plus aux *Incorruptibles* qu'à *Sens unique* [1]. Il a cependant un faible pour ce dernier film : « J'ai aimé ce film pour des raisons un peu étranges. Parce que, au départ, personne ne voulait le faire. Je trouvais, moi, qu'il s'agissait d'un film un peu plus mature que la moyenne de ceux que l'on vous propose aux États-Unis. Un film pour adultes en quelque sorte. (...) J'ai donc été heureux de faire le film, même si à l'arrivée il n'est pas entièrement réussi. Mais c'est aussi cela le cinéma : toujours perfectible. Et j'aime cette exigence-là. »

Et puis, ce qui ne gâte rien, Kevin vient de multiplier son premier cachet d'acteur (*Stacy's Knights*) par mille en l'espace de cinq ans. Dès lors sa femme, sa famille et sa belle-famille n'osent plus mettre en doute sa détermination. Mais ce succès persistant ne lui monte pas à la tête. La première fois qu'une énorme limousine vient le chercher, il demande à ses voisins de le prendre en photo devant elle, car de telles occasions ne durent pas.

Après avoir séduit un public essentiellement féminin, il lui faut définitivement conquérir le public masculin, avec des films qui plairont aux deux sexes et confirmeront sa filiation avec les acteurs mythiques. C'est le base-ball, sport américain par excellence d'après le poète Walt Whitman, plus important même que le football (américain), qui le lui permettra.

---

1. Ce dernier film, tourné avant *Les Incorruptibles*, sort après à cause d'un montage complexe, qui a exigé de longs mois.

CHAPITRE VII

LA CONSÉCRATION PAR LE BASE-BALL

Kevin Costner n'est plus un acteur en sursis. Le jeune étudiant qui, à l'instar de son futur personnage de *Jusqu'au bout du rêve*, entendit un jour la voix du show-business, n'a plus à faire ses preuves. Ses deux derniers films dont il est la vedette ont eu du succès. Le dicton hollywoodien : « Vous valez ce que vaut votre dernier film » ne lui fait plus peur. La situation n'est pas confortable pour autant. Son rival à la succession de Gary Cooper, Harrison Ford, en sait quelque chose. Après une série continue de succès depuis *La Guerre des Étoiles*, Ford vient de subir un échec avec le projet qui lui tenait le plus à cœur, *Mosquito Coast* (1986).

La loi de cette profession est implacable : il est très dur d'arriver au sommet, mais plus dur encore d'y rester. Kevin y pense d'autant plus souvent qu'il n'arrête pas de dire non à tous les projets qu'on lui présente. Même si la plupart du temps ce sont des propositions déjà refusées par Mel Gibson ou Harrison Ford, tous ne sont pas mauvais. Il refuse de rejouer avec Gene Hackman dans *Mississippi Burning* d'Alan Parker, d'être confronté à Paul Newman dans *Les Maîtres de l'ombre* de Roland Joffé, une occasion unique de jouer avec un acteur mythique. Ses refus sont toujours argumentés. Le premier film n'est pas assez poignant, les personnages peu sympathiques. Pour le second, Kevin estime à juste titre que personne ne le trouvera crédible en Robert Oppenheimer, savant atomiste plus vieux que lui à l'époque du Projet Manhattan[1]. Ses raisons sont

---

1. Nom de code donné à la construction de la bombe atomique, dans le désert du Nouveau-Mexique, à Los Alamos.

moins morales que celles qui lui ont fait refuser de rencontrer Oliver Stone, qui lui présentait *Platoon* sur un plateau d'argent, à un moment où il en avait le plus grand besoin. Elles correspondent aux critères que Costner se fixe dorénavant pour accepter des scénarios. L'histoire doit être poignante, tous les personnages doivent exister et être crédibles. Enfin il adhère à la déclaration de principe de Gary Cooper : « Si le héros est un salaud, l'influence peut être dévastatrice. Les jeunes, de nos jours [1], subissent un régime continuel de violence. À mon avis, ceci ne peut se justifier que si le bon surmonte de terribles obstacles pour se débarrasser du mauvais. »

Kevin ne voit pas poindre de projets répondant totalement à ces critères, jusqu'au jour où Ron Shelton lui téléphone. Scénariste réputé [2], ce dernier est un ancien joueur de base-ball [3] professionnel. Après avoir joué cinq ans en *Major League* chez les Baltimore Orioles comme seconde base, il passa chez les Rochester Red Wings en *Minor League*, puis abandonna en 1970. Il confie : « Le monde du base-ball est curieux. Si vous n'avez pas percé à vingt-cinq ans, vous êtes déjà trop vieux. Le moment était venu pour moi de choisir entre abandonner ou faire une carrière de douze ans dans un club de Minor League. J'ai abandonné. » Devenu par la suite scénariste, après une très brève carrière de sculpteur, Shelton avait écrit un scénario sur le base-ball, *A Player to be named later*. La saison 1986 de ce sport ayant été particulièrement palpitante, il réussit à intéresser les dirigeants d'Orion Pictures. Il y avait un hic : Shelton voulait aussi le mettre en scène. Orion accepta à la condition expresse d'avoir une vedette au générique. Shelton dressa alors une liste des acteurs ayant joué au base-ball à un bon niveau. Kevin Costner arriva très vite en tête de cette liste.

Contrairement à ce que pourraient croire les Français, les films sur le base-ball n'ont jamais fait un malheur aux États-Unis. Les Français quant à eux ont un dédain pour ce jeu, difficilement compréhensible puisqu'il est d'une simplicité biblique, et surtout qu'il dérive de jeux très anciens (Égypte, dans le

---

1. La déclaration datant de 1955, elle n'a que plus de force dans les années 1990, où le héros de cinéma est rarement sympathique.
2. Il écrivit le remarquable *Under Fire* (1982).
3. Voir la bibliographie pour connaître l'essentiel sur ce sport.

Mexique précolombien entre autres), pratiqués en France sous le nom de « thèque » ou « balle au camp ». Ajoutons que si les Français n'aiment pas ce jeu, c'est qu'ils ne le connaissent pas et surtout l'identifient comme exclusivement américain, ce qui à leurs yeux constitue une tare indélébile et irréparable.

Curieusement Hollywood ne commence à s'intéresser vraiment à ce sport que dans les années quarante. Auparavant, mis à part le cinéma muet, seule une comédie de l'acteur alors très connu Joe E. Brown [1] s'était risquée sur le terrain, en 1935. C'est le légendaire et célèbre [2] producteur Sam Goldwyn qui *pitche* le premier avec *Victime du destin (The Pride of the Yankees)* de Sam Wood, sorti en 1941, l'année même de la mort de son héros Lou Gehrig, vedette de la grande équipe des New York Yankees et atteint de sclérose en plaques. L'acteur qui jouait Gehrig n'était autre que Gary Cooper. Le coup d'essai est un coup de maître, puisque ce film est encore considéré par une majorité de critiques et de spectateurs comme le meilleur sur le sujet. Cooper y trouvait l'un de ses plus grands rôles, et son interprétation provoque encore aujourd'hui beaucoup d'émotion. La scène où il s'écrie dans la sono du stade : « Je me considère comme le type le plus chanceux du monde » est encore dans toutes les mémoires de ceux qui ont vu le film, et demeure un grand moment d'anthologie.

La suite sera moins brillante : *The Babe Ruth Story*, histoire d'un des plus grands joueurs de tous les temps, Babe Ruth [3], qui réussit 714 *home runs* dans toute sa carrière, est l'un des plus mauvais films jamais réalisés, malgré son metteur en scène Roy Del Ruth qui eut son heure de gloire dans les années trente et quarante, et malgré son acteur William Bendix [4]. En dépit de ce four, si monumental que l'Amérique s'en souvient encore, l'année sui-

---

1. Il fit depuis une remarquable prestation dans le chef-d'œuvre *Certains l'aiment chaud* (1959) du génial Billy Wilder.
2. Pour ses formules à l'emporte-pièce, où la langue anglaise est malmenée. Nous lui devons le célébrissime : « Si vous voulez envoyer un message, utilisez la Western Union » décoché à un réalisateur qui lui parlait du message de son film. Godard est abonné à cette compagnie !
3. Un film intitulé *The Babe*, sur le même sujet, est sorti en 1993 en Amérique et en Europe, mais pas en France !
4. Il faut avouer que Bendix n'a jamais été aussi mauvais.

vante (1949) voit la sortie de trois films plus ou moins consacrés au base-ball : la biographie de Monty Stratton *(The Stratton Story)*, *pitcher* de la très grande équipe des Chicago White Sox, une comédie musicale, *Match d'amour (Take me out to the Ball Game)*, et une comédie inédite en France, *It happens every Spring* (« Cela arrive chaque printemps »).

L'histoire de Stratton *(Un homme change son destin*, 1945) était mise en scène par Sam Wood, encore lui, et James Stewart jouait le rôle de ce *pitcher* qui, après avoir perdu une jambe dans un accident de chasse, ne put jouer que dans des équipes de *Minor League*. Pour Stewart aussi, ce fut un grand rôle, et pour la MGM sa première incursion dans le thème de ce sport. La deuxième eut lieu la même année, preuve de la suite dans les idées du lion Leo [1], puisque Frank Sinatra et Gene Kelly, interprétant des joueurs des Miami Wolves à l'époque de Theodore Roosevelt, ne faisaient pas que gagner le *pennant* (fanion donné aux vainqueurs des *World Series*), mais se livraient à un *Match d'amour* autour de la propriétaire de leur équipe (une femme jouée par Esther Williams) et d'une fan (Betty Garrett), tout en poussant la chansonnette. Heureux temps où les acteurs étaient tout talent, sans avoir la grosse tête. Enfin, *It happens every Spring,* allusion à la fois au début de la saison de base-ball et de celle des amours, montrait comment le professeur Kelly (excellent Ray Milland) passait de l'enseignement au *pitching* et faisait gagner son équipe (38 matches sans un seul *hit*) grâce à la substance chimique qu'il avait découverte et qui repoussait les balles, interdisant ainsi toute possibilité de frappe ! C'est aussi l'entrée de la Twentieth-Century-Fox dans le base-ball.

Devant le peu de succès public de ces films, leur production se ralentit. En 1950, Lloyd Bacon réalise *Kill the Umpire* (« Tuez l'arbitre »), un film qui sera la seule incursion de la Columbia dans le domaine, et qui n'a laissé aucune trace dans les mémoires. Précisons à ce sujet que l'arbitre est l'homme au masque d'acier qui se tient debout derrière le *catcher*.

Pour la petite firme Eagle-Lion, le vétéran méconnu Alfred E. Green met en scène le premier grand joueur noir, Jackie Robin-

---

1. Célèbre mascotte de la MGM, dont le rugissement fait toujours frissonner de plaisir les cinéphiles chaque fois qu'ils le voient et l'entendent.

son, dans sa biographie *The Jackie Robinson Story*, en 1950 : il s'y révèle aussi bon acteur que joueur. Mais sa prestation n'attire toujours pas les foules. Qu'à cela ne tienne, l'année suivante (1951), la MGM décide de s'attirer les bonnes grâces du Ciel en produisant un ange qui aide les Pittsburgh Pirates à gagner le fanion dans *Angels in the Outfield*[1] (« Les anges *grand-champ* ») du vétéran Clarence Brown, l'ex-metteur en scène de Greta Garbo « la Divine ». Las, même si le Ciel est satisfait, il ne semble pas avoir d'influence sur les spectateurs. La même année pourtant la Warner Bros met le paquet avec *Jim Thorpe All American (Le Chevalier du stade)* de l'excellent metteur en scène Michael Curtiz, où Burt Lancaster interprète l'un des plus grands athlètes de tous les temps, le Cherokee de l'Oklahoma, Jim Thorpe[2]. Ni lui, ni Lancaster, ni Curtiz ne réussissent à déplacer les foules. En 1952, le futur président des États-Unis Ronald Reagan s'y met lui aussi, en jouant le célèbre *pitcher* Grover Cleveland Alexander[3] : mais *The Winning Team* (« L'équipe gagnante »), bon petit film du metteur en scène de série B Lewis Seiler, ne tint pas les promesses de son titre.

L'année suivante (1953) voit débuter le grand metteur en scène Robert Aldrich, avec un film décevant, *The Big Leaguer* (« Le joueur de grande ligue[4] »). C'est sans conteste le film le moins personnel de son auteur. Il fut produit par l'unité de série B de la MGM, appelée par dérision « les fils des pionniers », parce que ses producteurs étaient les fils des fondateurs de la société. L'histoire est banale et classique : le manager des New

1. La Walt Disney Compagny a sorti en juillet 1994 un remake de ce film, avec la vedette noire Danny Glover dans le rôle de Paul Douglas.

2. Après avoir joué au football à l'université, Thorpe avait gagné les médailles d'or du décathlon et du pentathlon aux Jeux olympiques de 1912. Il s'était vu retirer ses médailles pour avoir joué l'été précédent au base-ball en étant payé. Il passa professionnel *outfielder* pour les New York Giants et les Cincinnati Reds de 1913 à 1919, puis, dégoûté, finit joueur de football professionnel.

3. Célèbre alcoolique, il permit aux Philadelphia Phillies de gagner 190 matches en 7 ans et aux Saint Louis Cardinals de remporter le fanion 1926, après avoir été limogé des Chicago Cubs dont il fut le meilleur joueur (183 jeux vainqueurs) pendant 8 ans.

4. C'est-à-dire dans les grandes équipes de *Major League*, qui ont une chance de gagner les *World Series*.

York Yankees (l'immense Edward G. Robinson) se débrouille pour que le père d'une vedette en herbe (Richard Jaeckel), très opposé au sport, n'empêche pas son fils de faire la carrière qu'il mérite. La même année, le studio Twentieth-Century-Fox se lance pour la deuxième fois dans l'aventure avec *The Kid from Left Field* (« Le gamin du champ gauche »). Ce film, réalisé par le metteur en scène conventionnel, ancien monteur d'origine canadienne, Harmon Jones, bénéficiait pour une fois d'une histoire originale, à défaut d'être passionnante : un gamin de neuf ans devient le manager d'une équipe et se fait conseiller par son père, un joueur raté qui vend des hot-dogs pendant les matches. Le gamin gagne le *pennant* (fanion) le dernier jour de la saison. Ce sujet a été jugé digne d'un remake à la TV réalisé par Adell Aldrich, la fille du grand Bob, en 1979. Tous ces films sont toujours inédits en France.

Cinq ans se passent sans qu'aucune firme investisse sur ce noble sport. Hollywood estime que ce n'est pas rentable. Et puis en 1957 un jeune producteur, Alan J. Pakula, et son ami réalisateur de télévision Robert Mulligan, choisissent le base-ball pour débuter au cinéma sous l'égide de la Paramount. Ils ne se facilitent pas la tâche en engageant un acteur tout aussi débutant qu'eux, au jeu névrotique : Anthony Perkins. Le sujet sera l'histoire authentique du grand *batter* Jimmy Piersall, dont la carrière fut mise en sommeil par une dépression nerveuse. *Prisonnier de la peur (Fear Strikes out)*, s'il ne fut pas un énorme succès, demeure l'un des meilleurs films sur la vie d'un joueur de base-ball. Il eut beaucoup plus de succès en France qu'aux États-Unis, ce qui est un comble, sans doute en raison de ses deux acteurs principaux : Karl Malden y est remarquable dans le rôle du père de Piersall, et Perkins joue les névrosés comme personne.

La Warner Bros, pour son deuxième film sur ce sport, adapte au cinéma la célèbre comédie musicale de George Abbott *Damn Yankees* (« Maudits soient les Yankees »), sur la grande équipe de *Big League* de New York. Cette adaptation du mythe de Faust évoquait le pacte liant le joueur Tab Hunter, de l'équipe des Washington Senators, au diable joué par Ray Walston : le *pennant* contre son âme. Ce film, mis en scène par Abbott et Stanley Donen en 1958, est aujourd'hui, un film culte à juste titre, mais à l'époque il sonna le glas du base-ball au cinéma pour seize années.

110

En effet, il faut attendre 1973 pour que la Paramount se décide à reprendre le flambeau – ce qu'elle avait déjà fait en 1957 avec *Prisonnier de la peur*. Le film, sorti à la sauvette en France sous le titre *The Best*, difficilement compréhensible quand on sait que l'original est *Bang the Drum slowly* (« Frappe doucement le tambour »), n'aura pas le succès qu'il mérite. C'est l'un des meilleurs films jamais réalisés sur le base-ball : on y voit la vedette d'une équipe (Michael Moriarty) se prendre d'amitié pour un joueur minable (excellent Robert De Niro, dans un de ses premiers films). Il le fait maintenir dans l'équipe contre l'avis de tout le monde, jusqu'à ce que ce joueur meure d'un cancer, dont il était le seul à connaître l'existence. Aux États-Unis, ce film aura un succès d'estime, et en France Canal + le jugera suffisamment bon pour le diffuser en 1991 sous le titre *Le Dernier Match.*

Les années 1970 se finiront sur deux films consacrés à ce sport en 1976, deux comédies. L'une, qui est la première incursion d'Universal dans le domaine, *The Bingo Long Travelling All Stars and Motor Kings*, se révèle la meilleure comédie sur le sujet et l'un des meilleurs films de l'inégal mais doué John Badham. L'autre est une « américanouillerie », *La Chouette Équipe (The Bad News Bears)* de Michael Ritchie, réalisateur aujourd'hui dévalué. *Bingo Long* raconte l'histoire, dans les années trente, à l'époque de la ségrégation [1], d'une équipe noire, qui pour être admise à jouer contre les équipes blanches moins bonnes monte un spectacle de base-ball style « Harlem Globe-Trotters ». Quant à la *Chouette Équipe*, le film raconte les exploits de son manager (inénarrable Walter Matthau) en *Little League* [2]. Il engage une fillette particulièrement peste (Tatum O'Neal, fille de l'acteur Ryan) pour faire gagner son équipe, ce qui ne les empêchera pas de perdre le dernier match de la saison.

Aucun de ces films n'obtenant de succès important, le base-ball entre dans une nouvelle ère glaciaire. C'est Robert Redford et le jeune réalisateur doué des années quatre-vingt Barry

---

1. À l'époque, il existait des *Leagues* noires jouant en parallèle et ne participant pas aux *World Series*. La fin de la guerre changera tout cela : au fur et à mesure, les joueurs noirs intégreront les *Leagues* dans les années cinquante.

2. Division des enfants entre 8 et 12 ans.

Levinson qui vont le sortir de sa léthargie. *Le Meilleur (The Natural)* est à la fois la vie d'un joueur devenu un mythe [1] et une réflexion sur l'importance du jeu dans la vie des hommes et des femmes d'Amérique. Cette première incursion mythologique dérouta critiques et public, à tort, mais c'est déjà un film culte, son succès en vidéo ayant atténué son échec en salles. 1984 est néanmoins une mauvaise année pour le base-ball au cinéma, et pour la firme Tri-Star qui l'avait produit.

Aussi le studio indépendant Orion Pictures surprend-il tout le monde quand il annonce la mise en production pour l'année 1987 de deux films sur ce sport. L'un, *Duo à trois (Bull Durham)* du scénariste Ron Shelton, dont ce sera la première réalisation ; l'autre de l'indépendant et trop secret John Sayles, tout aussi scénariste et acteur que metteur en scène, sur le scandale du Chicago White Sox en 1920 : *Eight Men out* (« Les huit limogés »).

Il faut dire que les *World Series* de 1986 furent particulièrement mouvementées et tinrent toute l'Amérique en haleine jusqu'au bout, puisque les New York Mets ne gagnèrent que d'un point en finale sur le Boston Red Sox. C'est peut-être alors qu'Orion Pictures a espéré avoir le *hit* du base-ball au cinéma l'année suivante. *Eight Men out* ne leur coûte que 7 millions de dollars, et *Bull Durham* 9 millions dont 3 pour Kevin Costner.

Ce dernier, lui, n'a pas à hésiter. Outre le fait que ce soit son plus gros cachet à ce jour, il doit interpréter un joueur de base-ball au moins une fois dans sa carrière s'il veut faire partie du lignage des grands acteurs mythiques, et l'occasion ne se reproduira sans doute pas de sitôt. Il a trente-deux ans, Gary Cooper en avait quarante quand il interpréta Lou Gehrig, James Stewart quarante et un quand il joua Monty Stratton, et, au train où les films sur ce sport se succèdent, Kevin risque d'avoir un âge encore plus canonique qu'eux la prochaine fois, un âge plus très crédible pour jouer les rusés *pitchers* ou courir le *home run* autour des bases comme un cheval au galop. Il accepte avec joie, et nous savons que le fait de travailler avec un débutant ne le rebute pas, bien au contraire. Pourtant plus d'un acteur, à sa

---

1. Disparu en pleine ascension, il reviendra au jeu sur le tard et deviendra une vedette malgré son âge.

place, aurait hésité. D'abord son seul film sportif *(Le Prix de l'exploit)* a été un bide retentissant. Ensuite les films de base-ball ne rapportent rien, comme le veut la légende hollywoodienne. Mais Kevin confie : « Ce n'est pas seulement un film sur le base-ball. C'est un film sur des gens qui atteignent l'âge où ils doivent se confronter à leurs rêves de jeunesse et les réconcilier avec la réalité. C'est un film drôle et poignant. »

Kevin a trouvé un sujet correspondant à ses critères. En plus le titre l'amuse : c'est un jeu de mots sur une marque très connue de tabac à chiquer et le nom de l'équipe de la ville sudiste de Durham en Caroline du Nord, les *Durham Bulls*. D'ailleurs Durham est la ville où l'on produit le tabac, les cigarettes et la marque à chiquer en question. Ceci ne manque pas de sel quand on sait que les joueurs de base-ball sont réputés, à juste titre, pour être des mâcheurs, des cracheurs et des chiqueurs invétérés. En outre, le producteur du film Thom Mount, originaire de Durham, est propriétaire de l'équipe des Durham Bulls.

Le tournage de *Duo à trois (Bull Durham)* se fait en extérieurs, principalement dans le Sud, et bien sûr à Durham. Il permet à Kevin de reprendre d'arrache-pied l'entraînement de base-ball, pour retrouver le niveau qu'il avait à l'université et acquérir les trucs qui font l'originalité de Crash Davis, son personnage. Costner le vécut comme un retour à ses années de collège : « Cela peut paraître fou, mais quand je marquais un point c'était comme quand je jouais à l'école : l'excitation de frapper la balle et de courir ! Ça faisait des années que je n'avais eu autant de courbatures, de blessures, de bleus et de plaisir ! » Si Kevin se retrouve à nouveau avec un metteur en scène débutant, il est confronté pour la première fois à une actrice plus chevronnée que lui, Susan Sarandon (elle a débuté en 1970), plus âgée (née en 1946, elle est donc son aînée de neuf ans). Elle a joué avec Robert Redford dans *La Kermesse des aigles (The Great Waldo Pepper)* et avec d'aussi impressionnants partenaires que Burt Lancaster, Jack Lemmon, Walter Matthau et, dernier en date, Jack Nicholson (dans *Les Sorcières d'Eastwick)*. Pour couronner le tout, elle n'a pas eu la carrière qu'elle méritait, sans doute parce qu'elle n'a pas fait la course aux films à succès et qu'elle a plus milité pour de grandes causes humanitaires que pour sa propre carrière.

Finalement le tournage se passe bien, d'autant plus que « ce qui m'a poussé à tourner dans le film de Shelton, c'est l'absence de manichéisme dont ce dernier a su faire preuve à l'égard de ses personnages », comme le dira Costner dans un entretien [1]. « Ni vainqueurs triomphants ni perdants pathétiques, ils n'arrêtent pas de douter d'eux-mêmes et se posent une multitude de questions : vont-ils sombrer dans l'alcoolisme parce qu'ils auront raté leur vie ? Vont-ils avoir des aventures à droite et à gauche, ou bien vivre avec la personne qu'ils aiment vraiment ? Vont-ils se décider à bouleverser leur existence ? Cette remise en question me semble aussi puissante et héroïque que le fait de désamorcer une bombe par exemple. » Cela rejoint les idées de Sarandon. L'entente entre eux était capitale puisque, une nouvelle fois, Kevin doit jouer une scène d'amour aussi chaude que celle de *Sens unique*, mais cette fois une baignoire remplace la limousine. La scène se passe sans problème : ni Costner ni Sarandon ne se plaindront. Susan n'est d'ailleurs pas le genre effarouchée, puisque ses seins ont déjà été célébrés par le magazine *Playboy* plusieurs années auparavant comme « les illustres seins de l'été », et que le courrier de ses fans y fait souvent référence. Elle s'en amuse beaucoup, disant dans un entretien avec Joanne Kaufman : « Je crois que mes seins sont très surestimés. » Kevin Costner n'a jamais donné son avis sur la question.

En outre, l'idylle que l'actrice noue avec l'acteur débutant Tim Robbins [2], son cadet de plusieurs années, empêche les ligues de vertu de se déchaîner à nouveau contre Kevin. Sarandon apprécie beaucoup l'attitude protectrice de Costner et déclare : « Le tournage de *Duo à trois* avec Kevin Costner fut la meilleure expérience de ma carrière. Kevin s'inquiète de toutes les choses importantes. C'est pourquoi il fera un très bon metteur en scène [3]. » Cette attitude protectrice est d'ailleurs ce qui lui vaut d'être apprécié par des millions de femmes dans le monde. De plus, il est toujours très discret quant à la vie de ses partenaires, ce qui change des nombreux prétentieux de ce métier, aussi prompts à dire du mal de leurs collègues qu'à se regarder le nombril. Il s'amuse d'ailleurs lui aussi du pouvoir de séduction

---

1. Au magazine *Vidéo 7* de novembre 1988.
2. Devenu depuis lui aussi metteur en scène (*Bob Roberts* en 1992), Robbins continue à filer le parfait amour avec Susan Sarandon. Ils ont une petite fille.
3. Prédiction qui se révélera juste, notons-le au passage.

que lui attribuent les médias : « Les hommes m'ont toujours présenté leurs petites amies ou leurs femmes sans problème, comme si je ne constituais aucune menace pour eux » dira-t-il dans une interview au magazine *Time* du 26 juin 1989.

Duo à trois va lui permettre, bien malgré lui, de pénétrer dans un cercle très fermé : celui des propriétaires de voitures de collection. En effet, avec ce film, Kevin inaugure un rituel qui ne le quittera plus : il conserve un attribut important de son personnage après chaque tournage. Pour l'occasion, ce sera une superbe Ford Mustang 1968, qu'il s'empressera d'enregistrer avec sa plaque minéralogique personnalisée : Crash D [1].

Cette année-là est capitale pour la famille Costner : Cindy va avoir un troisième enfant, ce sera le premier garçon, Joe. La famille étant très importante dans l'équilibre de vie de Kevin, des problèmes de tournage auraient troublé sa sérénité. Sorti l'été 1988 aux États-Unis, le film rencontre un succès inattendu pour une petite production. Il sera seizième au hit-parade de l'année. Il rapporte 50 millions de dollars rien qu'aux États-Unis et au Canada, la plus forte recette de tous les films ayant le base-ball pour thème. Un joli coup pour Orion, pour qui il draine un profit de 41 millions de dollars. Ce sera le plus gros succès financier de l'année. Qu'a-t-il de si attractif ?

Un monologue en voix off d'Annie Savoy (Susan Sarandon), enseignante de littérature américaine à temps partiel, ouvre le film : « Je crois à l'église du base-ball », sont ses premiers mots, « j'ai essayé toutes les religions, de Brahma aux champignons et à Isadora Duncan, mais seul le base-ball n'a pas de dogmes et n'est jamais rasoir. Tous les ans le joueur sur qui je jette mon dévolu fait sa meilleure saison. Mais je ne couche jamais avec quelqu'un qui frappe en dessous de 250 [2]. Je suis là pour rectifier son jeu et développer son esprit pour qu'il aille en Major League. Je lui apprends l'amour et je lui lis les poètes : Émily

---

1. Aux États-Unis, il est possible d'avoir une plaque d'immatriculation personnalisée à son nom ou avec le message que l'on veut, sauf s'il offense la morale bien évidemment (quoique *Fuck* ait été autorisé pour une star du porno, *business* oblige). L'État s'y retrouve : la plaque annuelle, équivalent de notre vignette, coûte plus cher bien sûr !

2. Les frappes réussies sont comptées sur 1 000 lancers. 250 équivaut à une frappe réussie sur 4 lancers, ce qui n'est pas suffisant.

Dickinson, Walt Whitman. » Tel est son credo. Son dévolu cette année est sur Eddy Calvin LaLooch (Tim Robbins), un *pitcher* qui est plus occupé à se trouver un surnom qu'à bien jouer. Arrive Crash Davis (Kevin Costner), un vétéran *catcher* de la Minor League, qui doit s'occuper de LaLooch et le cornaquer. Leur première rencontre au bar fréquenté par l'équipe et ses supporters se passe très mal : Crash casse la figure d'Eddy à cause de ses remarques stupides et blessantes, ce qui attire l'attention d'Annie. Elle les emmène chez elle pour choisir celui qu'elle aimera et entraînera cette année. Mais Crash n'aime pas qu'on décide pour lui, il se lance dans un monologue très amusant rétrospectivement [1] et part en claquant la porte, laissant le champ libre à la première leçon de LaLooch, à qui Annie a trouvé un surnom, *Nuke* (« nucléaire » en argot américain).

De nombreux événements nous montrent la rivalité entre Annie et Crash pour faire faire son dur apprentissage à Nuke LaLooch, ainsi que la difficulté pour Crash d'arriver à ce que ce dernier l'écoute. Finalement, après une superbe saison, Annie s'aperçoit qu'elle s'est trompée d'homme. Nuke arrive à ce moment chez elle, lui apprend qu'il part en Major League, et elle lui dit adieu.

Crash et Nuke se séparent comme ils se sont connus, en se battant. Davis apprend par le manager des Bulls qu'il est remplacé par un *catcher* plus jeune. Déçu, écœuré, il s'arrête chez Annie et découvre enfin qu'il l'aime. Leurs étreintes sont mouvementées. Mais le base-ball est aussi un travail, comme dit Annie, et Crash part donc comme *catcher* dans une équipe lointaine, où il gagnera le record mondial des *home runs* de la Minor League : 247. Pendant ce temps, Nuke devient une vedette des Majors, et au cours d'un entretien avec une journaliste, il répète ce que lui disait Davis : « C'est un jeu très simple. Vous jetez la balle, vous attrapez la balle, vous frappez la balle. Quelquefois vous gagnez, quelquefois vous perdez, quelquefois il pleut ! » Finalement, un sombre jour de pluie, Crash revient chez Annie,

---

1. Il répond à Annie, qui lui demande en quoi il croit : « Je crois à l'âme, à la bite, à la chatte, au bon scotch, à la tendresse du bas du dos des femmes, à la stupidité des romans de Susan Sontag [féministe et gauchiste de choc] et de tous les livres nombrilistes. *Je crois que Lee Harvey Oswald a agi seul...* » Dans *JFK*, son personnage pensera exactement le contraire.

car il vient d'être nommé manager des Bulls. Annie aura *the punchline* (le mot de la fin) : « Walt Whitman a dit une fois : il y a une grande chose dans le base-ball, c'est notre jeu, le vrai jeu américain ; il peut compenser nos pertes et être une bénédiction pour nous. »

Le film n'eut pas beaucoup de succès en France. Il sortit le 26 novembre 1988 sous le titre, pas trop stupide, de *Duo à trois*. La presse accorda plus d'attention à Kevin Costner et à Susan Sarandon qu'au film lui-même. La critique cinéphile fut juste, *Positif* en tête : il manquait au film un fil conducteur, une colonne vertébrale. Nous assistions à une suite de scènes sans grande continuité ni liens entre elles. Le critique Hubert Niogret applaudit « les comédiens (qui) sont remarquables, aussi bien Susan Sarandon, dont on connaît la sensualité, le charme, la sensibilité, que Kevin Costner, définitivement installé dans un statut de vedette et qui sait toujours, entre le charme, l'humour et la force, installer un personnage ».

« Le duo remarquable Kevin Costner – Susan Sarandon méritait mieux », dira même *Télé Ciné Vidéo*, ce qui est tout à fait exact. Peut-être un autre metteur en scène donnera-t-il à ce duo qui fonctionne très bien un grand film à leur mesure. Laurent Bachet dans *Première* sera le plus juste avec Kevin : « Quant à Kevin Costner, il s'agit probablement de son meilleur emploi à ce jour. Son personnage n'est pas spécialement brillant, c'est juste un beau gosse qui prend de la bouteille, mais Costner lui confère une gravité et des attitudes d'une justesse absolue. Il joue désormais dans la cour des grands, même s'il est un peu en avance par rapport à ses illustres prédécesseurs – Gary Cooper, Robert Redford – qui interprétèrent un joueur de base-ball vieillissant. Serait-ce un passage obligé du séducteur américain ? »

Le film permet toutefois à Kevin de faire monter sa cote de popularité en France et surtout au Japon, où c'est un gros succès. Il permet aussi à son agent de demander plus de dollars pour ses cachets. *Screen World* 1989, couvrant l'année 1988, le classe vingt-cinquième au box-office, *ex aequo* avec Steve Martin, Michael Keaton et Kathleen Turner, ce qui n'est pas mal. L'année 1988 voit Tom Cruise premier avec *Cocktail* et *Rain Man* [1],

---

1. Deux films multiplient les chances... ou les divisent !

Eddie Murphy deuxième avec *Un prince à New York,* Tom Hanks troisième, Arnold Schwarzenegger quatrième avec *Double Détente* et *Jumeaux,* Danny De Vito sixième avec *Jumeaux,* Robin Williams huitième sans film, Mel Gibson dix-septième [1], Harrison Ford (son plus proche concurrent dans la lignée Gary Cooper), vingt et unième. Michael Douglas chute de la deuxième à la douzième place, Michael J. Fox de la troisième à la quatorzième.

Il faut maintenant à Kevin un nouveau succès pour monter au box-office. D'autant plus que le lien avec Gary Cooper n'est pas évident pour tout le monde. Ainsi, dans un tableau dessinant des lignées d'acteurs et d'actrices mythiques, la revue américaine *Première* en avril 1988 ne mentionne pas Costner dans celle de Gary Cooper, alors qu'en dehors d'Harrison Ford, son seul véritable concurrent, elle cite Dennis Quaid, D. B. Sweeney, Matt Dillon et Chris Cooper (le petit-fils, qui n'a joué que de minuscules rôles). On rêve !

En revanche, le film est un tel succès au Japon que Kevin se verra invité à y faire une tournée pour jouer contre des équipes de base-ball locales. Cette expérience lui plaira beaucoup.

Il est permis de s'interroger sur le fait que Costner n'ait jamais joué pour un des premiers metteurs en scène du box-office des années 1980 : les Steven Spielberg, Ivan Reitman, Robert Zemeckis, John Landis, Barry Levinson (dont les valeurs sont assez proches des siennes, pour ne pas dire identiques), Richard Donner, Tim Burton, Ron Howard, Tony Scott, Sylvester Stallone (mais là nous savons pourquoi [2] !). Il n'a jamais joué non plus pour les chouchous des critiques : les Francis Coppola, Martin Scorsese, Jim Jarmush, Philip Kaufman, Roman Polanski, Alan Rudolph, Jonathan Demme, Woody Allen, Sidney Lumet. Certains pourraient y voir une coquetterie de « star » ou une manière subtile de se faire valoir : mes films sont bons uniquement parce que je suis là. Il n'en est rien, parce

---

1. Son grand rival, à qui on propose les films d'abord, avant de les soumettre à Costner si Gibson les a refusés.

2. Les personnages brutaux et violents incarnés par cet acteur sont à l'opposé du héros positif costnérien, en harmonie avec la nature et ses semblables, dont le lieutenant Dunbar sera le modèle (voir *Danse avec les loups*).

que le pari serait trop risqué de faire reposer le film sur ses seules épaules mais surtout parce que cela ne colle pas au personnage.

Kevin Costner est l'un des rares acteurs du nouvel Hollywood qui s'engage sur un scénario, sur une histoire poignante et remarquable – habitude qui lui vaudra une grave déception quand il aura affaire à l'un des metteurs en scène du box-office, mais il est trop tôt pour en parler. À l'inverse des acteurs rebelles ou anti-héros (à l'écran seulement), il a en horreur les *packages*, façon habituelle aujourd'hui de travailler à Hollywood. Cette méthode a permis aux agents [1] des stars et des metteurs en scène de prendre le pouvoir et à Michael Ovitz, président-fondateur de la plus grande agence d'imprésarios, Creative Artists Agency, de devenir l'homme le plus influent d'Hollywood.

La méthode est simple : elle consiste à intéresser une vedette bien placée au box-office à un projet (une idée ou une histoire dans l'air du temps), à un livre (cela fait plus sérieux) à succès, ou à un scénario, écrit de préférence par un scénariste coté au box-office ou primé aux Oscars (voire les deux). L'agent y adjoint un metteur en scène de ses clients, connu soit par son palmarès soit par les critiques, et une ou plusieurs vedettes. Il ne lui reste plus qu'à faire le tour des studios pour trouver celui qui va mordre à l'hameçon : le jargon hollywoodien appelle cela le *turnaround* (tour de table, ou d'horizon). Si le package ne trouve pas acquéreur, le sabir d'Hollywood dit qu'il est « en développement [2] » ! S'il est accepté par un studio, la pré-production commence, et avec elle les ennuis. En effet, peu de vedettes tiennent leurs engagements, soit parce qu'un autre package plus attrayant est en turnaround, auquel cas elles veulent en être, soit parce que le metteur en scène qu'elles avaient accepté ne leur plaît plus, soit parce que le studio qui a pris l'affaire ne cède pas à leurs caprices. (Dieu sait si elles en ont !) La pré-production voit de

---

1. Aux États-Unis l'agent fait un métier plus complet que l'imprésario en France : il ne se contente pas de trouver des rôles, il gère l'ensemble de l'image de son client et s'occupe de toutes ses relations publiques.

2. Traduisez : « oubliettes ». Cela peut durer des années. Nous en donnons un bon exemple au chapitre « Prince des voleurs ».

plus en plus valser vedettes, scénaristes, metteurs en scène, parfois même les studios, à un rythme endiablé [1].

Cela n'est pas du tout du goût de Costner, qu'un package a le don de mettre dans une rare fureur. Chacun sait que plus elles sont rares, plus elles sont violentes, et l'ascendance cherokee-germano-irlandaise de Kevin ne fait qu'accroître le phénomène. C'est ainsi qu'une foule de scénarios « à risque » (traduisez : impossibles à packager) se retrouvent sur son bureau. Au fond, il s'écarte du système pour ne pas avoir à le combattre, et le système le lui rend bien car il n'en fera jamais l'un de ses favoris. Costner le vérifiera quand il s'agira de faire *Danse avec les loups*.

Un beau jour de 1988, Kevin reçoit un scénario, adapté d'un roman de W. P. Kinsella intitulé *Shoeless Joe*. C'est le surnom d'un des plus fameux joueurs de base-ball de tous les temps, Joe Jackson, qui est aussi à l'origine du plus grand scandale qu'a connu le sport préféré des Américains, le fameux *Black Sox scandal* de 1920. Le livre de W. P. Kinsella et le scénario de Phil Alden Robinson font appel au base-ball comme métaphore des valeurs américaines, et à la réhabilitation de *Shoeless Joe* Jackson comme retour à ces vraies valeurs. Phil Alden Robinson déclare avec justesse à *L'Écran fantastique* en octobre 1989 : « Le sens du base-ball est très important aux États-Unis, et pas seulement en tant que jeu, mais quand vous êtes enfant et que vous échangez quelques balles avec votre père, cela signifie que ce dernier vous accepte en tant qu'homme, c'est comme un rituel. C'est la première activité extra-familiale que vous faites avec votre père, jamais avec votre mère. J'ai personnellement vécu cela lorsque, vers l'âge de quatre ans, mon père m'a emmené jouer : j'ai senti qu'il m'acceptait non plus comme un enfant, mais comme un homme qui était son fils. C'est une relation très importante avec votre père. »

C'est ce qui plaît tout de suite à Kevin Costner dans ce projet, qui s'intitulera *Field of Dreams (Jusqu'au bout du rêve)*. Comme il le dira dans une interview au magazine *Time* du 26 juin 1989 :

---

1. L'été 1994 a été particulièrement fertile en déboires de préproduction : *Crisis in the hot Zone, Cutthroat Island, Mistress of the Seas* et *The Bridges of Mason County* pour ne citer que les principaux.

« Le fil rouge commun à tous mes films est leur histoire poignante, leur façon de raconter, dans un milieu qui s'imagine que les spectateurs ne viennent pas au cinéma pour l'histoire. Tous les effets de caméra du monde ne peuvent cacher un manque de scénario. Les cartes du récit doivent être redistribuées continuellement. Il doit y avoir une construction terriblement précise et une grande attention aux détails. Mes films ne peuvent être sauvés par une poursuite de voitures. » Costner n'aime visiblement ni les films de et à la Godard (qu'il en soit remercié !), ni les Stalloneries et autres grosses machines à effets spéciaux. C'est ce qui rend ses films si sympathiques, même quand ils ne sont pas sublimes.

Kevin se rend compte que *Jusqu'au bout du rêve* n'est pas seulement un film sur le passé américain, mais aussi sur le passé d'Hollywood. Selon Robinson, dans le même article de *Time*, « Pour devenir un homme dans ce pays il faut avoir une place spéciale dans votre cœur pour jouer au base-ball avec Papa. C'est la nostalgie d'un temps plus innocent, de relations faciles, qui se compliquent avec les années. Nous vivons des temps cyniques. Nous sommes tous fatigués et ennuyés. La plupart de nos héros sont devenus des géants aux pieds d'argile. Je ne crois ni à l'astrologie, ni aux boules de cristal, ni à la réincarnation, ni au ciel, ni à l'enfer. Je ne crois pas que les rêves se réalisent. Mais c'est une émotion très primaire de vouloir que le mal se transforme en bien – d'espérer qu'à la fin tout finira bien. »

Une telle déclaration aurait pu être faite par Kevin, et Robinson lui-même assurera que le jour où Costner accepta de jouer dans le film fut une bénédiction. Il faut dire que depuis 1984, où il dévora le livre de Kinsella, Robinson avait eu énormément de mal à en faire un film. Il avait déjà mis deux ans avant de lire l'ouvrage, car ce qu'on lui en avait dit l'avait laissé froid. Ce qui l'intéressait le plus était la réconciliation du héros Ray avec son père mort. C'est seulement en 1987 qu'il réussit à intéresser le studio Twentieth-Century-Fox. Son coproducteur Charles Gordon déclare : « N'importe quel cours d'écriture de scénario vous apprendra que cette histoire contenait les trois éléments avec lesquels vous ne devriez jamais faire de films : l'irréel, le base-ball et l'agriculture. » Par ailleurs 1984 fut l'année du désastre financier du film de Barry Levinson avec Robert Redford *Le Meilleur,* une autre histoire mythique de base-ball.

Néanmoins, en 1987, Lawrence Gordon et Scott Rudin y crurent, et acceptèrent que Robinson soit attaché au film en tant que scénariste-metteur en scène – un sacré risque étant donné que jusque-là il n'avait dirigé que des films industriels et éducatifs. Mais Gordon quitta Twentieth-Century-Fox et devint producteur indépendant [1], ce qui plaça le film en turnaround. Entre-temps Robinson mit en scène son premier grand film, *In the Mood,* qui n'eut qu'un succès d'estime auprès de certains critiques. Assez ironiquement, les mêmes n'auront que mépris et sarcasme pour *Jusqu'au bout du rêve.* Gordon réussit dans le même temps à intéresser le studio Universal, et surtout Kevin Costner, alors en pleine ascension.

Le film est tourné dans l'Iowa avec une date butoir, le 15 août 1988, car Kevin doit commencer alors un autre film (*Revenge).* Or cet été-là fut celui de la plus grande sécheresse depuis la Dust Bowl dans les années trente, qui provoqua la fuite de la famille Costner vers la Californie. Le tournage ne put débuter que le 20 juillet au lieu du 10, parce que le maïs ne poussait pas, par manque d'eau, et qu'ils furent obligés de l'arroser pendant dix jours. Des changements furent apportés par rapport au livre : le terrain est construit en une seule fois et non petit à petit, un écrivain noir fictif remplace le célèbre John D. Salinger, etc. Le titre *Shoeless Joe* fut transformé en cours de tournage en *Field of Dreams (*« le champ des rêves »), ce qui amusa Kinsella qui avait songé un moment à appeler son roman *Dreams.* Les soixante-quatre jours de tournage à cause de la pousse du maïs furent un enfer pour Robinson, à tel point qu'il s'accorda un long congé. Mais pour les autres, producteurs et acteurs, ce fut « magique dès le premier jour » comme le déclara Charles Gordon.

L'intrigue s'y prête tout à fait. Nous voyons une rétrospective de l'histoire du père de Ray Kinsella [2] (Kevin Costner), installé à Chicago à son retour de la Première Guerre mondiale, en 1919, où il commence à jouer au base-ball jusqu'à ce que son héros

---

1. Il fut bien plus tard financé par les Japonais de la Japan Victor Company (JVC), avec lesquels il créa Largo Entertainment. Il reviendra en 1992 dans la vie de Kevin avec le projet *Waterworld.*

2. L'auteur du roman, W. P. Kinsella, a donné son nom à son héros, sans plus d'explication.

Shoeless Joe Jackson et son équipe favorite les White Sox soient traînés dans la boue par le scandale du Black Sox. À la mort de sa femme, le père Kinsella part avec son fils Ray pour Brooklyn, où il ne s'intéresse plus au base-ball qu'en tant que supporter. Ray, lui, s'éloigne de son père, allant faire ses études à Berkeley dans les années soixante, où il apprend surtout la morale hippie qu'il pratique assidûment. Il y rencontre sa femme Annie (Amy Madigan), et ils partent vivre aux crochets des parents d'Annie dans l'Iowa, sans que Ray ait jamais revu son père, même à la mort de celui-ci. Finalement Annie décide Ray à acheter une ferme. C'est là, un beau soir d'été, que Ray au milieu de son maïs entend une voix mystérieuse qui chuchote : « Si tu le construis, il viendra. » Il n'y croit absolument pas, interroge sa femme et sa fille, questionne les fermiers de son village, qui le prennent pour un fou. Mais un soir, alors que la voix est revenue, Ray a la vision d'un terrain de base-ball au-dessus de son champ de maïs. Il comprend alors, explique-t-il à sa femme, que Shoeless Joe Jackson viendra jouer s'il construit son terrain. Sa femme, toujours animée par un esprit hippy accepte. Il arrache son maïs et construit le terrain. Les fermiers des environs sont, cette fois-ci, sûrs de sa folie. Un soir, alors qu'il fait les comptes avec sa femme et s'aperçoit qu'ils auront du mal à joindre les deux bouts, sa fille tente de lui parler. Il la rabroue plusieurs fois, mais quand elle dit : « Papa il y a un monsieur sur ton terrain. » Il se lève, va à la porte et voit le fantôme de Shoeless Joe (Ray Liotta) arpenter sa pelouse. Il le rejoint, ils échangent quelques balles et parlent du base-ball. Puis Jackson demande s'il peut revenir avec ses copains du Black Sox. Et un après-midi, Ray voit arriver les huit du Black Sox pour jouer sur son terrain. Ô surprise, sa femme et sa fille les voient aussi ; il n'est donc plus seul à rêver. La voix se manifeste à d'autres reprises à Ray. Il est entraîné par elle aux quatre coins des États-Unis. Il redonne goût à la vie à un grand écrivain satirique, Terence Mann (l'excellent acteur noir James Earl Jones), aigri, misanthrope et brutal. Puis, ensemble, ils satisfont le rêve d'un médecin, Archibald *Moonlight* Graham, mort en 1972 (Burt Lancaster [1], cette légende de

---

1. Dont c'est le dernier film. Une attaque cardiaque le laisse à demi paralysé de 1990 à sa mort (le jeudi 20 octobre 1994).

l'époque glorieuse du grand cinéma hollywoodien). Enfin Ray, à la fin de son odyssée, voit son père apparaître en *catcher* sur son terrain et réalise que la voix était sa voix intérieure, qui lui disait : « Si tu construis un terrain de base-ball, ton père viendra. » Ray présente alors sa femme et sa fille à son père, lequel le remercie de ce terrain où il peut réaliser ses rêves. Puis John demande à son fils : « Est-ce le paradis ? » « C'est l'Iowa » répond-il, amusé. « C'est superbe. Puis-je te demander : le paradis existe-t-il ? » « C'est là où les rêves se réalisent. » « Alors, c'est peut-être le paradis ! » Alors que John s'en va, Ray l'interpelle : « Papa, est-ce que tu veux jouer ? », et ils se mettent à jouer dans le soleil couchant. Annie allume les projecteurs du stade. La caméra monte vers le ciel et découvre une procession de phares de voitures se dirigeant vers le terrain.

Cette dernière image est prémonitoire car, sorti en mai 1989, le film est le plus grand succès du printemps, et se comporte fort bien face aux grandes machines de l'été [1]. Il rapporte 66 millions de dollars, uniquement en Amérique du Nord, pour un coût de 19 millions de dollars, encore un beau profit. Il provoque des réactions surprenantes. Arnold Schwarzenegger appelle les producteurs et Kevin pour leur dire qu'il n'a pu s'empêcher de pleurer pendant tout le film. Ron Darling, *pitcher* des New York Mets, déclare à Lawrence Gordon que c'est le seul film où il a pleuré de sa vie, et qu'il en a été tellement inspiré qu'au match suivant il a éliminé tous les *batters* [2]. De nombreux spectateurs racontent qu'ils se sont sentis obligés d'appeler leur père à la sortie du film ou d'échanger des balles de base-ball avec lui.

D'autres réactions sont plus intéressées. Le gouverneur de l'Iowa demanda à l'Universal de pouvoir utiliser la phrase « Est-ce le paradis ? Non, c'est l'Iowa » comme slogan touristique pour son État. Le fermier Don Lansing, sur la ferme duquel fut construit le terrain, est très heureux : une foule de gens viennent le voir de tous les États [3].

---

1. Entre autres : *Batman, Indiana Jones et la Dernière Croisade, SOS Fantômes 2*. Un rien...
2. Au base-ball on appelle cela un *shut out* (« à bureaux fermés »).
3. Le même phénomène se passait au Texas au ranch South Fork, qui servait au tournage de la série télévisée *Dallas*. Un univers pas si impitoyable que cela pour certains.

Des critiques jugent le film guimauve, l'appellent « Field of corn [1] » à la place de *Field of Dreams*. Ils représentent 20 % des critiques américains, mais ce sont les plus influents : Pauline Kaël du *New Yorker*, Richard Coltiss du *Time* et Stanley Kaufman de la *New Republic*. Kaël, malgré sa critique acide du film, fit néanmoins un compliment à Kevin : « Quoiqu'il joue un illuminé persévérant et visionnaire pendant le reste du film, il le fait avec conviction. Il est James Stewart (que l'on voit d'ailleurs dans *Harvey* à la télévision) et Gary Cooper dans leurs rôles pour Frank Capra ; c'est le genre de jeu pour héros américain, dans lequel seules des pensées positives animent le héros, et le clair de lune illumine ses dents. »

Quoi qu'il en soit, avec ses deux films de base-ball, *Duo à trois* et *Jusqu'au bout du rêve,* Kevin peut se targuer d'avoir relancé le genre, puisque trois films sur le sujet se tourneront en 1991 pour sortir en 1992. *Mr. Baseball* (ex *Tokyo Diamond*) de Peter Markle [2], puis Fred Schepisi, sur un *pitcher* américain déchu, parti jouer au Japon chez les Chinuchi Dragons, a une pré-production mouvementée. *Une équipe hors du commun (A League of their own)*, sur la fameuse League entièrement féminine [3], a beaucoup de problèmes de casting [4], et de metteurs en scène par voie de conséquence. Ce projet se promène entre deux studios et n'est finalement réalisé qu'en 1993. Enfin *The Babe* d'Arthur Hiller [5], deuxième film sur le légendaire Babe Ruth, se déroule sans problèmes.

En France, le tir de barrage contre *Field of Dreams* commence dès le festival du cinéma américain de Deauville. Une fois de plus, les meneurs sont *Les Cahiers du cinéma* où, dans un article

---

1. Jeu de mots à double sens, *corn* signifiant « maïs » et *corny* « ringard » ou « guimauve ».

2. Les Japonais de Masushita, devenus propriétaires d'Universal, trouvèrent le scénario offensant à l'égard des Japonais et du Japon et exigèrent des changements. Furieux de cette interférence, Peter Markle, le réalisateur, partit en claquant la porte. Il fut remplacé par l'Australien Fred Schepisi, beaucoup plus souple. L'affaire fit grand bruit aux États-Unis et déchaîna une série d'articles anti-japonais.

3. L'All American Girl League, remplaçant les joueurs partis combattre pendant la Seconde Guerre mondiale, fut abandonnée en 1950.

4. Debra Winger se désista, et fut remplacée par Madonna entre autres.

5. Ce film est toujours inédit en France à la fin novembre 1994.

un brin moqueur, Thierry Jousse n'en parle pas moins de King Vidor et de Frank Capra et d'« utopie familiale » liée au « rêve américain ».

Les autres rédactions sont plus divisées : *Télérama*, *La Revue du cinéma*, entre autres, se sentent obligés de publier une critique « pour » et une « contre », la dernière étant toujours la plus virulente des deux. Il est de notoriété mondiale, que les Français sont le peuple le plus cynique de la terre, même s'ils s'en défendent. Les Anglo-Saxons les qualifient à juste titre de *devious*[1]. Évidemment, le fantastique moralisateur et social d'un film comme *Jusqu'au bout du rêve* ne peut pas plus les émouvoir que les films similaires de Frank Capra à leur sortie – même si depuis ces derniers sont devenus des références en France. *La Revue du cinéma* réussit même à prouver qu'elle ne comprend rien aux États-Unis, au travers de l'article d'Yves Alion intitulé « Le rêve brisé », dans le numéro de novembre 1989. Alion, après avoir fustigé « le véritable festival de vœux pieux », déclare : « Le plus amusant de l'affaire, c'est que les contestataires des années soixante sont sollicités pour participer à la défense des valeurs éternelles, ces valeurs que jadis ils remettaient en cause. Bel exemple de récupération. » Alion n'a pas dû beaucoup fréquenter le carrefour Haight-Ashbury, haut lieu des hippies, le Fillmore Auditorium, le Golden Gate Park de San Francisco, l'université de Berkeley (montrée dans le film) en Californie, l'Old Town de Chicago, en 1967. Sinon il se serait aperçu que les hippies voulaient revenir aux racines de l'Amérique : aux communautés pionnières rurales, à l'Amérique seulement préoccupée par sa Frontière, à l'amour libre des pionniers (époque où les femmes manquaient), à la réalisation par chacun de ses rêves, non à faire de l'argent à tout prix. Le message du film n'est pas différent. Alors, où est la récupération[2] ?

---

1. « Tordu, zigzaguant, pas franc du collier. »
2. La séquence de l'assemblée de parents d'élèves est significative à cet égard. Une femme de fermier s'en prend aux livres de Terence Mann, célèbre auteur (fictif) satirique des années soixante, les traitant de pornographiques, de subversifs et de probablement communistes. Un professeur lui répond qu'il a eu le prix Pulitzer, que la Cour suprême a dit que ses livres n'étaient pas de la pornographie, et que les critiques unanimes reconnaissent qu'il est un des plus grands auteurs comiques. Elle rétorque que les collèges bien-pen-

Robinson et Kinsella furent très marqués par ces années-là. D'ailleurs Kinsella, dans une interview publiée par la revue de la Guilde des metteurs en scène, *American Film,* en mai 1989, déclare : « Non, ce n'est pas une histoire de base-ball. C'est une histoire d'amour dont le sujet est : suivre ses rêves et les réaliser. Parce que c'est un fantasme sur un monde parfait, le base-ball doit en faire partie, puisque le base-ball aurait sa place dans un monde parfait. » Robinson quant à lui affirma dans le même numéro de cette revue : « Notre génération, la génération des années soixante, avait des rêves où tout était possible. Qu'est-il arrivé à cet idéalisme ? Il y a une chanson de Bruce Springsteen qui demande : "Un rêve est-il un mensonge s'il ne devient pas réel, ou est-ce quelque chose d'encore bien pire ?" » Les années soixante aux États-Unis n'ont rien à voir avec la politisation gauchiste de mai 1968 en France.

Finalement, les deux revues françaises les plus favorables sont *L'Écran fantastique* et *Positif,* une fois de plus. *L'Écran fantastique*, dans son numéro d'octobre 1989, regrette que le film ait été mal lancé et n'ait pas trouvé son public, mais parie qu'il deviendra un classique. *Positif*, en novembre, sous la plume de Pascal Pernod, fait une critique équilibrée sinon enthousiaste : « Le passé du cinéma américain vient se télescoper de manière troublante au passé de l'Amérique du base-ball dans une même fonction de modèle. (...) Lors de l'enquête menée par le héros dans le Minnesota, sa moisson de réminiscences glanées parmi quelques anciens prend une force qui nous rappelle doublement, au passage, Welles et surtout Ford : le premier pour les interviews de *Citizen Kane,* le second pour son moyen métrage *La*

---

sants ont condamné ses livres depuis 1969 et qu'il n'écrit plus parce qu'il se masturbe. Annie, furieuse, prend la défense de l'écrivain. Une violente altercation oppose les deux femmes : « Je n'ai pas un mari fou qui arrache le maïs pour construire un terrain de base-ball, ce détraqué. » Annie hurle : « Au moins ce n'est pas un brûleur de livres et un fasciste, espèce de grosse vache nazie », puis Annie lance à l'auditoire : « J'ai une idée, votons ; qui est pour un autodafé comme chez les nazis, qui est pour cracher sur la Constitution des États-Unis, qui est pour instituer la censure comme chez Staline ? » Aucune main ne se lève. « Maintenant qui est pour la Déclaration des droits de l'homme, qui est pour la liberté, qui est pour le respect des livres ? » Petit à petit toutes les mains se lèvent. « Merci l'Amérique ; je vous félicite, vous êtes tous géniaux », finit Annie.

Révélation de l'année [1] *(The Rookie of the Year)*, autre enquête sur ce qu'est devenu un joueur de base-ball. » Le public français fit un accueil réservé à ce film.

Pour Kevin, le film représente un retour aux sources : les relations avec son père, les doutes récurrents concernant son avenir, qu'il traîna pendant toute son adolescence, les valeurs qu'il portait en lui. Plus que ses autres rôles, le personnage de Ray lui permet d'être lui-même. Il ne joue plus : Costner *est* Ray Kinsella. L'auteur du roman, W. P. Kinsella, déclarera au magazine *Mclean's* : « Costner a une présence fantastique. Il vous entraîne et vous persuade avec ses yeux. Qu'il soit face à la caméra ou non, il peut contrôler n'importe quelle scène dans laquelle il est présent sans même s'en apercevoir. Ce n'est pas quelque chose qu'il a travaillé – il semble qu'il soit né ainsi. » Et Robinson de renchérir : « Pour un type vraiment amusant, il est aussi très sérieux dans son travail. Ce n'est pas un acteur qui s'amène juste pour faire son boulot. » Déclarations qui ne font que renforcer nos propres impressions. Et puis il y a d'autres détails qui font de ce film une brillante performance. D'abord – et c'est du Costner tout craché – il s'engage à le faire contre l'avis de son entourage, y compris les hommes du studio. « La plupart des gens en qui j'ai confiance ont pensé que j'étais fou de faire *Jusqu'au bout du rêve*. Mais ils n'avaient pas lu le script. Alors je commençais à leur raconter l'histoire – et ils commençaient à trouver que j'étais complètement dingue. Quand j'ai lu *Jusqu'au bout du rêve,* j'ai pensé que ce serait *La vie est belle* de ma génération. » Nous avons là une preuve à la fois de l'importance du film pour lui, mais aussi de sa filiation avec James Stewart. *La vie est belle (It's a wonderful life)* est le grand retour de Frank Capra après la guerre, pendant laquelle il fit de remarquables films de propagande. Le film fut un tel succès lors de sa sortie en 1946 qu'il est montré tous les ans à la télévision américaine au moment de Noël. Or *La vie est belle* n'eut guère de succès en France au moment de sa sortie, alors qu'aujourd'hui il est l'objet d'un véritable culte.

---

1. Présenté évidemment en 1987 par Patrick Brion sur FR3 *(Cinéma de Minuit),* lors d'une mémorable soirée consacrée aux courts métrages hollywoodiens pratiquement inédits en France.

Pour James Stewart, l'acteur de Capra par excellence, c'est l'un de ses plus beaux rôles, à trente-huit ans. Il s'agit là aussi d'une comédie dramatique fantastique, qui marqua les jeunes années de Costner. « Je pense que je me suis toujours identifié avec des gens qui me montrent comment je dois agir, quel genre d'homme je dois être, en fonction des épreuves qu'ils affrontent. Les idoles de cinéma que j'aimais me montraient ce qu'était prendre une décision difficile. »

Ses partenaires de *Jusqu'au bout du rêve* n'ont que des sentiments amicaux et des éloges à la bouche pour parler de lui. James Earl Jones admire la façon dont il sélectionne ses projets. « Kevin dit qu'il choisit ses rôles dans les films où il aimerait jouer tous les personnages. Il dit qu'il aurait voulu jouer mon rôle, celui d'Amy Madigan, de Ray Liotta, etc. J'ai trouvé que c'était un bon truc ; cela prouve qu'il a une saine appréciation du travail des autres acteurs, pas une fixation égocentrique sur son propre rôle. » Jones admet aussi que Costner lui donnait une impression de « déjà vu ». « En regardant Kevin sur le moniteur pendant le tournage, je fus obligé de l'admettre : c'était Gary Cooper. D'abord, Gary Cooper regardait toujours comme pour cracher. Lui et Kevin ont la même expression de la bouche. » Il est à noter qu'Anthony Quinn, partenaire de Kevin sur *Revenge*, fait pratiquement la même remarque. « J'adore vraiment ce garçon. Il me rappelle mon ami Gary Cooper. Coop cherchait toujours un endroit pour cracher, et Kevin a exactement la même expression "chiqueuse". » Gary fit d'ailleurs lui aussi un film fantastique, d'amour fou, qui à sa sortie émerveilla les surréalistes, André Breton en tête : *Peter Ibbetson,* du metteur en scène d'action Henry Hathaway. Gary l'entreprit lors de sa trente-quatrième année, âge de Kevin au moment de *Jusqu'au bout du rêve,* et obtint avec ce film un succès phénoménal auprès des femmes.

En plus de confirmer sa filiation avec James Stewart et Gary Cooper, *Jusqu'au bout du rêve* permet à Kevin de s'interroger sur ses relations passées avec son père. Il a plusieurs fois rappelé que sa volonté de devenir acteur avait été peu soutenue par ses proches, notamment son père. Ce manque de confiance à son égard le rendit encore plus déterminé. Son père est toujours l'une des personnes autour de lui qui l'influencent, au point qu'il ne passe pas une journée sans lui téléphoner, où qu'il soit.

Il y a aussi dans le film la légende vivante Burt Lancaster, dans un petit rôle : une figure paternelle pour Costner, qui confesse n'avoir que du respect pour l'homme et sa carrière. Kevin ajoute toutefois qu'il espère que ses enfants le verront plus comme un « Spencer Tracy », parce que c'est la façon dont lui-même voit son propre père. Cette notion de modèle est fondamentale pour Kevin. « Vous devez essayer de diriger votre vie quelque part ; si vous ne savez pas comment le faire, et n'avez pas entendu la voix dans le champ de maïs, alors vous cherchez des images et des modèles. Les héros de cinéma sont de grands modèles. Pour moi, une idole de cinéma, c'est quelqu'un qui a toujours fait ce qui était juste et droit dans une situation où moi je n'étais pas sûr de ce que j'aurais fait. »

Ce sens de la morale est présent chez Kevin Costner, à la fois dans sa vie privée et à l'écran. Hélas, *Revenge*, le film qu'il entreprend juste après *Field of dreams,* représente la première entorse qu'il fait à ce principe moral. Que s'est-il passé ?

CHAPITRE VIII

JUSQU'AU BOUT DU RÊVE... D'ACTEUR

Dans la dernière quinzaine d'août 1988, J. J. Harris, l'agent de Kevin Costner, vient de signer avec Ray Stark, l'un des derniers grands producteurs. C'est un vieux caïman du marigot hollywoodien : il vient d'avoir entre autres la peau de l'Anglais David Puttnam, appelé en toute hâte un an plus tôt au chevet de la Columbia par ses actionnaires de l'époque (Coca-Cola). Costner n'a signé que parce que le court roman [1] du grand auteur de policiers Jim Harrison, dont le scénario est tiré, l'avait beaucoup ému (toujours ce thème du « poignant » qui lui est cher). Or, avant que Kevin ne participe à la production, *Revenge* avait été la première pomme de discorde [2] entre David Puttnam, qui détestait le projet, et Ray Stark [3], dès novembre 1986. Kevin pensa en donnant son accord que Stark renoncerait à son option sur les droits, après tout le tintamarre qu'avait provoqué l'affaire, et que

---

1. Tiré du recueil *La Femme aux lucioles,* UGE, 1992.
2. Stark avait proposé le projet à son vieux complice John Huston. Ils avaient fait ensemble *La Nuit de l'iguane* (1964) et *Reflets dans un œil d'or* (1967), deux tournages particulièrement difficiles à cause des jalousies entre acteurs, même si les films sont superbes. Huston (qui avait choisi Jack Nicholson comme vedette) avait dû renoncer, à cause de la gravité de sa maladie. Puttnam aurait voulu confier le film à son ami Alan Parker.
3. Bien que producteur indépendant, au travers de sa société, la Rastar Company, l'ancien agent Stark a un contrat le liant à la Columbia pour la distribution de ses films. Ceci explique son pouvoir occulte, mais réel, au sein de cette compagnie, que Puttnam fit l'erreur de négliger.

pour une somme raisonnable il pourrait racheter le projet et se mettre lui-même en scène. Il fut surpris de voir Stark s'accrocher autant à ce film que le metteur en scène Tony Scott, le frère de Ridley, tenait à le réaliser.

La première réunion des trois hommes a lieu dans le bureau de Stark. Elle est assez fraîche. Malgré son acceptation de Scott comme metteur en scène, Costner ne peut s'empêcher d'ajouter : « Mais je pense vraiment que tout peut être négocié et modifié. » Sur le coup, Stark et Scott ne comprennent pas le vrai sens de ses paroles ; ce n'est que plusieurs réunions plus tard qu'ils le comprendront réellement. Pour l'instant ils sont heureux, enthousiastes, prêts à sortir le champagne d'après Kevin. C'est alors qu'il leur donne l'estocade à la manière Costner – c'est-à-dire brutalement et sans fioritures : « Nous avons toujours un foutu problème. Vous allez trop lentement. Si vous ne rattrapez pas le temps perdu, je vais être obligé de faire *Shoeless Joe* (le premier titre de *Jusqu'au bout du rêve*) d'abord. Ce fut comme si je venais de pisser sur la parade. »

Le scénario de *Revenge* ne le satisfaisait pas. Jim Harrison, auteur de la nouvelle, avait été écarté, et tous les scénaristes appelés à la tâche réécrivaient l'ensemble de l'histoire. « De grands moments étaient jetés aux oubliettes. Et le tournage du film reculait. À la fin, pendant que je tournais *Jusqu'au bout du rêve,* je téléphonai et dis : "C'est le scénario le plus atroce auquel j'ai été mêlé. C'est également la meilleure histoire à laquelle j'ai été associé." Je ne pus supporter cette merde et vins avec mon ami Michael Blake [1], et en vingt et un jours, travaillant entre les prises de vues et même en voiture sur le chemin de l'hôtel, nous écrivîmes un nouveau scénario (de cent huit pages). »

Malgré son accord de principe, Ray Stark n'utilisera jamais le scénario Costner-Blake, pas plus qu'il n'avait utilisé celui de Jim Harrison. Cela irrite d'autant plus Costner que Stark fait tripatouiller de son côté par de nombreux scénaristes un scénario de cent trente-cinq pages, s'inspirant de tous les précédents [2] (Har-

---

1. Il travaillait sur « Lieutenant Dunbar », le futur *Danse avec les loups.*
2. C'est une vieille pratique hollywoodienne. Les patrons estiment que chaque scénariste a un point fort, d'où l'idée d'en prendre une dizaine sur un film pour être sûr de ne rien rater !

rison, Costner-Blake, etc.), avec un résultat toujours aussi mauvais. Costner explique : « L'histoire était si riche que chaque scénariste fut capable de broder des tas de choses sur celle-ci. À chaque réécriture, le scénario s'éloignait de plus en plus du livre, alors qu'au départ c'était une histoire courte, une histoire de quatre-vingt-dix-neuf pages. »

Kevin pensa se retirer du film, mais c'était faillir à son engagement et il estima que ç'aurait été pire que de rester. Il se sentit piégé, chose qu'il détestait plus que tout au monde. Le fait que Clint Eastwood, pressenti au départ, ait refusé tout net, à cause de Ray Stark, aurait dû lui mettre la puce à l'oreille. Dans une interview au *Première* américain en octobre 1990, il déclarera : « En mars nous allions tourner le scénario, et je ne pus imaginer que nous allions le faire. Il y avait des divergences d'opinions au sein de la compagnie de Ray (la *Rastar Company*), à l'intérieur de la Columbia et même avec Tony (Scott). Nous avions tous des idées différentes. Je ne pouvais y croire et d'ailleurs je n'y ai pas cru, car je suis parti et j'ai fait *Jusqu'au bout du rêve.* Je suppose qu'ils pensaient que le scénario marcherait parce qu'Anthony Quinn, Madeleine Stowe et moi-même jouerions, et que Tony avait déjà eu deux succès [1]. Mais ce n'est pas comme cela qu'un film marche. Les films ne sont pas faits d'ingrédients, ils sont faits d'histoires. Je ne peux pas expliquer le phénomène de certains d'entre eux et je ne m'y risquerais pas. Mais je sais qu'avec une œuvre comme *Revenge,* le succès dépend totalement de l'adéquation entre le film et le ton qui lui est donné. Et je sens que nous l'avons largement trafiqué. Il y a eu une véritable lutte de pouvoir. J'avais besoin d'une date définitive de tournage pour pouvoir faire entre-temps *Jusqu'au bout du rêve,* d'autant que le maïs allait nous causer beaucoup de souci [2]. Et quand j'ai réalisé que je n'aurais pas cette date et que l'affaire traînait, j'ai fait un coup plutôt téméraire en disant : "Bon, je ne vais pas faire ce film" et tout devint très tendu. »

La première conséquence de cet embrouillamini est que Costner se débarrasse de son agent J. J. Harris, de la William

---

1. *Top Gun* et *Le Flic de Beverly Hills 2.* C'est le premier réalisateur du box-office avec qui Kevin travaille. Il va le regretter amèrement.
2. La sécheresse, on l'a vu, empêchait le maïs de pousser.

Morris Agency, pour prendre l'homme le plus influent d'Hollywood et le patron de la plus prestigieuse agence (Creative Artists Agency), Michael Ovitz [1]. Une décision typiquement costnérienne : puisqu'il faut faire avec l'*establishment* hollywoodien, autant prendre celui qui me défendra le mieux, c'est-à-dire le plus puissant [2]. Il ne regrettera pas cette décision quand il se lancera dans la bataille de *Danse avec les loups*.

Pour le moment il est bloqué avec un script nul et un metteur en scène réputé tourner de belles images sans consistance – souvenons-nous de *Top Gun*. Le plus drôle est que ce dernier ne s'est jamais plaint des interventions de son acteur vedette, au contraire même, puisqu'il a déclaré : « Les metteurs en scène détestent toujours quand un acteur veut faire des changements – surtout quelques semaines avant le tournage [3]. Mais quand Kevin poussa à la roue pour des changements sérieux et définitifs, il avait parfaitement raison. (...) J'ai usé de toute mon influence pour qu'on me donne ce film. Parce que je pense avoir une réputation de metteur en scène visuel, jouant sur l'esbroufe et l'esprit *rock*, tout le monde n'était pas convaincu que j'étais l'homme de la situation pour une telle histoire. C'était différent de ce que j'avais fait jusque-là. Je suppose que j'aimais le sujet parce qu'il y avait une palette complète de boutons émotionnels à pousser. Il y avait de la passion, de la violence, c'était tourné dans le monde étrange du Mexique avec ces lieux de tournage impressionnants, ces paysages fabuleux. » Bref, un metteur en scène heureux, même quand sa vedette empiète sur son domaine – ce qu'elle ne s'est pas gênée de faire avec raison, force et ténacité, comme à son habitude. Nous sommes maintenant familiarisés avec les grandes qualités costnériennes.

Dès lors, Ray Stark intervertit les dates de tournage avec celles de *Jusqu'au bout du rêve*. *Revenge* se tourne à Cuernavaca, superbe ville résidentielle à une centaine de kilomètres de Mexico sur la route d'Acapulco, ainsi qu'à Durango, à Chupa-

---

1. Celui qui conclura successivement la vente de la Columbia aux Japonais de Sony, puis celle de MCA Universal à ceux de Matsushita.

2. Selon le vieil adage américain : *If you can't beat them, join them.* (« Si tu ne peux pas les battre, allie-toi à eux. »)

3. Hollywood et les journalistes appellent cela le « syndrome Orson Welles ».

deros et à Los Organos, en août 1988. Les scènes d'intérieur sont filmées dans les studios de Mexico à Chapultepec. Comme à son habitude, Kevin est charmant avec les autres acteurs et les techniciens, ne leur faisant pas supporter le poids de sa mésentente avec la production. Cela n'empêche pas les échotiers des tournages hollywoodiens, Liz Smith en tête, de comparer Kevin à Charlie Chaplin, Orson Welles, Robert Redford, Barbra Streisand et surtout Dustin Hoffman, vedettes connues pour leurs caprices et leurs interventions pinailleuses, le plus souvent à côté de la plaque (sauf pour les trois premiers). Les journalistes oublient que la situation est tout autre, mais surtout ils ne veulent pas se mettre à dos Ray Stark, qui vient avec l'affaire Puttnam-Columbia [1] de démontrer sa puissance.

Ce que préfère Costner est de travailler avec un acteur pour lequel il a le plus grand respect, le célébrissime Anthony Quinn, qui a joué dans plus de deux cents films, dont une bonne moitié de westerns. « Ce film avait beaucoup plus besoin d'Anthony Quinn que de moi. Je veux dire qu'il y a au moins cinq ou six acteurs capables de jouer le rôle de Cochran, mais qui d'autre serait capable de jouer le rôle de Tibey ? Le personnage de Tiburon doit avoir du charme, et Anthony en a à revendre. Il doit représenter le danger et avoir de la présence. Anthony a tout cela parce qu'il a été une star toute sa vie. Et il doit avoir l'âge du personnage qu'il interprète, car l'âge en est la clé. C'est donc un rôle parfait pour lui. »

Ce n'est pas Quinn qui l'aurait contredit, étant donné leurs excellents rapports. Dans le même numéro de *Première* d'octobre 1990, Anthony déclare qu'il s'était senti à l'aise dans le rôle de Tiburon. « Je pense que cet homme est d'un autre temps, et ses valeurs d'une autre époque. C'est la vieille mentalité mexicaine, qui est aussi la mienne. Je pense que la révolution sexuelle est un tas d'ordures. Il n'y a aucun code, aucun honneur. C'est une question de moralité qui faisait agir Tiburon de la sorte. C'est pour cette raison que j'ai fait le film, et aussi parce que c'est une histoire vieux jeu, qu'auraient pu faire John Wayne

1. Lire à ce sujet l'excellent livre de Andrew Yule *Fast Fade : David Puttnam, Columbia Pictures, and the Battle for Hollywood,* Delta Books, New York, 1989.

ou Gary Cooper. (...) Je suis très heureux d'être dans ce film. Parce que c'est probablement le dernier que je ferai où j'ai une très jeune femme. J'avais des doutes, d'ailleurs. Vous connaissez mon âge [1], et je ne savais pas si les gens accepteraient que j'aie une si jeune femme. Je pensais que j'aurais dû être plus jeune de quinze ou vingt ans. Mais je suis toujours un homme très physique ; même maintenant je joue au tennis une heure ou deux par jour, je marche, je fais des exercices le matin, je nage beaucoup. Et je vois des jeunes filles me regarder. Alors je me suis dit pourquoi pas, après tout ? »

Malgré cette bonne entente avec Anthony Quinn et malgré ses affinités avec Madeleine Stowe, sa partenaire, une autre surprise attend Kevin : le montage qu'effectue Stark, sans son accord ni celui de Tony Scott. Stark élimine systématiquement tout ce que Costner a tenté de redresser pendant le tournage. Depuis qu'il a cessé d'être « le-coupé-au-montage », Kevin n'accepte plus de se faire supprimer ses scènes. Or sa préférée finit sur la moviola. Il déclare à qui veut l'entendre : « Il y a une scène qu'ils ont coupée – je n'y figure même pas – qui me manque parce qu'elle est fondamentale. La femme demande à Quinn de lui faire un enfant, et il fait la sourde oreille *à la Anthony Quinn*. La crudité de cette scène, cette mainmise macho, latine, sur la femme, je trouve cela essentiel. Une foule de gens dirent que c'était vulgaire. Et je leur répondais : "Pourquoi apportez-vous toujours de l'eau à mon moulin [2] ?" »

Kevin est aussi particulièrement furieux – encore une fois à juste titre – à cause de la fin « heureuse [3] » à la manière hollywoodienne. Il estime que toute l'histoire tend vers une fin tragique, qu'avoir enfreint cela est une honte pour le film et le public. « Cette fin – après tout le reste... Voilà l'un des premiers films sur le caractère atroce, laid, insidieux de la violence crue, et de la façon dont elle éclabousse une foule d'autres personnes qui n'y sont pour rien. À la fin, cette femme devrait mourir. Eh

---

1. Soixante-quinze ans au moment du tournage. Ce qui ne l'empêcha pas d'avoir un enfant deux ans après.
2. Kevin voit là une confirmation de son opinion sur les gens de pouvoir à Hollywood, jamais en phase avec l'aspect artistique d'un film.
3. La version projetée en France, ainsi que la vidéo britannique, ne comporte pas cette fin heureuse.

bien non, nous avons tourné les deux versions. C'est une foutue tragédie – ce film est une tragédie, et c'est une tragédie que nous ayons tourné deux fins. Le film peut à la rigueur encore se tenir, mais ce genre de décision se moque de la confiance que le public nous accorde. Parce que la seule façon de savoir si l'on a vu un film digne de ce nom, c'est que tous les éléments se tiennent et soient présents. »

Dans une interview au *Première* américain d'octobre 1990, Kevin note encore : « Cochran était un personnage attrayant, mais je ne fais jamais de films centrés sur un seul personnage [1], vous le savez, ce n'est pas mon genre. J'allais à l'encontre de mon propre credo. Je pense que le principal ennui était que nous aurions un problème si nous voulions respecter l'accord conclu [2] avec Tony Scott. Ray (Stark) me demanda d'abandonner mon droit d'approbation du script, parce qu'il pensait que c'était difficile pour un studio d'engager un metteur en scène à succès, puis d'avoir un acteur ayant un droit de regard sur le scénario et qui dise tout d'un coup : "Je ne vais pas faire ce film." Et j'ai cédé. Il y avait cependant un accord informel entre nous : je devais avoir un droit de regard complet – mais ce n'était qu'un rapport de force. J'avais écrit avec Michael Blake un scénario que j'étais prêt à tourner. Il avait cent huit pages ; le scénario que nous avons finalement tourné en faisait cent trente-cinq. 80 % de ce que nous avions réuni faisaient le film. Mais les 20 % supplémentaires le défaisaient, et un film aussi délicat que *Revenge* ne peut souffrir de telles erreurs. C'était le film le plus compliqué auquel j'aie participé. Il y avait une foule de gens qui n'auraient jamais fait *Revenge,* mais qui avaient soudain une foule d'opinions à son sujet. En fait, c'était un projet enterré jusqu'à mon arrivée, et c'est un sujet très dur. Beaucoup de gens n'aimaient pas le ton du film et n'arrêtaient pas, à mon avis, de le changer. » Que reste-t-il aujourd'hui de cette superbe histoire de vengeance ?

Dans une base de l'US Navy près de la frontière du Mexique, le pilote Jerry Cochran (Kevin Costner) fait son dernier vol (ce qui

---

1. Allusion à peine voilée aux films violents où seul le bon présente un intérêt quelconque.
2. D'habitude le réalisateur a un droit d'approbation définitive du scénario. Ce sont les règles édictées par la Guilde des réalisateurs américains.

permet à Tony Scott de nous rappeler qu'il a dirigé *Top Gun*).
Après avoir fêté son départ avec ses camarades de la Navy, il se
dirige vers Puerto Vallarta au Mexique où l'attend son ami Tiburon
Mendez (Anthony Quinn) pour de longues vacances. Tibey, surnom de Tiburon, est un milliardaire visiblement en contact avec la
Mafia mexicaine : gardes du corps musclés, bras droit très louches,
amis douteux et violents, etc. Lui-même est très violent, comme le
montre une des premières scènes, et semble considérer Cochran
comme son fils. Il a une ravissante jeune femme, Myreia (Madeleine Stowe), qui au début n'a pas l'air d'aimer beaucoup Cochran,
et trouve que son mari la délaisse trop en faveur de ses affaires et
de ses amis. Au cours d'une fiesta que Tibey organise en faveur
d'un politicien qu'il « tient », Cochran et Myreia font l'amour pendant que tout le monde boit et festoie. Ils partent tous deux en Jeep
quelques jours plus tard pendant un voyage d'affaires de Tibey.
Leur voyage vers le ranch que Cochran s'est acheté au Mexique est
émaillé de nombreuses scènes d'amour : en Jeep, dans un réservoir
d'eau, au pied d'une cascade. Tibey, de retour, apprend leur fuite de
la bouche de son bras droit, qui détestait Cochran, et décide de se
venger. Il les surprend au lit dans le ranch, dont Tibey connaît parfaitement l'existence. Avec ses gardes du corps, Tibey pille le bâtiment et l'incendie, non sans avoir taillé au rasoir le visage de sa
femme et l'avoir battue sadiquement, après avoir roué de coups
Cochran et l'avoir laissé pour mort dans une ravine.

Myreia est emportée par les gardes du corps dans un bordel, où
elle sera droguée à mort et livrée à tous les clients. Cochran est
récupéré par un pauvre péon mexicain, se retrouve sur pied grâce à
lui et décide alors de se venger. Il part simultanément à la recherche
de Tibey et de sa maîtresse. Après plusieurs péripéties, dont la rencontre d'Amador (Miguel Ferrer, le fils de José) et sa bande, ennemis de Mendez, il retrouve la trace du bordel où se trouvait Myreia.
Avec Amador, ils apprennent qu'elle est maintenant dans un hôpi-
tal entre la vie et la mort. Ils tendent un piège à Tibey et à son bras
droit : ils abattent ce dernier, mais Cochran laisse finalement partir
Tibey. Amador et lui arrivent à temps pour sauver Myreia [1].

---

1. Dans la version européenne et vidéo, Myreia meurt dans les bras de
Cochran, en laissant tomber la plaque d'identité de Cochran, la seule chose
qui la retenait en vie.

À la vision du film et à la lecture de son résumé, il est facile de comprendre pourquoi Kevin est à la fois furieux et déçu, au point de ne pas participer à la promotion du film : il en dit pis que pendre à qui veut l'entendre. Kevin avoue « avoir voulu mettre en scène le film parce qu'il semblait un petit film sans prétention. L'histoire était facile à tourner, mais les thèmes étaient grands et universels, l'écriture était dure, c'était honnête et original. L'histoire était poignante, mais elle se lisait comme un film fait pour moi ». Au lieu d'un superbe film noir des années cinquante, nous nous retrouvons avec une œuvre qui hésite entre ce genre et un western moderne (la superbe scène finale entre Tibey et Cochran), le tout filmé comme un clip vidéo ou une pub bien léchée des années quatre-vingt. Costner est en réalité gêné parce que le premier film où il incarne un héros peu moral est un film raté. En outre, les scènes d'amour brûlantes avec Madeleine Stowe continuent à alimenter sa réputation de séducteur, ce qui l'irrite et provoque des explications difficiles avec sa femme Cindy.

Bien sûr, ses modèles et ses prédécesseurs mythiques ont fait la même expérience : Henry Fonda à trente-deux ans dans *J'ai le droit de vivre (You only live once)* de Fritz Lang – mais c'est un chef-d'œuvre ; Gary Cooper à cinquante-trois ans, et dans quels films : *Vera Cruz* du grand Robert Aldrich, le *Jardin du diable* d'Henry Hathaway. De même James Stewart attend quarante ans, Alfred Hitchcock et Anthony Mann pour aborder les personnages troubles, mais les films figurent aux premières places du musée du cinéma : *La Corde* (1948), *Les Affameurs (Bend of the river,* 1952), *L'Appât (The Naked Spur,* 1953)... Errol Flynn, lui, devra à sa chute dans l'alcoolisme le plus débridé, vers la cinquantaine, des rôles ambigus dans des films médiocres tel *La Taverne de la Nouvelle-Orléans.* Seul John Wayne interpréta nombre de ces rôles entre chien et loup, avant de devenir l'incarnation de l'Amérique des pionniers et de la pérennité de ses valeurs – mais ses metteurs en scène s'appelaient Cecil B. de Mille, John Ford, Edward Ludwig, etc., et ses films sont les joyaux des cultes célébrés exclusivement sur FR3 [1] par Eddy

---

1. Hors les chaînes à péage, *Canal* + (avec Jean-Pierre Dionnet), *Ciné Cinéfil* (Jean-Jacques Bernard, Jean-Ollé Laprune, Denis Parent et encore Jean-

Mitchell et Patrick Brion : *Les Naufrageurs des mers du Sud* (*Reap the wild Wind*, 1942), *L'Ange et le Mauvais Garçon* (1947), *Le Réveil de la sorcière rouge* (1948) et *Le Fils du désert* (*Three Godfathers*, 1949).

Kevin sait très bien qu'il n'en sera pas de même pour *Revenge*, à moins qu'il puisse effectuer un nouveau montage à partir des scènes tournées. Les remontages récents [1], selon les souhaits de leurs metteurs en scène respectifs, de *Pat Garrett et Billy le Kid* de Sam Peckinpah et de *La Porte du paradis* (*Heaven's Gate*) de Michael Cimino montrent qu'on peut restituer des chefs-d'œuvre à la postérité. Apparemment, Tony Scott veut y croire : « Ray Stark ne comprenait pas très bien cette histoire d'amour impossible. Elle lui passait complètement au-dessus de la tête. Je suis néanmoins parvenu à préparer *Revenge* avec lui. Le tournage terminé, la situation s'est envenimée entre lui et moi. Il m'a enlevé le film, l'a monté à sa manière en ne tenant absolument pas compte de la façon dont je voulais raconter l'histoire. Son montage a été un massacre en règle de ce qui était un bon film. À ma version, il a ajouté une bonne demi-heure de scènes sans aucun intérêt. Résultat : c'est davantage son film que le mien. Il lui a retiré tout sens de la passion et du mystère. *Revenge* dans son état actuel me déprime. Il est l'un des grands regrets de ma vie. Peut-être un jour aurai-je la possibilité de le remonter à ma guise [2], d'en faire le film dont je rêvais. »

En attendant Kevin tire trois leçons de l'échec de *Revenge* :
– ne pas se fier à l'establishment hollywoodien, quoi que celui-ci dise et fasse ;
– faire respecter son point de vue dès la signature du contrat ;
– bâtir une structure indépendante.

Il va les mettre en pratique pour son prochain projet. Cette mésaventure va aussi lui remettre en mémoire ces deux adages jumeaux qui ont pavé d'or ou d'opprobre le grand Hollywood :

Pierre Dionnet) et *Ciné Cinémas* nous régalent hebdomadairement. Leurs bouillants animateurs doivent en être félicités.

1. Montrés en France par Patrick Brion !
2. Ce privilège fut accordé récemment à son frère Ridley. Sa version de *Blade Runner*, sans voix off et sans fin heureuse, est disponible en cassette vidéo depuis la fin 1993.

1) le poids d'une vedette au box-office *(star power)* est réel ;
2) le poids d'une vedette *n'est jamais assuré ni garanti.*

Il existe au cinéma, comme ailleurs du reste, une justice immanente, qu'oublient trop souvent nos Trissotins de la critique comme nos producteurs mégalomanes : c'est le public, les « cochons de spectateurs » qui paient. *Revenge* sera un échec public et critique tant aux États-Unis qu'en Europe et en France. *Newsweek, People,* le *New York Times* assassinent le film, *Time* et le *New Yorker* l'ignorent. La palme revient au *New York Times* qui écrit : « Le *Revenge* de Tony Scott est au Mexique ce que le *Black Rain* de son frère Ridley Scott est au Japon. Avec Ridley Scott et Adrian Lyne, Tony Scott est un de ces anciens publicitaires anglais qui ont pratiquement détruit l'esthétique du cinéma américain dans les dix dernières années. Ces hommes tournent dans le style des pubs pour lingerie féminine. » Il faut reconnaître que l'auteur de ces lignes n'a pas tout à fait tort. Seul Kevin Costner trouve grâce à ses yeux : « Le sourire maladroit de Costner demeure gravé dans ma mémoire. » Le film rapporte 15 millions de dollars (autrement dit rien !) pour un coût, non dévoilé, bien supérieur[1] : en clair, le film perd beaucoup d'argent. Il est sorti pourtant au début de l'année 1990, période très favorable aux États-Unis. En France, le film dut attendre juillet 1991 pour sa sortie, tant le distributeur y croyait peu.

Néanmoins, l'année 1989 n'est pas entièrement négative pour Costner, malgré ce montage qui dure près d'un an. Le magazine *Time* lui consacre la couverture de son numéro du 26 juin et un article de six pages, événement suffisamment rare pour être noté. À peine une vingtaine d'acteurs de cinéma ont eu cet honneur, qui équivaut à un couronnement médiatique. De nombreux articles suivront dans la presse grand public française. En outre, pendant l'été 1989, Kevin et son associé Jim Wilson fondent leur propre compagnie de production, Tig Production Company. Cette décision est la suite logique de la débâcle de *Revenge.* Kevin ne veut plus dépendre d'un producteur comme Ray Stark, capable de piétiner les accords passés avec sa vedette. Il en a tiré la conséquence naturelle. Il sait aussi qu'il n'est pas le premier à le faire. Sans remonter au temps du muet et à la création de la United Artists, il

---

1. Au temps de Puttnam (fin 1986), le budget annoncé était de 20 millions de dollars.

lui suffit de regarder les acteurs légendaires. Gary Cooper, à l'âge de quarante-quatre ans, fonde avec William Goetz les International Pictures. John Wayne crée la Batjac Company en 1952 à l'âge de quarante-cinq ans. Sur le tard, à cinquante-sept ans, Henry Fonda voudra lui aussi sa maison de production. Errol Flynn, peu de temps avant sa mort, à cinquante ans, entiché de Fidel Castro, implantera sa propre structure à Cuba en 1959. Plus près de Kevin, 1968 voit Paul Newman fonder la Newman-Foreman, Clint Eastwood la Malpaso Company et Steve Mac Queen les Solar Productions. Newman, têtu, va encore plus loin puisqu'il monte à 46 ans, en 1971, avec Barbara Streisand, Dustin Hoffman et Sidney Poitier, la First Artists Inc. Robert Redford fait encore plus fort : non content d'avoir sa propre compagnie, les Wildwood Enterprises, il possède dans l'Utah le Sundance Film Institute, fondation d'aide aux jeunes cinéastes, qui a son propre festival annuel, le Sundance Film Festival à Telluride.

Kevin suit donc les traces de ses grands anciens, avec quelques années d'avance : il n'a que trente-quatre ans. Jim Wilson, *Tig* et lui emménagent dans les vieux studios Raleigh que Costner connaît bien. Ils vont pouvoir se consacrer au projet auquel tient Kevin depuis le soir de 1986 où ils se sont assis avec leur ami scénariste Michael Blake dans le living-room des Costner. Blake s'étant plaint qu'aucun de ses scripts retenus ne parvenait à son ami Kevin, ce dernier lui répondit d'écrire un roman. N'ayant rien à perdre, Blake passa une année, hébergé et nourri par ses deux amis, à écrire l'histoire du lieutenant John J. Dunbar et de ses expériences avec les Comanches. Après avoir lu le livre [1], Wilson et Costner demandèrent à Blake d'écrire le scénario. Pendant deux ans et demi, les trois amis firent six versions différentes avant que Kevin soit satisfait. Qu'est-ce qui motivait un tel acharnement chez lui ?

Son arrière-grand-mère paternelle, la fameuse Tig, était cherokee. Or les Cherokees furent à la fois la nation indienne la plus civilisée, et la plus persécutée [2]. Ils habitaient les collines et les montagnes de la Caroline du Nord et du Tennessee. Lors des accrochages continuels entre les Français et les Anglais, au

---

1. Publié en France aux Éditions du Rocher, 1991.
2. Cf. la bibliographie.

contraire d'autres tribus, les Cherokees ne prirent jamais parti. En faisant du commerce avec les deux nations, ils devinrent très riches et adoptèrent bien des manières de vivre des Blancs – élevant du bétail, bâtissant des fermes à toits de tuiles, habitant des maisons de style européen, possédant des esclaves noirs, mariant leurs filles à des trappeurs ou à des commerçants. En 1755, sous la pression de colons et de spéculateurs anglais, ils durent céder une partie de leurs terres, mais en 1759 ils refusèrent d'en céder plus et entrèrent en guerre. En 1770, le traité de Lochaber leur garantit leurs terres. Pendant la guerre d'Indépendance, les Cherokees, comme les Creeks, firent l'erreur de prendre parti pour la Couronne anglaise. Après la fin de la guerre, des agents et des commerçants anglais et espagnols basés en Floride provoquèrent de nombreuses intrigues et escarmouches pour s'emparer des terres des deux tribus, mais le gouvernement américain s'en tint aux engagements qu'il avait pris avec l'ensemble des Indiens.

En 1821, les Cherokees étaient l'une des « cinq tribus civilisées » les plus importantes. Ils étaient vingt mille répartis dans soixante villes (contrairement aux autres Indiens, ils ne nomadisaient plus), et Sequoyah, l'un de leurs chefs, dont le père était blanc, venait de mettre au point un syllabaire indien. Cela leur permit de publier un journal (le *Phoenix*), d'avoir leur propre parlement (le Conseil), d'écrire leurs propres Constitution (en 1826) et lois, ce que ne fit aucune autre nation indienne. Ils se lancèrent dans le coton, la laine, la production de couvertures et autres produits textiles. Ils étaient très prospères, possédaient 22 000 têtes de bovins, 7 600 chevaux, 46 000 porcs, 2 500 moutons, 2 942 charrues, etc. Hélas, la pression des spéculateurs (les fameux *carpetbaggers* [1]) et des immigrants se fit de plus en plus forte. L'État de Géorgie refusa d'appliquer les lois fédérales concernant les Indiens, décréta leur départ en 1830 et les priva de leurs droits civiques. De plus le président Andrew Jackson, bien décidé à se débarrasser des Indiens du Sud-Est, qu'il détestait après les avoir combattus (les Creeks) ou utilisés (les Cherokees), fit voter en mai 1830 une loi lui donnant les pleins pouvoirs quant à leur déplacement.

---

1. Appelés ainsi parce que leurs sacs *(bag)* étaient faits dans la même matière que les tapis *(carpet)*.

Les premiers à être expulsés furent les Choctaws en 1831, suivis des Creeks en 1836 et des Chickasaws en 1837. Pendant ce temps, refoulés en Géorgie, les Cherokees, suivant les conseils de leur chef John Ross, se défendirent devant les tribunaux et crurent avoir gagné quand la Cour suprême leur donna raison par une décision historique de 1832. Dans une virevolte sans exemple dans l'histoire des États-Unis, le président Jackson refusa d'appliquer l'arrêt de la Cour suprême, alors que la Constitution l'y obligeait, et envoya l'armée pour les expulser. Les colons géorgiens se montrèrent particulièrement sauvages envers les Cherokees pendant que ces derniers préparaient leur départ, brûlant leurs fermes, pillant, tuant, expropriant. Les Cherokees émigrèrent vers le territoire de l'Oklahoma, où les autres tribus avaient été déjà réinstallées. Leur émigration dura de 1838 à 1839 et fut appelée la Piste des pleurs ; plus du quart de leur nation y trouva la mort. Seules quelques centaines d'entre eux se cachèrent dans les montagnes de Caroline du Nord et du Tennessee, où ils vivent encore aujourd'hui, principalement dans le parc national des Great Smoky Mountains.

Il est évident que Kevin voulait rendre hommage à la nation indienne dont faisaient partie son arrière-grand-mère et son grand-père, Cherokee mâtiné de Blanc. Amateur de westerns depuis son plus jeune âge, Costner ne pouvait rendre cet hommage que sous forme de western. L'époque ne s'y prêtait pas : le genre est considéré comme mort par Hollywood, *Pale Rider* et *Silverado* n'ayant pas provoqué de vraie résurgence. De plus, tourner un western pro-indien, au moment où l'Amérique retrouve sa fierté, relève selon la rumeur du suicide. Le scénario reste plus d'un an chez Nelson Entertainment, puis six mois chez Island Pictures. Dans les deux cas la réponse est catégorique : c'est non. Wilson et Costner décident de se financer eux-mêmes et vendent d'abord les droits étrangers du film, ce qui leur permet de trouver 40 % du capital nécessaire pour la réalisation. Ils commencent la pré-production, y compris les repérages, avec ce montant. Deux semaines avant le tournage, ils signent un accord avec Orion Pictures, qui leur donne le reste de l'argent nécessaire et leur accorde le contrôle du montage final, privilège qu'un seul autre metteur en scène débutant obtint dans toute l'histoire d'Hollywood : Orson Welles. Les rumeurs comparant Costner à Orson Welles qui couraient depuis le tournage de *Revenge* reprennent de plus belle, s'ajoutant à la rumeur bien plus méchante et insidieuse qui baptise le film « Kevin's gate », allusion au fameux désastre du superbe western de Cimino.

Mais Kevin se moque des rumeurs. Depuis l'article que lui a consacré le critique Richard Corliss, dans *Time* du 26 juin 1989, où il les a évoqués, il agit selon ses dix commandements du héros de cinéma :

1. Un homme se bat seul.
2. Un homme défend ses amis.
3. Un homme protège sa famille.
4. Un homme aime faire bien son travail.
5. Un homme est chez lui partout à l'extérieur.
6. Un homme partage et sait être beau joueur.
7. Un homme défend son opinion.
8. Un homme distribue ses sourires.
9. Un homme suit ses rêves.
10. Ce qu'il a est ce qu'il est.

Il se lance dès juillet 1990 dans un tournage de quatre mois, en plein Dakota du Sud (seul endroit où il reste un troupeau, protégé par le gouvernement, de plus de 1 000 bisons, dans le Custer National Park), semé d'embûches et de difficultés même pour un metteur en scène chevronné, ce qui n'est pas son cas. Dans la préface qu'il a rédigée pour le livre *Danse avec les loups*, qu'il a co-signée avec Michael Blake et Jim Wilson, Kevin a écrit : « Je peux vous dire que *Danse avec les loups* était en fait né d'un défi personnel, dont le germe aurait pu aisément déchirer le tissu d'une longue amitié. Il faudra toujours et à jamais mettre au crédit de Michael Blake la conception de *Danse avec les loups*, et ma grande chance est d'y avoir été associé. *Danse avec les loups* en tant qu'histoire a commencé comme la plupart des histoires, avec un écrivain se battant avec une page blanche. Il n'y avait aucun canevas. Il n'y avait aucune date limite. Et, dans cette liberté, il y avait l'opportunité d'écrire avec le cœur. Que Michael écrive sur la frontière américaine fut à tous points de vue une surprise complète. Que j'aie aimé le livre n'en fut pas une. Michael se débrouilla pour forger tous les éléments les plus attractifs pour moi : simplicité, dignité, humour et émotion poignante. Il créa une histoire qui embrassa cette culture qui a été traditionnellement mal représentée, à la fois historiquement et cinématographiquement. Que *Danse avec les loups* devienne un film était clair. Que je doive mettre en scène ce film fut la question cruciale. Cela devint une bataille à la fois personnelle et professionnelle. La seule chose que je savais cependant était que si *Danse avec les loups*, fût-ce dans une toute petite mesure, n'était pas aussi bon que les films qui avaient fait naître mon amour du cinéma, je regretterais toujours ma décision. Mon seul espoir est que ce film ait un impact sur vous. Il n'a pas été fait pour manipuler vos sentiments, pour réinventer le passé ni pour établir la vérité de l'histoire. C'est un regard romantique sur une terrible époque de notre passé, quand l'expansion au nom du progrès ne nous apporta pas grand-chose, et en fait nous coûta bien plus. Ce livre représente le dernier lien physique que j'ai avec le film ; à travers lui je peux réfléchir aux nouveaux amis que je me suis faits et aux anciens qui m'ont soutenu. Je pense que j'ai mûri, maintenant que je connais plus que jamais la valeur de ma famille et l'amour de mes amis. Si j'ai la chance de rester en bonne santé, nul doute que je ferai d'autres films, mais si ce n'était pas le cas, *Danse avec les loups* suffirait pour donner corps à l'image que j'ai de moi-même depuis mon enfance. Ce film sera à jamais ma lettre d'amour au passé. »

Cette superbe préface nous indique que Michael Blake est bien à l'origine du projet, ce qui explique pourquoi la nation cherokee ne constitue pas la base de l'histoire. Dans le même livre, comme dans les interviews qu'il a accordées, Blake a toujours dit que le merveilleux livre de Dee Brown *Enterre mon cœur à Wounded Knee* [1] *(Bury my heart at Wounded Knee,* 1970) avait été pour lui le déclic, comme il l'avait été pour beaucoup d'Américains dans leur prise de conscience du génocide perpétré par leurs grands-parents – colons européens ayant fui les persécutions et la misère de leur pays d'origine ! Or Dee Brown ne parle que des Indiens ayant toujours vécu à l'Ouest, ce qui n'est pas le cas des Cherokees.

Il restait le problème du lieu de tournage. Le producteur Jim Wilson, dans ses notes figurant dans le même livre, précise : « Dès que Kevin prit la décision de mettre en scène, il restait une tâche fondamentale : trouver le meilleur endroit pour tourner le film. J'avais besoin de l'Amérique des années 1860, remplie de

---

1. Stock, 1973.

tribus d'Américains indigènes, de troupeaux de bisons et de chevaux, de paysages de prairie sans fin avec des rivières et des montagnes aux sommets enneigés – tout cela à une distance raisonnable en voiture d'une ville capable d'héberger et de nourrir notre équipe de plus de deux cents personnes. Inutile de vous le dire, nous avons fait bien des survols de huit États, ainsi que du Canada et du Mexique. Au début, j'avais à l'esprit l'Oklahoma et le Texas, parce que les Indiens du roman de Michael étaient des Comanches et qu'ils habitaient ces régions. C'est une question que les lecteurs du livre doivent se poser en voyant le film : pourquoi les Comanches du début sont-ils devenus des Sioux ? Avant tout à cause de la localisation que nous avons finalement choisie. Ce fut réellement le bison qui nous imposa le Dakota du Sud. Nous étions pratiquement déjà installés dans un autre lieu, mais j'ai appris qu'il y avait un grand troupeau dans un ranch non loin de la capitale du Dakota du Sud, Pierre [1]. Nous contactâmes Roy Houck, un ancien vice-gouverneur de l'État, et volâmes jusqu'à son ranch, où il possède le plus important élevage privé de bisons au monde : 3 500 têtes. Et nous comprîmes que nous avions trouvé l'endroit. Comme le dit Kevin, ce fut comme si de la poussière d'or commençait à tomber tout d'un coup sur le projet. Le Dakota du Sud avait un avantage supplémentaire, celui d'abriter l'une des plus grandes communautés d'Américains autochtones, les Sioux. Nous prîmes beaucoup d'Indiens des nombreuses réserves, notamment de Rosebud, Pine Ridge et Eagle Butte. »

Les propos de Jim Wilson nous permettent de souligner une fois de plus un trait important du caractère de Kevin : la recherche et le respect de l'authenticité. Il est ancré si fort en lui que Costner est prêt à changer la tribu du scénario, tout simplement parce qu'elle ne vivait pas sur les lieux du tournage. Le fait est rarissime de nos jours, où l'on vous fait passer Toronto pour New York ou Vancouver pour Seattle (cela coûte moins cher !) sans même que les critiques s'en aperçoivent. À ceux qui y verraient une lubie de star mégalomaniaque, comme la rumeur hollywoo-

---

1. Nom donné par les trappeurs français, très nombreux dans ces régions jusqu'en 1803, date de leur vente aux États-Unis. À ce sujet, la plupart des Français ignorent que la Louisiane vendue par Napoléon comprenait des territoires bien au-delà de l'État actuel de Louisiane, jusqu'à la frontière du Canada.

dienne le voulait déjà avec Welles et von Stroheim, rappelons que l'image de l'Indien généralement véhiculée par le cinéma était fausse et très loin de la réalité. De même il est exagéré de dire, comme le fait encore trop souvent la critique cinématographique en France, que *La Flèche brisée (The Broken Arrow)* de Delmer Daves (1950) est le premier western pro-indien. Rien n'est plus inexact, et pour ceux qui en douteraient encore, qu'ils se reportent à la remarquable monographie du Festival international du film d'Amiens de 1989 consacré aux *Indiens et le cinéma : des Indiens d'Hollywood au cinéma des Indiens.*

Dans les années 1900, la vision majoritaire que l'on avait de l'Indien était une vision humaniste et romantique, que les films soient du grand pionnier David W. Griffith, de Thomas H. Ince, de Cecil B. De Mille ou de David Miles (1914, *The Indian*). En 1914, le fameux ethnologue américain Edward S. Curtis, à qui l'on doit entre autres vingt volumes sur *The North American Indian* publiés de 1909 à 1930 et une multitude de photos, réussit à partir des nombreux films pris chez les Kwakiutl de Colombie britannique à monter un long métrage, *In the Land of the Headhunters* (« Sur la terre des chasseurs de têtes »), devenu en 1967, après une restauration particulièrement difficile, *In Land of the War Canoes* (« Sur la terre des canoës de guerre »), avec de la musique, des chants et des discours authentiques. Ce film eut une influence décisive sur des metteurs en scène tels que Robert Flaherty, Maurice Tourneur, George B. Seitz, H. P. Carver, Edward Sedgwick, Victor Schertzinger. Maurice Tourneur [1], dans la première version filmée du célèbre roman de Fenimore Cooper *Le Dernier des Mohicans* [2] (1922), prédit la disparition de la culture indienne. George B. Seitz opta pour l'assimilation pure et simple dans *The Vanishing American* (« L'Américain qui disparaît », 1925), thèse que renforça Victor Schertzinger dans *Redskin* (« Peau-rouge », 1928). Par contre, le remarquable film très méconnu de H. P. Carver *The Silent Enemy* (« L'ennemi silencieux », 1930) propose

---

1. Français immigré, père de Jacques, réalisateur entre autres du western : *Un jeu risqué* (*Wichita*, 1955).

2. Une remarquable nouvelle version fut tournée en 1992 par Michael Mann avec Daniel Day Lewis et... Madeleine Stowe !

l'émigration vers des terres hostiles (le Grand Nord), où le Blanc laissera l'Indien en paix.

C'est le dernier film pro-indien de l'époque. Les années trente voient l'opinion majoritaire basculer dans le mythe de l'Indien sauvage, barbare et inassimilable, souvent montré tel par les mêmes metteurs en scène, Cecil B. De Mille (dont le remake du *Squaw Man* (1931) prend le contrepied de l'original !) notamment, auxquels s'ajoutent de talentueux nouveaux venus : John Ford, Raoul Walsh, King Vidor et une pléiade de bons artisans. Seul le truculent William Wellman refusera ce manichéisme, préférant l'image plus juste d'adversaires valeureux et courageux qui défendent leurs terres, notamment dans *Buffalo Bill* (1944) et *Au-delà du Missouri* (1948).

Les années cinquante atténuent cette vision : les films pro-indiens côtoient les œuvres manichéennes, le talent étant des deux côtés. Avec les années soixante, c'est le retour de la vision romantique pro-indienne des débuts, grâce au mouvement hippie pour qui la civilisation indienne aurait dû être adoptée par l'Amérique. Ce n'est que dans les années soixante-dix qu'un autre manichéisme, aussi stupide que le premier, apparaîtra : les Blancs se métamorphosent en barbares sauvages massacrant par plaisir les bons Indiens incapables de faire le mal. Le summum de ce manichéisme sera atteint par les réalisateurs Ralph Nelson et Robert Altman, avec respectivement *Soldat bleu* [1] (1970) et *Buffalo Bill et les Indiens* (1976). Arthur Penn, avec *Little Big Man* (1970), avait su se montrer beaucoup plus nuancé.

Enfin, dans les années quatre-vingt, l'Indien sera définitivement intégré dans l'histoire nationale grâce à Clint Eastwood dans *Josey Wales hors-la-loi* et *Bronco Billy*. C'est ce dernier courant que Kevin suit avec *Danse avec les loups*. C'est aussi le courant qui colle le plus à la réalité : l'Indien apparaît comme le seul véritable Américain, qui fut d'abord rejeté par les premiers immigrants, tous Européens. Sa culture [2] fut niée et occultée, alors même qu'elle était l'une des rares au monde à respecter la

---

1. Son seul mérite est de décrire l'horrible massacre de Sand Creek, perpétré le 29 novembre 1864 par le colonel Chivington et ses troupes.
2. C'est seulement en septembre 1994 que s'est ouvert à New York le premier grand musée consacré exclusivement à cette culture.

nature et à vivre en harmonie avec elle. La véritable écologie n'est rien d'autre. Pas question donc pour Kevin de « trafiquer » la réalité ; il refuse de garder les Comanches, puisque le tournage ne s'effectue pas sur leur territoire, de même qu'il n'a pas imposé les Cherokees à Michael Blake.

Ce dernier déclare dans le livre consacré au film : « Comme la plupart des enfants des années cinquante, mes premières impressions sur les Américains indigènes n'étaient pas très positives. Les Indiens étaient largement décrits comme des diables, dont la destruction était nécessaire pour dominer l'Ouest. Chaque publication ou film que j'ai vu étant enfant défendait ce point de vue. Mais dès le début je sentis que malgré tout il manquait quelque chose. (...) Dans les années qui suivirent, je ne perdis jamais le désir d'en savoir plus, mais ce n'est que vers vingt-cinq ans que je retrouvai le peuple indien, cette fois en lisant le classique de Dee Brown *Enterre mon cœur à Wounded Knee*. Je fus choqué, écœuré et définitivement éclairé. Mais dix ans passèrent encore avant que je m'engage vraiment totalement. Vers trente-cinq ans je relu *Enterre mon cœur*... Ce fut aussi passionnant la deuxième fois que la première, et je me suis trouvé soudain affamé d'histoire indienne. (...) Dix ans de plus ont passé et je lis toujours l'histoire des Indiens d'Amérique. C'est le plus souvent une triste affaire de génocide, d'annihilation culturelle perpétrée par nos ancêtres au nom de la croissance et des « futures générations » dont nous faisons aujourd'hui partie. Quand je pense à ce qui fut perdu dans le piétinement de la grande culture du cheval et de ses peuples, je suis immensément triste. Voilà un peuple vivant dans une perfection à l'état brut ; en paix avec le ciel, la terre et les plaines ; des familles fortes vivant dans des sociétés qui valorisaient et s'occupaient de tous leurs membres. Non seulement la plus grande partie en a été détruite à jamais, mais le peu qu'il en reste est confiné dans des réserves, dans un territoire désolé, loin des yeux du public. (...) C'est pour cela que le roman *Danse avec les loups* a été écrit ; je voulais révéler quelque chose de l'histoire telle que je la vois. J'avais l'espoir qu'en décrivant ce qui fut perdu, une part en pourrait être récupérée – principalement un respect nouveau pour les fiers descendants des peuples que j'ai évoqués, qui vivent encore aujourd'hui sur les réserves où nos ancêtres les ont enfermés [1]. Tout était si brut en 1863 – l'année où se passe la plus grande partie de *Danse avec les loups* – et j'en ai toujours eu de la nostalgie. En créant le « Lieutenant Dunbar » (premier titre du roman), je pouvais le vivre réellement, à un point qui dépassait mes espérances. Je le vis toujours. Mais je pense que l'amour est probablement la principale raison de l'existence de *Danse avec les loups*. J'aime les animaux, avec qui nous partageons la planète. J'aime la qualité, qui rend humble, des grands espaces ouverts. J'aime l'Ouest tel qu'il était, grouillant de loups et de bisons. Et j'aime le peuple libre, respectueux, de qui j'ai tant appris. »

Avec de telles professions de foi du producteur, de l'acteur principal-metteur en scène et de l'auteur-scénariste, qui partageaient une longue amitié et la même foi dans ce projet, le film ne pouvait être qu'un chef-d'œuvre. Et pourtant de nombreux problèmes, et non des moindres, subsistaient, que Jim Wilson décrit. « Prendre des Américains autochtones comme acteurs fut un véritable défi. Nous les avons recrutés dans tous les coins des États-Unis et du Canada, et de nombreuses tribus autres que les Sioux ont participé au film (en plus des deux cent cinquante Sioux des réserves du Dakota du Sud). L'un de nos critères était qu'ils devaient avoir l'allure des Indiens de l'époque. Or beaucoup d'Indiens des villes ont coupé leurs cheveux, ou ont perdu la dégaine de leurs ancêtres. » Ce ne fut pas non plus toujours facile du fait de la réticence naturelle des Indiens vis-à-vis de leur image hollywoodienne ; ainsi Graham Greene [2] ne fut-il vraiment conquis qu'après avoir lu le scénario et discuté longuement avec Kevin Costner. Le reste de la distribution indienne principale fut plus aisé à convaincre : Tantoo Cardinal, Floyd *Red Crow* Westerman et Rodney Grant venaient de jouer des productions hollywoodiennes, respectivement *Jeu de guerre (War Party)* et *Flic et Rebelle (Renegades)*.

Mais pour Jim Wilson, le choix des Indiens ne fut pas le plus

---

1. Le plus grand paradoxe de cette histoire est que le système des réserves a permis de garder le peu qu'il reste de la culture indienne, en l'isolant de la culture majoritaire.

2. Cet Indien oneida, tribu descendant des Iroquois, est né dans la réserve des Six Nations au Canada.

difficile. « Je n'avais pas vraiment imaginé ce que Kevin avait en tête. Je le découvris bientôt sur le tournage. Pour notre partie de chasse au bison, nous finîmes avec un hélicoptère, 10 camions découverts, 24 cavaliers indiens chevauchant à cru, 150 extras, 20 cow-boys pour se charger d'un troupeau de 3 500 vrais bisons, 25 bisons artificiels et 7 caméras. Logistiquement parlant, ce que nous avons réussi m'étonne toujours, et il y avait une foule de gens qui doutaient que nous puissions nous en sortir. Ils disaient que c'était impossible avec le peu d'argent que nous avions, qu'il était ridicule que Kevin pour ses débuts de metteur en scène prenne un film d'époque aussi problématique avec des enfants, des Indiens, des animaux, et le défi de tourner les quatre saisons (dans un même film). Comment Kevin arriverait à remplir toutes ses fonctions fut la principale question que je me posais avant le tournage. J'avais travaillé avec lui avant et savais qu'il avait une énergie incroyable – mais de là à imaginer qu'il puisse jouer son personnage, présent dans presque toutes les scènes, tout en réalisant le film, en suivant les détails de la production et en exécutant la plupart des cascades... Tout cela devait durer pendant les cent huit journées difficiles du tournage. »

À propos des cascades, un incident assez grave survint. Tout le monde dans la profession connaît la passion de Kevin pour faire ses propres acrobaties, au même titre que Jean-Paul Belmondo chez nous. Cela commença avec *Silverado* pour continuer à chaque film, au grand dam des assurances et de sa femme. Or son personnage (dans *Danse avec les loups*) doit traverser un troupeau de bisons chargeant en montant à cru et en essayant de tirer. De même que de nombreux Indiens, Kevin dut apprendre à parler la langue sioux lakota et à monter à cru. Jim Wilson et le coordinateur des cascadeurs, Jim Howell, s'efforcèrent de le convaincre de ne pas faire lui-même cette scène, mais ils échouèrent. Même sa femme Cindy ne put le convaincre et dut se résigner. Costner raconte : « Les bisons reniflaient et étaient particulièrement furieux – ce sont les bêtes les plus incroyables quand elles sont terrifiées. Je n'avais jamais vécu quelque chose de pareil, pas plus que les vingt Indiens à qui j'avais demandé de chevaucher au milieu du troupeau. La peur régnait le premier jour que nous le fîmes. Mais après, cette scène permit à ces cavaliers de retrouver quelque chose de très profond dans leur mémoire collective. L'un d'eux m'a dit : "Tu sais, j'ai senti une corne me brosser la jambe", et je savais de quoi il parlait puisque j'étais au milieu moi aussi. Alors que n'importe qui peut vivre cette expérience cinématographiquement, elle nous donna un sens de la fraternité personnelle parce que nous étions là en train de rejouer, à toute vitesse, quelque chose qui n'était plus arrivé depuis une centaine d'années. »

Michael Blake explique ce qui arriva : « Kevin fit l'une des plus belles chutes que j'ai vues de ma vie. Je la passerais en vidéo, parce que c'est la pire des chutes de cheval que vous puissiez voir. Voici ce qui s'est passé : son cheval allait tout droit. Arrive à côté de lui un Indien qui perd le contrôle de sa monture, exactement comme un accident de voiture. Bam ! Kevin s'envole dans les airs, vrille quelque peu et retombe en arrière alors que son cheval est en pleine vitesse. Il touche le sol, rebondit de cinquante centimètres et roule par terre comme un gros sac de farine. Tout le monde est affolé : les enjeux sont énormes ; même Jim Wilson, qui était dans l'hélicoptère à ce moment-là, se souvient encore du cri dans ses écouteurs : "Il tombe, il tombe." Mais le plus incroyable est que Kevin ne reste groggy qu'un moment, se redresse sur ses pieds, remet son pantalon de cavalerie dans ses bottes, et déclare à Jim Howell, médusé, qui arrive à sa rencontre en hâte : "Tout va bien. Je veux remonter, donne-moi ton cheval." Sans lui poser de question, Jim le lui donne. Kevin se hisse sur le cheval et repart avec les autres. »

Mais l'ensemble des problèmes à gérer entame de plus en plus la résistance de Costner. Il se croit obligé d'appeler son ami Kevin Reynolds pour diriger plusieurs scènes de la seconde équipe (c'est-à-dire les scènes d'action). En fait, Reynolds va travailler sur des scènes de transition (dont la chasse au bison) pendant deux semaines. De méchantes rumeurs prétendront que c'était à la demande des directeurs d'Orion, qui s'inquiétaient de leur metteur en scène débutant. Il est bien plus juste de croire que Kevin Costner pensa que l'expérience de Reynolds pourrait lui être bénéfique et améliorer la qualité de la mise en scène. D'ailleurs tous les acteurs et actrices ont adoré faire ce film. Mary McDonnell déclara : « J'ai vécu ce film comme on vit une promenade à cheval dans la prairie à cinq heures du matin, quand on regarde le soleil se lever. On a beau être fatigué, on ne voudrait être nulle part ailleurs. »

Cependant d'autres problèmes surgissent, à commencer par le plus préoccupant : l'argent. Orion a engagé une compagnie chargée de faire respecter le planning[1], et qui devait suivre le tournage. Rapidement il fut clair que Costner dépasserait le calendrier fixé et le budget prévu. Jim Wilson et Kevin tinrent conférence un matin, et Kevin accepta de donner une partie de son salaire de 5 millions de dollars en garantie contre l'escalade éventuelle des coûts. À la fin, le film ne dépassera que de 20 % le coût projeté de 18 millions de dollars, et Costner avait contribué pour 2,9 millions de dollars de son salaire pour couvrir les coûts supplémentaires. Une bagatelle comparée aux rumeurs lancées par les commères d'Hollywood, qui appelaient déjà le film « Kevin's gate[2] ». Kevin estime à juste titre que le film, à 21 millions de dollars, est une affaire, et il insiste sur le fait qu'aucun studio n'aurait pu mettre autant de substance sur la pellicule qu'il le fit et pour un coût aussi faible. Pour renforcer son assertion[3], il n'y a qu'à se souvenir de *Rain Man* de Barry Levinson, le gagnant de trois Oscars en 1988, qui coûta la faramineuse somme de 30 millions de dollars à MGM/UA pour un malheureux road-movie où les deux acteurs principaux occupent seuls l'écran 80 % du temps, et qui sortit de surcroît avec plus d'un an de retard. Nous glisserons sur le fait que le chef décorateur de *Danse avec les loups* dut faire peindre toute une prairie en vert, pour les scènes de la guerre de Sécession censées se passer à l'Est en automne, ce qui demanda 40 000 litres de peinture. Cela ne s'était pas vu depuis *Autant en emporte le vent,* où le producteur David O. Selznick avait fait peindre la terre de la plantation Tara parce qu'elle n'était pas assez rouge à son goût. Et Dieu sait si *Autant en emporte le vent* coûta beaucoup plus cher et eut beaucoup plus de

---

1. Cette société, la *Bond Completion Company*, a opéré sur le tournage tumultueux de *Malcolm X*, troublé par des manifestations. Elle a une seule société concurrente, *International Film Guarantors*. Les studios les appellent de plus en plus souvent pour faire respecter les budgets. Les lecteurs intéressés peuvent lire attentivement les génériques : elles y figurent.

2. Par allusion au scandale du Watergate, les journalistes américains ajoutent maintenant « gate » au nom de tous les scandales prétendus ou réels, ainsi : Irangate, Begelmangate, etc. Pour Kevin, cette allusion est double, puisqu'il y a aussi *Heaven's Gate.*

3. Que dire de *True Lies*, la nouvelle version de *La Totale*, par James Cameron avec Arnold Schwarzenegger, qui coûte la bagatelle de 120 millions de dollars en 1994 ?

problèmes, usant (c'est le terme le plus approprié) quatre metteurs en scène, plus Selznick, qui se crut obligé de tourner lui-même quelques scènes !

Il n'empêche, malgré le mois supplémentaire de tournage, Kevin est allé jusqu'au bout de son rêve. Il ne se doute pas qu'une plus grande surprise encore l'attend, ainsi que le Tout-Hollywood, dont les ragots vont s'amplifiant.

CHAPITRE IX

DANSE AVEC LES OSCARS

Le tournage terminé, le long montage commence. La question de la durée se pose tout de suite pour Kevin. « Les officiels d'Orion s'inquiétaient secrètement de la durée. Je savais presque ce qu'ils allaient dire avant qu'ils le disent : "Ce foutu metteur en scène débutant ne sait pas comment monter son film." Si j'avais eu des couilles entièrement en acier et m'étais foutu de ce que quiconque pensait, je l'aurais fait en au moins 3 heures 15. (...) C'est un premier film maladroit, plein d'enfants, d'animaux, d'acteurs débutants parlant une langue étrangère. Un film d'époque par-dessus le marché. Mais j'offre le film au public, à lui de décider [1]. » Comme la version longue de quatre heures est sortie en France, il est bon de rappeler que la version de trois heures, montée jusqu'à cette date avec l'aval de Kevin, n'est pas celle qu'il préférait. Pour lui, la seule qui compte est celle de quatre heures. Pendant un temps, Costner et Wilson se posent la question de savoir si cette dernière sortirait en salles, à la TV (en mini-série) ou en vidéo. La question est tranchée : elle sort en salles et en vidéo (avec un superbe bonus, un document d'une demi-heure sur le tournage du film, avec la chute de Kevin entre autres).

Pourquoi ce rajout d'une heure ? En fait, le film nous laissait sur notre faim à plusieurs reprises. Ce fortin laissé vide : pour-

---

1. Ces déclarations ont lieu avant la sortie publique du film en décembre 1990.

quoi ? À cause de qui ? Pourquoi le major Bamford se suicide-t-il à Fort Hays ? Quelles sont les relations entre les hommes de la tribu avant le contact avec Dunbar ? Pourquoi Dunbar dort-il seul dehors après la chasse au bison ? Et cette cour de « Dressée-avec-le-poing », pour le moins rapide ? Et la mort de son mari, à quoi est-elle due ? Et cette fin un peu abrupte à tout le moins ? Les réponses se trouvent dans la version intégrale, sortie en salles en mai 1992 et en vidéo à la fin de la même année. Kevin expliqua cette durée [1] : « J'aime que des personnages aient le temps de se parler, que l'histoire ait le temps d'évoluer, que les sentiments aient le temps de s'installer. Je pense que la mise en scène n'est là que pour servir l'histoire le mieux possible. Je préfère filmer simplement, plutôt que d'éblouir le spectateur avec ma caméra. J'aime mieux qu'il tombe amoureux de l'histoire. »

Le public l'entend. Et c'est le raz de marée. Le film engrange 164 millions de dollars rien qu'aux États-Unis et au Canada, pour une mise de fonds de 21 millions. C'est une manne, qui va permettre à Orion de surnager encore malgré ses difficultés financières. Balayée la croyance hollywoodienne selon laquelle le western est un genre mort, submergée la règle qui veut qu'un film de trois heures, en plus avec des sous-titres, n'ait pas la faveur du public nord-américain, pulvérisée la superstition voulant qu'un metteur en scène débutant ne puisse faire un succès. Kevin tient là sa revanche sur l'establishment hollywoodien qui se moquait de lui. « Kevin's Gate » devient « Dance with money » (« Danse avec l'argent »). Rappelons que *Rain Man* n'avait rapporté que 100 millions de dollars dans le monde entier pour un coût de 30 millions.

Comme souvent, la critique ne suit pas le public, à part les deux grands magazines *Newsweek* (David Ansen) et *Time* (Richard Schickel), qui soutiennent le film. Dans le *New Yorker,* Pauline Kaël ironise sur « le film – début de Costner comme metteur en scène (...) naïvement enfantin (...) sorte de leçon de choses sociales du New Age [2] », sans oublier de se moquer de Costner, « l'Orson Welles que tout le monde désire – Orson Welles sans tripes ». Il est difficile de faire plus vachard et de mauvaise foi : ajoutons au passage que Pauline Kaël, quelques années plus tôt

1. Dans le magazine *Studio* de mars 1991.
2. Kevin est à l'opposé du New Age !

(1971), avait déclenché une polémique en attribuant *Citizen Kane* à Herman Mankiewicz, son scénariste, suggérant qu'Orson Welles n'était qu'un copieur. Stanley Kaufmann quant à lui, dans *The New Republic,* remercie Michael Blake, le directeur de la photo Dean Semler et le monteur Neil Travis qui « ont aidé le metteur en scène novice à produire un film qui nous prend par ce qu'il montre autant qu'il échoue dans ce qu'il dit ».

Pourquoi avoir choisi ces deux critiques injustes ? Tout simplement parce qu'ils ne sont pas du tout innocents : ce sont eux qui lancèrent la cabale contre *La Porte du paradis,* provoquant ainsi l'ostracisme qui frappe toujours l'un des plus grands metteurs en scène, Michael Cimino. Évidemment, Cimino et Costner auraient dû se douter qu'il est dangereux de s'en prendre aux tabous de la culture blanche anglo-saxonne protestante *(White Anglo Saxon Protestant, WASP)* dominante en Amérique. Circonstances aggravantes pour eux : ils prirent le western, genre américain par excellence, pour leur démonstration, et ne sont WASP ni l'un ni l'autre [1]. La plus belle ironie de l'histoire est que Kaël et Kaufmann ne sont pas plus WASP qu'eux ; il n'y a pas pire que ceux qui veulent être plus royalistes que le roi.

La critique de l'écrivain Michael Dorris, dans le numéro de janvier 1991 du magazine *Première,* édition américaine, nous permet de connaître le sentiment général de la critique aux États-Unis. Après avoir à juste titre relié le film à ceux qui ont raconté le séjour de Blancs chez les Indiens – c'est-à-dire, en plus de *La Flèche brisée* (1950) dont nous avons déjà parlé, *Le Fils de Geronimo* (*The Savage*, 1952 [2]) du boulimique George Marshall, *La Muraille d'or* (*Foxfire,* 1955) de l'ancien acteur Joseph Pevney, où Jeff Chandler est encore un chef indien [3], *Little Big Man* (1970) du réputé Arthur Penn, la série des trois *Un homme nommé Cheval* échelonnée de 1970 à 1979 – Dorris s'en prend aux idées stéréotypées (!) de Blake et Costner dans leur description des Indiens, les trouvant trop manichéennes à son goût. Il est amusant de constater que les Américains en général, et les cri-

---

1. Cimino est italo-américain comme Coppola, De Niro, Ferrara, Pacino, Scorsese et beaucoup d'autres ; Costner est irlando-allemand et cherokee.
2. Nous ajoutons ce film, Dorris l'ayant omis !
3. Il interprète Cochise dans *La Flèche brisée.*

tiques en particulier, parlent de manichéisme chaque fois qu'un livre ou un film essaie de restituer un peu de vérité. Par contre les centaines d'ouvrages et de films qui présentent les Indiens comme des sauvages assoiffés de sang blanc par plaisir, tandis que les Blancs n'apparaissent que comme d'innocents et gentils envahisseurs, décrivent aux yeux de ces mêmes personnes la réalité. Décidément, il est aussi difficile de faire admettre aux Américains la réalité du génocide indien qu'aux Français la vérité sur l'Occupation et l'Épuration, ce qui n'est pas peu dire.

Kevin se moque de leur opinion. Il est plus intéressé par l'avis des spécialistes des Indiens et des Indiens eux-mêmes. Ces avis lui sont tous favorables, et se résument dans l'opinion de Mike Smith, directeur de l'Institut américain du cinéma indien : « *Danse avec les loups* est le premier film hollywoodien qui, à ma connaissance, ait saisi la façon dont les événements ont pu se passer. »

Mais le plus ahurissant reste à venir. D'abord l'histoire rattrape le film car au moment de sa sortie [1] un événement capital, concernant de surcroît les Indiens de l'ancien territoire du Dakota, va survenir. Le magazine *Time,* dans son numéro du 14 janvier 1991, consacre tout un article à cet épisode sous le titre provocateur « Cette terre est leur terre ». Le 26 décembre 1890, des soldats du célèbre et renommé 7e régiment de cavalerie massacrèrent des centaines de Sioux, y compris les femmes et les enfants, qui s'étaient rendus sous un drapeau blanc à un endroit appelé Wounded Knee. Un siècle plus tard, pour fêter ce sinistre anniversaire, des descendants des survivants viennent à pied et à cheval, parcourant jusqu'à 355 km par des températures de – 29 °C. Le gouverneur de l'État du Dakota du Sud George Mickelson leur fit part de ses excuses et de sa grande douleur, marquant ainsi le sommet d'une « année de la Réconciliation » entre les Blancs et les Indiens du Dakota du Sud. Il dira plus tard à la presse que ce voyage jusqu'au cimetière « fut une prière et un sacrifice, la meilleure façon d'essuyer toutes les larmes ». Cette

---

1. Le 9 novembre 1990 aux États-Unis. Un moment peu favorable pour un grand succès : les grosses machines de l'été ont mobilisé le public, les films familiaux de fin d'année ne sont pas encore sortis, mais déjà annoncés à grand renfort de publicité.

commémoration remet en lumière tous les problèmes de la communauté indienne, et la perte que représenta pour les Américains l'occultation de cette culture fondamentale. Kevin Costner et Jim Wilson ne pouvaient rêver meilleure introduction, même si elle est douloureuse, à leur épopée.

En janvier 1991, les Golden Globes, décernés par les critiques de Los Angeles (américains et étrangers), consacrent *Danse avec les loups* (meilleur film, meilleur réalisateur, meilleur scénario). Du coup, une rumeur nouvelle s'enfle à Hollywood : Kevin Costner serait le favori des Oscars, les Golden Globes orientant traditionnellement la tendance. Encore plus important, *Screen World 1990,* jugeant l'année 1989, place Kevin Costner à la 18e place du box-office avec un seul film, *Jusqu'au bout du rêve,* alors que les poids lourds Jack Nicholson (1er avec *Batman*), Tom Cruise (2e), Robin Williams (3e), Michael Douglas (4e), Tom Hanks (5e) en ont au moins deux. Son grand rival Harrison Ford n'est que 25e, *ex aequo* avec Stallone. Mel Gibson le devance toujours (8e), mais Kevin précède pour la première fois la coqueluche Schwarzenegger, qui n'est que 19e.

La reconnaissance publique continue avec la sortie du film en Europe. Partout il arrive très vite en tête : à Londres, Rome, Berlin, Amsterdam, Madrid, Bruxelles, etc. En France, les avant-premières des 14 et 16 février sont un succès, tandis que la sortie le 20 février bat aussitôt les records de recette. Le film se classera à la première place des entrées de 1991 avec plus de sept millions de spectateurs.

La critique française, pour une fois, suit le public. La grande presse s'y met : *Libération, Le Quotidien de Paris, Le Figaro, La Croix,* etc., y vont tous de leurs articles dithyrambiques sur le film et l'acteur, qui deviennent un phénomène de société, comme *Le Cercle des poètes disparus* l'année précédente. Elle est suivie par les grands hebdomadaires (*Le Point, L'Express, Le Nouvel Observateur, Elle* et même *Le Canard enchaîné*) et la presse spécialisée (*Télérama* en tête). Les revues mensuelles cinéphiles ne sont pas en reste. Thierry Jousse dans *Les Cahiers du cinéma,* J. B. (?) dans *La Revue du cinéma* applaudissent le film et Costner. Le numéro de février de *Positif* accorde vingt-deux pages et sa couverture à *Danse avec les loups* et à Costner. C'est la première fois qu'une grande revue cinéphile lui réserve autant de pages.

Le magazine *Studio* parle longuement du film dans ses livraisons de février et mars et couronne Kevin « Homme de l'année » dans son hors-série consacré à l'année 1990. *Première* américain, dans un sondage mené en Europe et au Japon sur les stars les plus rentables, le place au septième rang, sa présence assurant 97 % des recettes d'un film, mais derrière son rival Harrison Ford, quatrième *ex aequo* avec Nicholson pour 98 % des recettes. Dans le même numéro, le classement de la popularité par pays est encore plus frappant : il est quatrième en France et en Grande-Bretagne, cinquième en Allemagne et sixième en Italie. Ce score sera amélioré après *Robin des Bois,* car ses deux films de base-ball l'ont handicapé par rapport à ses rivaux à l'époque, ce sport ne provoquant qu'incompréhension ou dédain en Europe. Bref, Kevin Costner devient la coqueluche du monde entier.

Quelle magie a bien pu engendrer un tel succès ?

1863 : après s'être illustré en déclenchant une charge-suicide contre les Sudistes pour éviter une amputation de sa jambe, le lieutenant nordiste Dunbar (Kevin Costner) est envoyé à sa demande sur la Frontière, en territoire indien, avec son cheval Cisco. Affecté au poste le plus avancé, Fort Sedgewick, sous les ordres du capitaine Cargill, Dunbar s'en va avec un chariot de vivres conduit par Timmons, un paysan très fruste. Ils arrivent à Fort Sedgewick, complètement déserté. Contre l'avis de Timmons, Dunbar décide de rester et fait décharger les vivres. Il nettoie le fort, brûle les carcasses pourries laissées par les soldats et s'organise. Un loup solitaire qu'il appelle « Deux Chaussettes » constitue sa seule compagnie, avec son cheval Cisco. De longs jours passent, Dunbar a des premiers échanges, maladroits et belliqueux, avec une tribu sioux voisine du fort. Après d'autres incidents, il commence à communiquer difficilement avec Vent-dans-les-cheveux (Rodney A. Grant [1]) et Oiseau-qui-donne-des-coups-de-pied (Graham Greene, pur Iroquois Oneida du Canada). Les visites continuent, mais Dunbar et Oiseau-qui-donne-des-coups-de-pied s'impatientent des lenteurs de la communication. L'Indien décide d'obliger Dressée-avec-le-poing (une femme que Dunbar a ramenée au camp), une « prisonnière

---

1. Celui qui eut le plus de mal à apprendre le lakota, un authentique Sioux du Nebraska pourtant.

du désert [1] », à employer sa langue maternelle, mais elle a peur que Dunbar parle d'elle aux Blancs et qu'ils l'enlèvent [2]. Les visites continuent, Vent-dans-les-cheveux et Oiseau-qui-donne-des-coups-de-pied venant seuls, avec des cadeaux, et s'inquiétant de l'absence des bisons. Dunbar leur propose ses vivres, mais ils refusent fièrement.

Une nuit, Dunbar est réveillé brutalement par les bisons. Il se précipite au camp des Indiens pour les informer. À l'aube toute la tribu, avec Dunbar, s'est mise en route vers les terrains de chasse. En chemin ils découvrent avec horreur une vingtaine de bisons abandonnés à pourrir, alors que seules leurs peaux ont été dépecées ; les traces d'un chariot Studebaker [3] ne laissent aucun doute sur les auteurs du forfait [4]. Les jours suivants, la chasse est bonne. Les Sioux sont impressionnés par le courage simple de Dunbar, qui a sauvé le jeune Indien Ris-beaucoup. Après la chasse, ils rentrent à leur campement et Dunbar à Fort Sedge-wick, où l'attend le loup Deux Chaussettes.

Un jour, Dunbar et Deux Chaussettes jouent ensemble. Leur manège n'échappe pas à Veau-en-Pierre, Oiseau-qui-donne-des-coups-de-pied et Vent-dans-les-cheveux, postés sur une crête avec leur escorte, qui décident de donner à Dunbar un vrai nom, c'est-à-dire un nom sioux. Au village, l'accueil est plus chaleureux, ils viennent à sa rencontre, le saluent, rient avec lui. Oiseau le prend sous son tipi, fait venir Dressée-avec-le-poing pour servir d'interprète. Dunbar habite désormais avec Oiseau et sa famille. Dressée

---

1. Allusion au superbe western de John Ford sur une Blanche enlevée, enfant, par les Indiens.

2. Plusieurs « prisonnières du désert » retrouvées refusèrent de retourner à la civilisation (cf. Frances Slocum disparue en 1778, retrouvée en 1838) ; d'autres, ramenées, n'eurent qu'une hâte, repartir chez les Indiens (cf. Cynthia Ann Parker enlevée par les Comanches à 9 ans, reprise par les Texas Rangers à 34 ans en 1860, qui essaya par trois fois de regagner sa tribu mais en vain ; un de ses fils fut le célèbre chef Quanah Parker) ; même le grand Benjamin Franklin, en son temps, décrivit ce fait comme irrémédiablement naturel.

3. Modèle le plus courant pour contenir un maximum de vivres.

4. Des Blancs chasseurs de bisons comme ceux du magnifique film de Richard Brooks *La Dernière Chasse*. Il est amusant de remarquer que Costner lui-même jouera un de ces abominables massacreurs de bisons quand il sera *Wyatt Earp* pour Lawrence Kasdan.

– qui est veuve – lui apprend que son nom sioux est « Danse-avec-les-loups », en souvenir de son jeu avec Deux Chaussettes. Alors que les guerriers partent en expédition contre les Pawnees, il est obligé de rester au camp avec les femmes et les vieux, pour surveiller la famille d'Oiseau qui le lui a demandé comme une faveur. Il en profite pour faire la cour à Dressée, qui se laisse séduire. Un jour des guerriers arrivent au camp, annonçant que de nombreux Pawnees se dirigent vers le village ; Dunbar propose à Dix-Ours et Veau-de-Pierre, affolés, de leur donner les armes stockées au fort et, après leur accord, va les chercher avec Ris-beaucoup dans la nuit sous une pluie battante. Quelques jours plus tard, les Pawnees ont la très désagréable surprise en attaquant le camp d'être accueillis par des vieux et des femmes armés de fusils. La promenade militaire tourne au désastre, le chef pawnee se fait encercler et massacrer, Dunbar sauve Châle-Noir et ses enfants, Veau-de-Pierre est tué. Au retour des guerriers de la tribu, Oiseau apprend les hauts faits de son ami Danse-avec-les-loups... ainsi que son idylle avec Dressée-avec-le-poing ; il décide d'annoncer à Dressée la fin de son veuvage, et bientôt le village célèbre son mariage avec Danse-avec-les-loups.

Décidés à trouver un autre site pour le village, tout le monde se prépare, mais Dunbar a oublié son journal au fort, et veut le récupérer car il donne trop d'indications. Hélas, il y est accueilli par un groupe de soldats, interrogé brutalement par un major et un lieutenant, qui refusent de le croire, d'autant qu'ils ne trouvent pas son journal. Celui-ci est entre les mains d'un soldat illettré, Spivey, qui l'utilise comme papier hygiénique. Le major envoie Dunbar escorté et enchaîné à Fort Hays. En chemin les soldats abattent Deux-Chaussettes, malgré les tentatives de Dunbar pour les en empêcher ; mais bientôt une embuscade leur est tendue par Vent-dans-les-cheveux, Ris-beaucoup et quelques guerriers. Très vite tous les soldats sont tués, Danse-avec-les-loups est libéré. Quelques jours plus tard, la petite troupe rejoint la tribu, qui s'est réfugiée pour l'hiver dans un canyon abrité. Le moral est élevé, car les provisions sont importantes et le bois abondant. Seul Danse-avec-les-loups ne partage pas l'optimisme ambiant. Il est sûr, leur dit-il, que les Blancs vont le pourchasser comme traître et que ce sera une parfaite excuse pour massacrer la tribu. Dressée est prête à le suivre où il ira. La prévision de Danse se vérifie : le major qui l'avait arrêté au fort est à la tête

164

d'une importante unité, dirigée par des éclaireurs pawnees qui les conduisent au canyon. Danse conseille à Dix-Ours de lever le camp, tandis que lui ira chez les Blancs parler à ceux qui voudront l'écouter. Après avoir fait des adieux déchirants à Oiseau-qui-donne-des-coups-de-pied et Vent-dans-les-cheveux, il se dirige avec Dressée vers l'autre extrémité du canyon. Pendant ce temps, les cavaliers suivent le canyon et soudain les Pawnees préviennent, perplexes, que le village est parti.

Curieusement, bien que son thème l'en rapproche, le film ne ressemble pas du point de vue visuel aux autres films décrivant une expérience de vie chez les Indiens – à savoir principalement ceux dont nous avons déjà parlé, *La Flèche brisée, Le Fils de Geronimo, Little Big Man,* la série des trois *Un homme nommé Cheval.* Il ressemble à deux films sur les trappeurs et leur vie proche de celle des Indiens : *Jeremiah Johnson* (1972) de Sydney Pollack et le très sous-estimé [1] autant que méconnu *Le Convoi sauvage* (*Man in the Wilderness,* 1971) de l'inégal Richard C. Sarafian, qui n'a pas tourné depuis longtemps.

Jeremiah Johnson est intéressant à plus d'un titre : d'abord Robert Redford y joue le rôle principal au même âge que Kevin pour *Danse avec les loups* (trente-cinq ans), ce qui accrédite la filiation Redford-Costner [2] (en dehors du fait que tous deux passèrent à la mise en scène) ; ensuite, le film s'attache aux mêmes couleurs, à la même familiarité avec les animaux, s'inspire des tableaux des mêmes peintres de l'ouest (George Catlin et Frederic Remington naturellement, mais aussi Karl Bodmer, Joseph Sharp, Charles M. Russell) et des photographies d'Edward S. Curtis. Enfin Jeremiah Johnson, comme John Dunbar, est un homme qui se cherche et qui trouvera sa voie dans la vie naturelle, loin de la civilisation.

Le Convoi sauvage décrit la lutte d'un trappeur pour sa survie : laissé pour mort par le chef de l'expédition (remarquablement joué par le metteur en scène John Huston) à laquelle il participe en 1830, après avoir été attaqué par un grizzly, il s'efforce de s'en tirer pour se venger de ceux qui l'ont abandonné. Le film

---

1. Sauf par Pierre Coursodon et Bertrand Tavernier, ainsi que *Positif* et l'historien Jean Tulard. Il est depuis septembre 1993 disponible en vidéo, mais en VF hélas !
2. Ils ont 20 ans d'écart, soit une bonne génération.

emprunte les mêmes références que les deux autres et décrit, comme on ne l'a jamais vu au cinéma, la vie dans l'Ouest avant la conquête. Les courtes séquences avec les Indiens les montrent sous un jour sympathique et humain, surpris du courage et de l'énergie de ce Blanc atrocement blessé.

Si historiquement et ethnologiquement *Danse avec les loups* est proche de la réalité, quelques anachronismes subsistent : Dunbar utilise un Navy Colt de 1851 (calibre 36), alors que depuis 1860 l'armée de l'Union est équipée du modèle Army (calibre 44), et une Winchester, qui n'apparaît qu'en 1866. De plus on imagine difficilement, surtout en 1864 ou même 1865, que l'armée de l'Union envoie un détachement important poursuivre un déserteur sur la Frontière, alors qu'au Sud la pénétration était difficile, notamment sur la Shenandoah, et que les Confédérés attaquaient Washington, la capitale de l'Union, en juillet 1864. Les généraux de l'Union Sheridan et Sherman avaient besoin d'un plus grand nombre d'hommes à cette époque, les Indiens étant le cadet de leurs soucis. En revanche, le film ne se fait pas l'écho de deux événements importants qui ont marqué alors la Frontière :

– la révolte des Sioux du Minnesota, menés par Little Crow en août 1862, et sa répression atroce, culminant dans la pendaison de trente-huit Indiens le 26 décembre, ce qui provoque justement un exode des Sioux de l'Est vers le Dakota ;

– la révolte des Cheyennes, Sioux, Kiowas et Arapahoes pour les mêmes raisons (non-respect des traités, réserves inhabitables) dans le Colorado en 1862-1863, qui sera matée par le massacre des Cheyennes à Sand Creek le 29 novembre 1864, événement décrit dans le film *Soldat bleu* (1970) de Ralph Nelson.

Mais ce ne sont que des détails qui n'entament pas l'exactitude générale du film, surtout en ce qui concerne la vie et la culture des Sioux. D'autant plus que Kevin, toujours aussi intransigeant sur le plan de l'authenticité, tenait à ce que les rôles indiens soient tenus par des Indiens, et non par des Blancs grimés comme ce fut trop souvent le cas. Le film donne ainsi leur chance à de remarquables acteurs inconnus [1], notamment

---

1. Kevin estimait que Chief Dan George (*Little Big Man,* entre autres) et Will Sampson (son plus grand rôle fut dans *Vol au-dessus d'un nid de coucous*) étaient trop connus pour être authentiques !

Graham Greene, Indien Oneida, acteur de tout petits rôles dans des films canadiens [1], Rodney A. Grant, originaire de la réserve tribale omaha à Winnebago (Nebraska), qui eut énormément de mal à apprendre le lakota. Même la blanche Mary McDonnell, grande vedette de théâtre à Broadway, dont c'est le premier film, obtient la consécration. Ils ont reçu des propositions concrètes depuis. De même, Kevin avait remarqué Tantoo Cardinal dans *Jeu de guerre* (*War Party*, 1989) tourné au Canada par l'Anglais Franc Roddam. Il engagea aussi, pour « Dix-Ours », Floyd *Red Crow* Westerman, acteur et chanteur folklorique, président du North American Indian Movement [2].

Kevin prend avec ce film des longueurs d'avance sur les acteurs mythiques dont il suit la lignée : ni Gary Cooper, ni Henry Fonda, ni James Stewart, ni Errol Flynn n'ont jamais mis en scène. Certes le système des studios de l'âge d'or d'Hollywood ne le leur permettait pas : les studios leur fournissaient suffisamment de bons sujets et de remarquables metteurs en scène pour qu'ils ne soient pas tentés de s'y mettre eux-mêmes. Seuls John Wayne, Paul Newman et Robert Redford s'y sont risqués avant Costner et pour les mêmes raisons que lui : les nouveaux dirigeants des studios ne s'intéressaient pas à leurs projets. Mais ils avaient respectivement cinquante-trois, quarante-six et quarante-trois ans, et leurs premiers films (même si celui de Wayne, *Alamo*, en 1960, est comparable à *Danse avec les loups* par l'ampleur épique) n'ont pas la même force ni la même richesse.

Le 25 mars 1991, la soirée des Oscars commence au Shrine Auditorium : toutes les vedettes arrivent, et, particulièrement rayonnants, Kevin et sa femme Cindy. Ils peuvent l'être : *Danse avec les loups* obtient douze nominations (un record [3]), dont celles de Meilleur acteur, Meilleure actrice, Meilleur metteur en scène, Meilleur film, pour un premier film, qui plus est réalisé par

---

1. Mais aussi dans le très raté *Révolution* de l'Anglais Hugh Hudson.

2. Mouvement de défense des Indiens et de la culture indienne, il regroupe l'ensemble des tribus, fait suffisamment rare pour être remarqué.

3. Déjà réalisé par *Qui a peur de Virginia Woolf ?* en 1966. Mais cette mauvaise pièce de théâtre filmée, où le couple Taylor-Burton cabotine à qui mieux mieux, en jouant leurs nombreuses scènes de ménage avec une impudeur confondante, a peu de rapports avec l'épopée des Indiens !

un acteur. Même Robert Redford n'a pas connu un tel triomphe pour *Des gens comme les autres (Ordinary People),* sa première réalisation, dans laquelle il ne jouait pas, en 1980. Ce film a remporté trois Oscars, dont ceux de Meilleur metteur en scène et de Meilleur film.

Billy Crystal, le célèbre comique, anime pour la deuxième fois la soirée et fait rire aux éclats Kevin quand il exécute un chant et une danse parodiant *Danse avec les loups* sur l'air de *Dance with me.* Puis les choses sérieuses commencent. Le premier Oscar décerné, Meilleure actrice, échappe à Mary McDonnell. Le deuxième, pour le Meilleur son, annonce le raz de marée : c'est *Danse avec les Loups* qui l'emporte. Hélas pour lui, Graham Greene rate celui de Meilleur second rôle masculin, raflé par Joe Pesci dans *Les Affranchis (Goodfellas),* un superbe film de Martin Scorsese. Puis ce sont la Meilleure photo (Dean Semler), la Meilleure musique (John Barry), le Meilleur montage (Neil Travis) et la Meilleure adaptation (Michael Blake), qui consacrent la victoire de *Danse avec les loups.* Michael Blake, en allant chercher son Oscar, entraîne avec lui Doris Leader Charge, qui a enseigné le lakota à toute l'équipe et joué Joli-Bouclier, la femme de Dix-Ours, pour qu'elle traduise en lakota son discours de remerciements à la nation sioux. C'est la première fois de son histoire que l'Académie du cinéma entend parler une langue indienne lors de la remise des Oscars – bien que ce ne soit pas la première fois qu'elle voit une Indienne sur le podium : Marlon Brando lui avait créé ce précédent en 1973, mais sans rapport avec la cause de ce peuple, puisqu'une Indienne avait reçu à sa place son Oscar pour *Le Parrain* !

Dans son discours, Blake déclare : « Le rêve me vint de faire quelque chose de bénéfique pour le plus grand nombre de personnes que je pouvais. Le miracle de *Danse avec les loups* prouve que ce genre de rêve peut devenir réalité. » Et il remercie « la grande nation indienne à travers ce merveilleux pays, dont les tambours continuent à battre et battront pour toujours ». Blake venait de recevoir également le prix de la Guilde des scénaristes d'Amérique (WGA) quelque temps plus tôt. Seuls deux autres Oscars techniques échappent au film. Arrive l'Oscar du Meilleur acteur, suspense... c'est Jeremy Irons qui l'obtient pour *Le Mystère von Bülow (Reversal of fortune).* Kevin arbore, beau joueur, un grand sourire à l'annonce de sa défaite et applaudit

Jeremy comme s'il anticipait la suite, préférant pour lui-même un autre Oscar. Rappelons qu'en plus des Golden Globes, Costner vient de recevoir le prix de la Guilde des metteurs en scène d'Amérique (DGA), ce qui a déclenché une rumeur de raz de marée pour *Danse avec les loups,* car c'est la première fois qu'un débutant est ainsi reconnu par ses pairs.

Le moment tant attendu arrive : l'Oscar de la Mise en scène, remis par Barbra Streisand ; Kevin le remporte. Il se lève, embrasse sa femme Cindy qui fond en larmes et court vers le podium. La tête de Barbra Streisand est éloquente : elle crève de jalousie [1]. Kevin sort un carton de sa poche et s'excuse : il est incapable de retenir une phrase sans l'écrire, c'est la même chose pour ses films. L'aveu, de taille, est surprenant. Nombre d'acteurs, et pas seulement à Hollywood, ont le même problème, mais ce sont en général leurs metteurs en scène qui dévoilent cette faiblesse pour se venger de comportements odieux sur le plateau. Kevin a compris l'adage selon lequel l'honnêteté est la meilleure politique, surtout dans un métier réputé, à juste titre, pour en abriter fort peu.

L'exploit de Costner n'est pas banal : son film est le premier western à recevoir un Oscar depuis *Cimarron,* soixante ans plus tôt. Il est le premier débutant à s'adjuger sept Oscars, surtout pour un western, dans une année où il est d'ailleurs le seul représentant du genre. Il est le deuxième acteur débutant dans la mise en scène derrière Robert Redford, à obtenir cet Oscar dès son premier film. Il est le cinquième réalisateur débutant à remporter un Oscar, après Delbert Mann pour *Marty* (1955), Jerome Robbins, co-metteur en scène, pour *West Side Story* (1961), Robert Redford pour *Des gens comme les autres* (*Ordinary people,* 1980) et James L. Brooks pour *Tendres Passions* (*Terms of Endearement,* 1983). Aucun de ces films n'a les dimensions de celui de Kevin. De plus l'année 1990 a été particulièrement riche, qui a vu s'affronter face à Kevin : *Le Parrain III* de Francis Coppola, *À la poursuite d'Octobre rouge* de John McTiernan, *Total Recall* de Paul

---

1. En 1983, Streisand avait mis en scène son premier film, *Yentl,* qui ne fut nommé pour aucun Oscar, pas même celui de Meilleure actrice, alors qu'elle aussi avait gagné le Golden Globe pour la Mise en scène. Toutefois *Yentl* n'est pas comparable à *Danse avec les loups,* puisque c'est le délire mégalomaniaque de Streisand, une star qui se regarde le nombril.

Verhoeven, *Dick Tracy* de la-coqueluche-de-ces-dames Warren Beatty, *Présumé innocent* d'Alan J. Pakula, *Sailor et Lula (Wild at Heart)* de David Lynch, qui obtiendra la Palme d'or à Cannes, *Les Affranchis (Goodfellas)* de Martin Scorsese, *Les Anges de la nuit (State of Grace)* de Phil Joanou, *Miller's Crossing* des frères Coen, *La Maison des otages (Desperate Hours)* de Cimino le maudit, *Misery* de Rob Reiner, *Le Mystère von Bülow (Reversal of Fortune)* de Barbet Schroeder, *Les Arnaqueurs (The Grifters)* de Stephen Frears, *Alice* de Woody Allen – et nous ne parlons que de ceux qui marqueront l'histoire du cinéma. Nous ne parlons pas gros sous, donc pas de *Ghost,* de *Pretty Woman,* de *Maman j'ai raté l'avion (Home alone),* ni de *Rocky V.* 1990 est une année exceptionnelle, comme il y en a tous les quinze ans environ – Kevin n'en a que plus de mérite.

Le record du nombre d'Oscars (9) reste détenu par *Le Dernier Empereur* de Bernardo Bertolucci, mais dans une année 1987 fort moyenne, qui compte peu de films marquants. D'ailleurs, disons-le sans détour, *Le Dernier Empereur* n'est qu'un superbe livre d'images ; pour ce qui est du contenu, nous restons dans la platitude la plus totale. Dans une année aussi riche et marquante que 1990, qu'aurait-il obtenu ?

Kevin profite de ce triomphe pour améliorer la condition des Sioux du Dakota du Sud. Il injecte trois millions de dollars dans le financement d'hôtels et du casino Midnight Star à Deadwood, gérés par les Indiens, pour accueillir les nombreux touristes attirés dans la région à la suite du succès du film. Pour Costner, il est normal que l'argent gagné par les Indiens léur revienne ; un bienfait auquel Marlon Brando lui-même n'avait pas songé. Les Sioux ne se montreront pas ingrats : dans une cérémonie au pied du Capitole à Washington, Costner sera fait Sioux d'honneur par la tribu de Rosebud et docteur *honoris causa* du Sinte Gleska College, qui a fourni le professeur de lakota.

L'impact du film déclenche une vogue mondiale en faveur des mœurs et de la culture indiennes, et permet à plusieurs films [1] de se

---

1. *Geronimo* de Walter Hill se fit (1993) avec de nombreux conseillers apaches et autant d'acteurs indiens que *Danse avec les loups,* la langue apache étant parlée dans le film. Hollywood comprend enfin que les Indiens sont les plus aptes à jouer des Indiens !

faire. Ainsi Robert Redford obtient-il le financement du documentaire *Incident à Oglala,* sur un récent épisode, aussi controversé que sanglant [1], de l'histoire indienne. Par voie de conséquence cela permet la réalisation d'un polar, produit par Robert De Niro et adapté de la même histoire : *Cœur de tonnerre (Thunderheart,* 1992). Tous deux sont réalisés par le Britannique Michael Apted. Non content d'avoir relancé le film de base-ball, Kevin remet donc le western au goût du jour.

Il crée l'événement culturel comme peu de stars ont été capables de le faire avant lui. Son prochain film va continuer dans cette voie, en ressuscitant une légende historique – autre point de passage obligé pour devenir un acteur mythique.

---

1. Un Indien, leader du Mouvement pour le droit des Indiens, fut accusé à tort du meurtre de deux agents du FBI.

CHAPITRE X

LE PRINCE DES VOLEURS...

Joe Roth, metteur en scène-producteur, devenu en 1987 associé de l'ancien concessionnaire de voitures japonaises Subaru, James G. Robinson, au sein de Morgan Creek Productions, vient en ce début de l'année 1990 d'être intronisé directeur de la production de la Twentieth-Century-Fox par son président, Barry Diller.

En juillet, Joe Roth est en colère et il va le faire savoir à tout Hollywood, une colère noire : il vient d'apprendre que Tri-Star Pictures et, pire, la compagnie dont il est toujours un des associés, Morgan Creek, se lancent dans des projets concurrents de son *Robin des Bois*. Les trois tournages sont fixés à la même date : le 3 septembre 1990 ! La guerre des *Robin des Bois* est déclenchée et Roth en sera l'une des principales victimes. Sa colère est d'autant plus grande que son projet est le seul très avancé : il dispose d'un excellent scénario signé Mark Allen Smith, d'un metteur en scène dont l'étoile monte [1], John Mc-Tiernan, et d'une vedette qui sera soit Mel Gibson soit Kevin Costner. Il déclare au quotidien professionnel *Variety* que « deux sociétés rivales ont agi injustement, sinon immoralement, en précipitant la production des films concurrents de *Robin des Bois* ». Ses déclarations vont être appréciées diversement par le tout-Hollywood. Son accès de fureur, s'il est compréhensible, n'en est pas moins curieux. Compréhensible certes : la pratique n'est pas

---

1. Grâce au sous-marin *Octobre rouge* !

du meilleur goût, ni d'un fair-play avéré. Curieux assurément : quand quelqu'un travaille à Hollywood, surtout à un niveau aussi élevé, il est payé pour savoir que ce genre de coup de Jarnac est monnaie courante ; c'est même l'inverse qui est étonnant.

Ce qu'il ne sait pas encore, c'est que Kevin Costner a lu et le scénario de Morgan Creek et le script de la Fox. « Ils étaient très bons tous les deux », dira-t-il dans un entretien au *Première* américain en octobre 1990. « J'ai pensé que le scénario de la Morgan Creek était le meilleur, mais ils n'avaient pas de metteur en scène à l'époque et j'ai senti que le film était sans gouvernail. Ils me demandaient ce que j'en pensais, mais je ne voulais pas être dans la position de porter un film sur mes épaules – si ce sont des producteurs, ils devraient savoir comment le lancer et comment trouver le grand metteur en scène capable de faire aboutir leur projet. Cela ne peut pas toujours venir de moi quand même... Le script de la Fox était très bien et John McTiernan allait le réaliser. (Avec Joe Roth et John McTiernan) nous avons discuté à un moment du scénario. Eux en avaient un sur lequel beaucoup de personnes intervenaient, alors j'ai commencé à leur parler. Je sentais que le scénario avait besoin d'être travaillé mais ils avaient quelqu'un qui allait s'en charger – McTiernan – alors naturellement nous parlions... et nous parlions jusqu'à ce que tout d'un coup il apparaisse que John réaliserait d'abord *Road Show* [1] avec Sean Connery.

« Je n'allais pas donner mon accord pour jouer *Robin des Bois* tant que John n'aurait pu retoucher le scénario comme je l'entendais. Il voulait travailler dessus et je voulais voir ce qu'il allait en tirer. Quelles que soient les références de quelqu'un, elles peuvent être source de confusion et vous aveugler totalement. Chaque film a sa propre existence et demande que l'on trouve le maître approprié. Je sentais que John était celui qu'il fallait, mais que *Robin des Bois* ne se ferait certainement pas avant février 1991. J'étais aussi au courant du projet de la Morgan Creek et je me disais : "Ces types vont faire leur film de toute façon, parce qu'ils

---

1. Ce film a une destinée bizarre : certains disent que c'est le titre de pré-production de *Medicine Man,* d'autres qu'il est toujours en développement en octobre 1994. Un film du même nom eut lui aussi une histoire très compliquée à la MGM/UA en 1983 et ne fut jamais tourné ! Il y a des titres qui portent la poisse.

ont un excellent scénario." Alors les deux événements sont arrivés.

« Fox m'a demandé : "Allez-vous faire *Robin des Bois* avec John McTiernan ?" Et j'ai répondu : "Sur le principe, je ne le ferai pas : je ne vais pas accepter ce film tant que le scénario ne sera pas parfait, et je ne ferai pas un *Robin des Bois* qui ne soit pas le meilleur et le premier à sortir. Tels sont mes paramètres." Mais on sentait que pour eux ce que les autres feraient n'était pas crucial, que Fox réaliserait le *Robin des Bois* le meilleur et le plus important, qu'ils avaient le meilleur scénario – et je me permettais de donner un avis légèrement différent. Je leur dis que l'élément-clé était John (McTiernan), mais que Morgan Creek avait un excellent scénario et que John était en train de mettre sur pied son autre projet *(Road Show)*. Je voulais faire *Robin des Bois*, c'était clair, mais certainement pas le deuxième (chronologiquement), et si le metteur en scène se lançait dans un autre film, c'était dès lors probable (que celui de la Fox serait le deuxième).

« Quand Morgan Creek a annoncé qu'ils tournaient leur projet, je me suis désisté de moi-même : "Eh bien, il me semble que je ne ferai pas *Robin des Bois* après tout." (...) Je n'ai pas songé (au *Robin des Bois* de la Tri-Star) car je m'étais lié définitivement à John McTiernan. Au fur et à mesure que je le regardais préparer *Road Show* et que le projet se précisait, je me persuadais que je ne ferais jamais de *Robin des Bois*. (...) Et puis tout d'un coup l'un de mes meilleurs amis, Kevin Reynolds, est engagé (par Morgan Creek) pour réaliser *Robin des Bois,* et je finis par faire celui-là. À l'époque j'en parlais avec Kevin, John essayait toujours de lancer *Road Show*, alors cela devenait très compliqué, et cela explique tous les ressentiments et les tensions d'aujourd'hui (octobre 1990). Vous savez, John (McTiernan) a travaillé sur ce projet assez longtemps [1], et je me sens gêné vis-à-vis de quelqu'un qui s'est autant impliqué... Vous apprenez que d'autres font la même chose, c'est quelque chose de très difficile. »

---

1. Deux ans exactement. Résultat : McTiernan ne fera ni *Robin des Bois,* ni *Road Show* (abandonné après un an de préparation). Son lot de consolation sera *Medicine Man*, toujours avec Sean Connery, l'un des plus mauvais souvenirs de ce dernier. Le cinéma est décidément un très dur métier. McTiernan sera toutefois producteur exécutif de la version de la Fox.

Costner, dans cet entretien accordé au magazine américain *Première*, vient de décrire succinctement ce que fut la bataille des *Robin des Bois* qui agita Hollywood fin 1990-début 1991. Bataille qui préfigurait celle à laquelle nous avons assisté fin 1992, à la rentrée de septembre [1], et qui commença au mois de mai 1991 au Festival de Cannes, je veux parler des *Christophe Colomb* : celui de Gérard Depardieu contre celui de George Corraface (Timothy Dalton ayant déclaré forfait en cours de route), Ridley Scott contre John Glen [2]. Depuis, nous avons eu droit en 1993 à la lutte des Wyatt Earp.

Pour en revenir à *Robin des Bois,* Tri Star ne fit jamais décoller son projet, et pour cause : la compagnie ne réussit pas à obtenir un scénario potable, encore moins une vedette (Kevin Kline, Patrick Swayze et Alec Baldwin ne dirent jamais oui), mais tout juste un metteur en scène (Marshall Herskovitz, de la superbe série TV *Génération Pub-Thirty something*) et un producteur (Ed Zwick, plus connu comme metteur en scène de *Glory*). Mais pourquoi cet engouement soudain pour *Robin des Bois* ? Il n'y avait pas d'anniversaire comme pour *Christophe Colomb,* rien pour justifier cette flambée soudaine. En fait, le succès mondial de *Batman* lança les studios à la recherche d'un héros du passé, capable de rééditer l'exploit question bénéfices.

Qui est d'abord ce Robin des Bois ? Problème, personne n'en sait rien. Si l'on se réfère à l'*Oxford Dictionary*, au *Webster* (le *Larousse* américain) ou au *Robert*, nous apprenons qu'il serait un héros saxon légendaire, d'après un personnage historique qui aurait vécu de 1160 environ jusque vers 1247, archer proscrit par les Normands, obligé de vivre dans la forêt de Sherwood et qui suscita des ballades dès le XIVᵉ siècle. Au XVᵉ, les deux plus connues étaient *Robin Hood and the Monk* (« Robin des Bois et le Moine »), où apparaît le personnage de Frère Tuck, et *Robin Hood and the Potter* (« Robin des Bois et le Potier ») qui crée Petit Jean. Ses aventures inspirèrent poètes et romanciers britanniques : William Langland (dans *Piers the Plowman*, « Pierre le laboureur ») en 1377, Wyntoun vers 1420, Martin Parker (*His-*

---

1. Résultat : en France, le Glen/Corraface/Brando ne sortira qu'en vidéo, alors que le Scott/Depardieu fera un énorme bide en Amérique du Nord.
2. Le réalisateur d'*Alien* contre celui des derniers James Bond !

toire vraie en 1632, *La Guirlande de Robin des Bois* en 1670), Ben Jonson (*Le Triste Berger*) en 1632, et enfin le plus célèbre, Walter Scott *(Ivanhoé)* en 1819.

Dans son livre *La Vérité sur Robin des Bois (The Truth about Robin Hood)*, P. V. Harris en fait soit un *yeoman* (petit propriétaire) au service du roi (XIᵉ siècle), soit le noble écossais Cloudsley de Cumberland, qui réédita la prouesse de Guillaume Tell, à la même époque, devant le roi Édouard III (1312-1377). Ainsi disparaît l'hypothèse du Yorkshire chère à Barbara Greene (dans *Robin Hood Outlaw, his Yorkshire Legend*, « Robin des Bois, hors-la-loi, sa légende du Yorkshire »). Harris a servi de conseiller à la version rivale, celle de la Twentieth Century-Fox, qui fait de Robin Robert Hode, comte de Huntingdon, Saxon ami du baron Daguerre, un Normand [1].

Mais revenons au cinéma, pour reconnaître qu'il a définitivement vampirisé la légende [2]. La première version cinématographique est anglaise et date de 1909, tandis que 1912 et 1913 voient chacun deux versions différentes, une américaine et une anglaise. Mais le premier véritable Robin dont tout le monde se souvient est celui de Douglas Fairbanks, mis en scène par Allan Dwan en 1922 (et sorti en 1992 en vidéo). Il y a plusieurs thèses sur la raison qui poussa Fairbanks à entreprendre un *Robin des Bois*. Celle de son metteur en scène, dans le livre de Peter Bogdanovich [3] *Allan Dwan, the Last Pioneer* [4], est qu'il intéressa Douglas au sujet en installant un tir à l'arc chez lui, car Fairbanks refusait de « jouer un Anglais aux pieds plats marchant dans les bois ». Doug s'amusant beaucoup à tirer ces flèches, Dwan et Bob Fairbanks, son frère,

---

1. D'autres auteurs ont des théories qui recoupent ou contredisent celles que nous venons de passer en revue. Les lecteurs familiers de la langue de Shakespeare pourront se reporter à leurs ouvrages s'ils sont intéressés par cette énigme : Peter Vries, *On the trail of Robin Hood* (« Sur la piste de Robin des Bois »), J.-C. Holt, *Robin Hood*, I. Neilson *Robin Hood, the Truth behind the green Tights* (« Robin des Bois, la vérité derrière les collants verts »).

2. Les lecteurs intéressés se reporteront au livre de David Turner et Malcolm Baker, *Robin of the Movies, the cinematic History of the legendary Outlaw of Sherwood* (« Robin des films, histoire cinématographique du hors-la-loi légendaire de Sherwood »).

3. Metteur en scène plus réputé pour ses excellents livres sur ses géniaux confrères (John Ford, Orson Welles) que pour ses films.

4. Praeger, New York, 1972.

firent venir un expert pour l'entraîner. Fairbanks aurait été si fasciné qu'il décida de faire le film, à condition que Dwan lui propose une histoire qui tienne debout.

Tout autre est la version de Robert Florey, à l'époque chargé des relations publiques de Fairbanks et futur metteur en scène de série B, dans son livre *La Lanterne magique* [1] : « Douglas, m'ont dit ses frères, était hanté depuis l'enfance par le personnage de Robin des Bois. Avec les petits garçons de son âge, il tirait à l'arc et s'était confectionné un pourpoint et un capuchon conformes à l'imagerie courante à propos de son héros. Déjà en 1915, Douglas, débutant avec le monument D. W. Griffith, lui faisait part de son intention de tourner Robin des Bois et Robinson Crusoé. Aussi le 1er janvier 1922 aucun de ses collaborateurs, réunis chez lui pour le traditionnel échange de vœux, ne fut surpris quand il annonça la mise en chantier de *L'Esprit de chevalerie*. C'était le premier titre qu'il se proposait de donner au film. » Qui croire ? Sans doute Florey, plus proche de Douglas et plus jeune que Dwan, à l'époque et au moment des réminiscences.

En revanche il est avéré (les deux descriptions convergent sur ce fait) que Fairbanks acheta un terrain à Santa Monica pour y bâtir les décors du film. Des décors si imposants (ils étaient plus grands et plus larges que la Babylone d'*Intolérance* de D. W. Griffith, ce qui n'est pas peu dire) que Doug s'écria, quand il les vit pour la première fois à son retour de New York, le 9 mars 1922 : « Je ne peux pas me mesurer avec eux. Ce n'est pas moi. Que puis-je faire dans ces immenses décors ? » et qu'il fut prêt à tout annuler. Allan Dwan, en y exécutant lui-même une cascade, le convainquit définitivement qu'il pourrait tirer parti de leur taille. Le film coûta très cher : 1 million de dollars de l'époque, soit environ 250 millions de francs actuels, et rapporta beaucoup plus : 7 millions de dollars 1922, soit environ 300 millions de dollars aujourd'hui. Il avait coûté plus cher qu'*Intolérance* et *Folies de femmes* d'Eric Von Stroheim, mais resta en dessous du record des recettes (jusqu'en 1970 [2])

---

1. Cinémathèque de Lausanne, 1966.
2. Depuis cette date, le décompte des recettes est sujet à polémiques : jusqu'en 1970, elles ne comprenaient que les entrées cinéma. En 1994, elles comprennent des dinosaures en peluche et des dîners sauriens chez Mc Donald's, entre autres, pour *Jurassic Park* !

appartenant à *Naissance d'une nation* (1916) de D. W. Griffith. Cette version fixa dans les esprits jusqu'à celle de 1938 le mythe cinématographique de Robin. Douglas Fairbanks fait de lui à la fois le comte de Hundington, ami du roi Richard Cœur de Lion, et le hors-la-loi Robin en butte aux méfaits du prince Jean.

Ce qui frappe le spectateur dans ce premier film épique, en dehors des différences dans l'histoire par rapport aux versions, ce sont surtout :

– les variations vestimentaires de Fairbanks, en cote de maille et fine moustache pour Hundington, en collant justaucorps (qui restera l'attribut du personnage jusqu'en 1991), chapeau à plume unique et doté d'une barbichette quand il est Robin ;

– les décors monumentaux, proches de la réalité des châteaux forts du XIIe siècle, qui font paraître acteurs et figurants tellement petits que des critiques de l'époque ont pu dire que ces décors étaient le personnage principal du film ;

– l'interprétation que Douglas donne de Robin : adolescent bondissant, gauche, maladroit avec les femmes, qui annonce sous un certain angle ce qu'en fera Kevin Costner ;

– la composition truculente de Wallace Beery, qui fait de Richard un joyeux drille assez fruste et inconscient, le prince Jean joué par Sam De Grasse paraissant en comparaison très adulte et distingué.

Détail amusant : le tournage débuta en juin 1922 et les extérieurs furent tournés à Verdugo-Woodlands Hills, à l'ouest de Cabalassas dans une forêt qui depuis s'appelle forêt de Sherwood, à Santa Monica (la scène du précipice), enfin dans le désert de Lebec (pour les séquences de la croisade) sous une chaleur torride, bien éloignée du froid qui régna sur le tournage du Reynolds-Costner. Autre détail ne manquant pas de sel : le baron de Rothschild, ami de Douglas, fit de la figuration (un truand !) et toucha ses 7,50 dollars par jour (à peu près 1 850 francs d'aujourd'hui).

Le film inaugura le célèbre Egyptian Theatre [1] de Sid Grauman en août 1922 et instaura l'habitude de lancer les grands films

---

1. Cinéma égyptien auquel a succédé le cinéma chinois *(Chinese Grauman)* où ont eu lieu nombre de grandes premières et sur le trottoir duquel les grandes stars ont laissé dans le ciment les empreintes de leurs mains et de leurs pieds.

pendant la période estivale. Curieusement, son formidable succès n'entraîna pas une vague de copies, de suites ou d'imitations – mais nous n'étions qu'au temps du muet. Il n'en sera pas de même pour la version d'Errol Flynn en 1938.

Cette mouture, la plus célèbre, connut un certain nombre de déboires. D'abord, elle ne put s'appuyer sur le film de Fairbanks-Dwan, parce que le matériel historique rassemblé par le Dr Arthur Woods pour le scénario était soumis au versement de droits ; ensuite, le rôle était prévu à l'origine pour James Cagney [1], mais celui-ci étant parti temporairement à la Grand National Pictures, la compagnie Warner Bros le remplaça par Errol Flynn – ce qui paraît tout de même plus logique. Enfin le tournage commença sous la direction de William Keighley [2], pilier de la Warner, avec l'aide du réalisateur B. Reeves Eason pour la seconde équipe. Pendant sept semaines ils tournèrent la majorité des séquences de la forêt de Sherwood. Mais le producteur Henry Blanke, à la demande du producteur exécutif Hal Wallis, trouvant l'approche de Keighley « trop rapide en ce qui concerne le développement de la romance entre Robin et Marian [3] » le fit remplacer par le trop méconnu Michael Curtiz, qui réalisa toutes les séquences d'intérieur et quelques scènes d'extérieur. Du coup, le directeur de la photo Tony Gaudio fut lui aussi remplacé, par Sol Polito.

La Warner Bros s'inspira de Walter Scott *(Ivanhoé)* et de l'opéra du XIXᵉ siècle (1890) de Smith et De Koven, et pour ce faire eut recours à Norman Reilly Raine, puis plus tard au scénariste chevronné Seton I. Miller. Le tournage des extérieurs eut lieu à Chico, à 400 kilomètres au nord de Los Angeles en septembre-octobre 1937, et fut perturbé par des pluies inhabi-

---

1. Casting farfelu s'il en fut, Cagney n'ayant tourné que des brutes irlandaises, généralement des gangsters.

2. William Keighley n'apparaît à aucun titre au générique de 1938, perpétuant hélas une longue tradition hollywoodienne qui met sérieusement à mal la sacro-sainte politique des auteurs chère à de nombreux critiques français, puis européens.

3. Voir entre autres la lettre de Hal Wallis à H. Blanke du 16 mars 1937, rendant compte du tournage mouvementé et du spectre toujours présent de la version 1922, dans l'excellent livre de Rudy Behlmer *Inside Warner Bros* (1935-1951), Viking Press, 1985. D'après lui, la Croisade a été omise pour éviter toute éventuelle comparaison gênante avec la version Fairbanks !

tuelles en cette saison. Quoi qu'il en soit, le film eut autant de succès que celui de 1922 – fort heureusement, car il fut le film le plus cher de la Warner jusqu'en 1940 (coût : 2 millions de dollars de l'époque, plus du double du Dwan-Fairbanks). Le quotidien professionnel *Film Daily* l'élut « Meilleur film de l'année », le *New York Times* le plaça dans les dix meilleurs, après une critique dithyrambique de l'écrivain-scénariste Frank C. Nugent : « Un spectacle richement produit, bravement mené à bien, romantique en diable et plein de couleurs. Il saute témérairement en tête des meilleurs films de cette année et peut assurément réjouir les enfants de huit ans, rajeunir les gens de quatre-vingts ans et charmer ceux d'entre les deux âges. » L'Académie des arts et sciences du cinéma (AMPAS) le nomme entre autres pour l'Oscar du Meilleur film, que remportera finalement *Vous ne l'emporterez pas avec vous* de Frank Capra. Le film glanera néanmoins les Oscars des décors (Carl Jules Weyl), du montage (Ralph Dawson) et de la musique (Erich Wolfgang Korngold [1]).

Robin y est en fait le baron de Locksley, noble saxon révolté par les exactions des Normands, qui se dresse avec son ami Will Scarlett [2] (Patric Knowles, acteur assez terne) et les gueux de la forêt de Sherwood contre Sir Guy de Gisbourne (magnifique composition du remarquable Basil Rathbone) et le shérif de Nottingham (savoureuse interprétation de Melville Cooper, tout en rondeurs au propre et au figuré) à la solde du prince Jean (l'un des plus beaux rôles du superbe Claude Rains). Dans les rôles des gueux, devenus depuis des personnages obligés, Alan Hale (Petit Jean), Eugene Pallette (Frère Tuck), Herbert Mundin (le meunier Much) s'en donnent à cœur joie, avec un plaisir évident qu'il sera presque impossible de surpasser par la suite. Errol Flynn, en collants verts et chapeau à plume, est un Robin des Bois inconscient du danger, truculent et railleur, sûr de lui et de son bon droit, adoptant un jeu assez éloigné de celui de Fairbanks. À côté de lui, Olivia De Havilland fait une excellente Lady Marian : le couple a déjà eu un énorme succès dans deux films de Curtiz (*Les Aven-*

---

1. Dont les biens sont confisqués par les nazis au même moment en Autriche.
2. C'est la première apparition du personnage à l'écran.

tures du capitaine Blood et *La Charge de la Brigade légère*) et défraie la chronique à cause de leur liaison passionnelle.

Le grand succès du film, qui ne se dément toujours pas depuis, va déclencher une avalanche de suites, de remakes et d'imitations dans les années quarante, cinquante et soixante. D'ailleurs la Warner le ressort en 1948, en 1954, avant de le vendre en 1960 à la télévision, où il passe régulièrement tant aux États-Unis qu'en Europe, sans compter la vidéo depuis 1989. N'en déplaise aux injustes détracteurs de la version Reynolds-Costner, zélateurs nostalgiques de celle de 1938, cette dernière est elle aussi pleine de références contemporaines : les Normands représentent de façon parfaitement claire les vilains dictateurs nazis et fascistes que la libre Amérique (Robin et ses gueux) pourfendra un jour.

Le premier avatar filmique est lancé en 1946 par la Columbia : c'est Cornell Wilde (acteur très physique) qui reprend le flambeau, dans tous les sens du terme puisqu'il est *Le Fils de Robin des Bois (Bandit of Sherwood Forest)* sous la houlette de deux metteurs en scène [1], Henry Levin et George Sherman. En 1948, année de la ressortie en salles du Robin de 1938, John Hall (acteur très fade au demeurant) remet les collants verts dans le premier *Prince des voleurs (Prince of Thieves)*, dirigé par Howard Bretherton, toujours pour la Columbia. John Derek, futur mari de Bo, redevient le fils, encore pour la Columbia, dans *La Révolte des Gueux (Rogues of Sherwood Forest)* en 1950, sympathique entreprise de l'artisan Gordon Douglas. En 1951 sort *Tales of Robin Hood* (« Contes de Robin des Bois ») de Robert Clarke [2]. L'année 1952 voit Robin prendre les traits d'Harold Warrender dans le superbe chef-d'œuvre de Richard Thorpe *Ivanhoé* pour la MGM, dont c'est la première incursion sur le terrain. Les Anglais ne veulent pas être en reste mais, suprême ironie, c'est Walt Disney, implanté depuis peu en Angleterre, qui lance dans la bataille en 1953 Richard Todd, sorte de Flynn britannique du pauvre, dans *Robin des Bois et ses Joyeux Compagnons (The Story of Robin Hood and his Merrie Men)* du besogneux Ken Annakin. Todd y affronte l'excellent acteur Peter Finch en shérif de Nottingham, alors que James Robertson Justice est le meilleur Petit Jean depuis Alan Hale (1938).

---

1. Reconnus cette fois, car cités au générique.
2. Ce film produit par Lippert Pictures est toujours inédit en France.

La brève accalmie qui suit est peut-être due à une indigestion du public, ou à l'énorme succès remporté par la nouvelle sortie en 1954 de la version 1938. Quoi qu'il en soit, le maelström repart en 1956 pour les Britanniques, l'Américain Don Taylor sautant dans le justaucorps encore chaud pour Hammer Films [1] dans *Men of Sherwood Forest* (« Les hommes de la forêt de Sherwood »), toujours inédit en France – ce qui n'est peut-être pas plus mal compte tenu du metteur en scène, le peu intéressant Val Guest.

En 1959, oh surprise ! apparaît la fille de Robin des Bois [2] – il ne manquait plus qu'elle – dans *Robin des Bois Don Juan* [3] du très actif mais pas toujours inspiré George Sherman, dont c'est la deuxième œuvre dans le genre. Elle constitue aussi l'arrivée de la Twentieth-Century-Fox sur la planète Robin.

La fin des années cinquante voit la venue tout à fait logique de la télévision. Les Anglais tirent les premiers avec Richard Greene, dans la série ITC/Sapphire *Robin des Bois (The Adventures of Robin Hood* [4]). Se piquant au jeu, Greene reprend le rôle en 1961, tout en devenant co-producteur, dans la quatrième incursion de la Columbia : *Le Serment de Robin des Bois (Sword of Sherwood Forest)* du distingué Terence Fisher [5]. Les premières réalisations italiennes apparaissent au même moment : *La Flèche noire de Robin des Bois* (curieuse traduction de *Capitan Fuoco*, « Capitaine de feu ») du réalisateur Carlo Campogalliani (1959), avec l'ex-Tarzan vieillissant Lex Barker [6] dans le rôle de Robin. Ce choix pour le moins curieux et contestable fut renouvelé deux ans plus tard (1961) par le réalisateur quasi inconnu Giorgio Simonelli dans *Robin des Bois et les Pirates (Robin Hood e i Pirati)*, qui constituait un abâtardissement du genre et de son héros.

Les Anglais continuent à exploiter le filon en 1967 avec *A challenge for Robin Hood* (« Un défi pour Robin »), deuxième

---

1. Célèbre et mythique compagnie de production et distribution anglaise, réputée à juste titre pour ses remarquables films fantastiques et d'horreur, des années 1960-1970, hélas disparue aujourd'hui.
2. L'actrice June Laverick.
3. Quel titre français pour *The Son of Robin Hood,* c'est-à-dire le fils de... !
4. 143 épisodes de 25 minutes de 1955 à 1959, disponibles aujourd'hui en coffret vidéo au Virgin Mégastore.
5. Metteur en scène des chefs-d'œuvre de la Hammer.
6. Qui finissait sa carrière à Rome en la noyant dans l'alcool.

production de la Twentieth Century-Fox dans les Robineries ; ce défi en était un à l'intelligence et au bon goût, compte tenu du ridicule interprète Barrie Ingham et du nullissime réalisateur C. M. Pennington-Richards, et le film ne franchit jamais la Manche, ce dont nous nous félicitons.

Entre-temps, Gordon Douglas avait entrepris une amusante et savoureuse parodie située dans le Chicago des années trente, avec l'aide de Frank Sinatra et de son clan (the Rat Pack, « le clan des rats »), au grand complet (Peter Lawford, Sammy Davis Jr, Joey Bishop, Dean Martin), plus un malicieux Bing Crosby, aîné mais néanmoins rival en chansons du cher Frankie, pour le retour en fanfare de la Warner Bros en 1964 : *Les Sept Voleurs de Chicago (Robin and the Seven Hoods [1])*. Les Anglais terminent les années soixante avec une très mollassonne *Légende de Robin des Bois (Wolfshead, « Tête de loup »)*, dirigée par l'homme à tout faire John Hough.

Les années soixante-dix voient l'arrivée en force des Italiens, décidés à copier tout ce qui est anglo-saxon, du western au cape-et-épée, avec successivement : *Il Magnifico Robin Hood* de l'indigent R. B. Montero, *Robin Hood l'invincible arciere* (« L'archer invincible ») de l'inconnu J. L. Merino en 1970, puis *La Grande Chevauchée de Robin des Bois (L'arciere di fuoco, « L'archer de feu »)* en 1971 avec un très brun Giuliano Gemma et le Teuton Mario Adorf en prince Jean, sous la baguette de Calvin Jackson Padget, pseudonyme de Giorgi Ferroni.

En 1973, la compagnie Walt Disney décide de reprendre du service dans le genre en sortant le premier dessin animé consacré au héros, confié aux mains expertes de Wolfgang Reitherman, nouveau prince des *cartoons* dans la firme, après avoir été longtemps dessinateur-animateur. C'est la première grande réalisation Disney depuis la mort de Walt, survenue en 1966. Robin y apparaît sous les traits d'un malin renard, tandis que le prince Jean est un vieux lion (conseillé par un serpent perfide), Petit Jean un ours fort et bienveillant, Frère Tuck un blaireau rondouillard et mali-

---

1. Jeu de mot sur *hood*, « brigand » en anglais (Robin Hood signifie Robin le Brigand et non « des Bois », confusion d'un traducteur avec *wood*, de prononciation identique) et son acception en américain dans les années trente : « gangster maffieux ».

cieux. Il est clair que la Disney a plagié la version 1938, avec un certain humour et les licences permises par le dessin animé.

Il faut toutefois attendre 1976 et *La Rose et la Flèche (Robin and Marian)* pour redonner au mythe une certaine fraîcheur, si l'on peut dire étant donné le ton du film. Les doigts de fée du plus Britannique des réalisateurs américains, Richard Lester, nous concoctent un pur joyau. Nous sommes en 1199, Richard Cœur de Lion se fait stupidement tuer d'une flèche [1] en assiégeant le château de Chalus en Aquitaine [2], défendu par des vieillards. Écœuré, las, Robin rentre en Angleterre où il retrouve, aussi âgés et fatigués que lui, ses vieux compagnons Petit Jean et Frère Tuck, ainsi que Lady Marian devenue nonne. Robin réengage les hostilités avec son vieil (dans tous les sens du terme) ennemi, le shérif de Nottingham. Ils y perdront tous deux la vie après un dernier duel d'une grande dignité. Lester relance le mythe en y introduisant avec malice l'usure du temps, le désenchantement et la lassitude. Il s'aide pour cela de remarquables acteurs, presque tous britanniques : Richard Harris en Richard, Sean Connery, génial Robin, Nicol Williamson, étonnant Petit Jean, et un fabuleux Robert Shaw en shérif de Nottingham, l'un de ses derniers rôles avant sa mort prématurée. Ajoutons-y une Audrey Hepburn tout à fait inattendue et surprenante en lady Marian, et nous avons à cette date le meilleur Robin depuis 1938.

Il ne restera plus aux Italiens qu'à y ajouter le karaté (mais oui !), en 1980, avec *Robin flèche et karaté (Robin Hood, frecce, fagioli [3] e karate)* de l'inénarrable Tonino Ricci, avec le bovin Alan Steel et une débutante, Victoria Abril, en attente d'Almodovar. Quant aux Anglais, ils lanceront de 1984 à 1986 une série télévisuelle de vingt-six épisodes [4], *Robin of Sherwood*, avec les jeunots Michael Praed et (seulement en 1986) Jason Connery, le fils de Sean, interprétant un Robin adolescent à peine pubère, ainsi que la juvénilissime Judi Trott en Maid Marian. Seuls les

---

1. L'événement est historique : le Cœur de Lion mourut bien en faisant le siège du château de Salus (pour les Anglais) ou Chalus (pour les Français), mais Robin y était-il ? Dieu seul le sait.
2. Dans le Limousin aujourd'hui.
3. Les fayots ont curieusement disparu dans le titre français.
4. Deux de 100 et vingt-quatre de 50 minutes. Elle ne sauvera pas la société anglaise de production, la Goldcrest, de la déroute.

adolescents se laisseront captiver par ce nouveau style, très années « hard rock ».

La boucle est bouclée : nous voici le 3 septembre 1990 au pied des falaises anglaises avec un Kevin Costner, épuisé par le tournage de *Danse avec les loups* qu'il vient de terminer trois jours plus tôt, plongeant dans l'eau glacée d'une Manche agitée par une forte tempête. La scène tournée est celle de l'arrivée en Angleterre de Robin et de son fidèle Azim le Maure. Ce dernier a sauvé Robin de la geôle de Jérusalem, et Robin l'a fait évader des prisons de Saladin. Kevin doit plonger plusieurs fois dans l'eau glacée. Morgan Freeman, l'acteur noir qui joue Azim, déclarera dans l'article *A star is torn* (« Une vedette est déchirée », jeu de mots sur le titre du film de George Cukor *A star is born*) du magazine *Première* américain de juin 1991 qu'« (il croyait) qu'il allait mourir de froid tant il tremblait, et pourtant il recommençait la scène ».

Tout le tournage en Angleterre, qui va durer cent jours (une semaine de plus que prévu), se passe sous de mauvais auspices, conséquence de la précipitation provoquée par la course avec la Twentieth Century-Fox. Les intérieurs sont filmés sans encombre aux studios Shepperton. Les extérieurs sont tournés dans la région de Salisbury (pour la cathédrale et le château de Locksley), dans la New Forest (pour la forêt de Sherwood), dans le Northumberland (pour le domaine de Marian), dans le Buckin-ghamshire (la bataille avec les Celtes) et aux Aysgarth Falls dans le nord du Yorkshire, ainsi qu'une séquence dans la vieille ville de Carcassonne, première incursion de Costner sur le territoire français. Le mauvais temps est le plus souvent de la partie, d'où le retard, sans compter les aléas d'une production en costumes lancée à la hâte.

Contrairement aux nombreuses insinuations, principalement lancées par un article dans la chronique *Buzz* (« Rumeurs ») du quotidien professionnel *Variety* et par des remarques de la critique Pauline Kaël, il ne semble pas que la querelle ayant brouillé quelque temps les deux Kevin, Costner et Reynolds, se soit située pendant ce tournage mouvementé. Il est curieux que les mêmes critiques qui crièrent à l'interventionnisme de Costner, et décrivirent avec délectation comment « Costner s'empara de la caméra et se mit à diriger » ou comment « les deux Kevin regardaient ensemble les scènes tournées au moniteur vidéo », ne firent pas les mêmes remarques quand Reynolds se saisit de la caméra lors du tournage de la chasse aux bisons de *Danse avec les loups*. Kaël, toujours elle, s'imaginera même faire une suprême injure à Costner, qui dut la trouver bien douce à entendre, quoique excessive, en le traitant de « nouvel Orson Welles ». Entre amis de longue date, de telles « interventions » semblent tout à fait naturelles. Quoi qu'il en soit, les scènes de la forêt de Sherwood durent être avancées dans le planning, en prévision de la chute des feuilles, et elles furent tournées par Kevin Costner.

Autre déboire d'importance, le rôle de Maid Marian dut être réattribué en toute hâte, car la blonde actrice Robin Wright, parfaite pour un personnage de Saxonne, tomba très inopinément enceinte. Kevin l'avait personnellement sélectionnée à la suite d'une conversation à bâtons rompus. L'actrice, habituée à passer des auditions pour obtenir un rôle, avait été heureusement surprise par cette étonnante façon de recruter les actrices. Coup de chance, Mary Elizabeth Mastrantonio put la remplacer au pied levé – mais elle est aussi brune que l'autre est blonde, d'ascendance aussi italienne que l'autre est irlandaise. Au dernier moment, sur un coup de tête de James G. Robinson, patron de la Morgan Creek, Sean Connery [1] fut engagé pour le rôle de Richard Cœur de Lion, une demi-journée de tournage pour deux minutes à l'écran, un clin d'œil (Sean avait joué Robin dans le Lester) qui coûta la bagatelle d'un demi-million de dollars, soit près de 3 millions de francs. Allez comprendre pourquoi le même Robinson s'en prit à Kevin Reynolds pour moins que ça, et vous aurez une idée du roman fleuve que le comportement mégalomaniaque de nombreux dirigeants d'Hollywood pourrait inspirer. Tout cela ajouté entre autres au salaire de Costner, fixé à 7,5 millions de dollars par Robinson lui-même, fit rapidement monter le budget du film, de 30 au départ à 57 millions de dollars à la fin – une raison non négligeable pour accroître les tensions sur place.

Comme d'habitude, la famille Costner assista au tournage, mais cette fois-ci les parents de Kevin ne vinrent pas. En novembre 1990, sa femme Cindy et ses trois enfants arrivèrent à Londres et le rejoignirent. Cindy fut bouleversée une fois de plus par les cascades que faisait son mari, ici dans l'eau glacée des

---

1. Il accepta par amitié pour Kevin Costner. Son cachet fut intégralement versé à des œuvres charitables.

Aysgarth Falls, lors de son duel au gourdin avec Petit Jean. Kevin avoua qu'« il avait vraiment la trouille de retourner dans l'eau et qu'il ne put dormir toute une nuit ». À ceux qui croiraient que Kevin est un poltron, rappelons que les chutes entraînent l'eau à 110 km/h et la maintiennent à 8 °C ! Et la plaisanterie dura quatre jours. Kevin accomplit d'autres exploits : courir sur le dos de quatre chevaux afin de sauter et d'en enfourcher un cinquième, décocher des flèches à une cadence rapide et à grande distance, sauter sur un cheval au galop, etc. Il faut dire que la seule préparation qu'il avait pu faire correctement [1] avait été l'entraînement physique avec le cascadeur Paul Weston [2] et le maniement des armes avec Terry Walsh.

Morgan Freeman qui joue Azim fit lui-même taire les rumeurs de mégalomanie et de paranoïa en déclarant : « Kevin est quelqu'un qui donne ; il est authentique, présent, honnête, disponible. Si vous travaillez avec un acteur, vous ne voulez pas entendre "Juste une petite seconde" quand vous avez envie de lui parler. Vous obtenez toujours l'attention immédiate de Kevin. Il n'y a pas avec lui d'intermédiaire entre un seigneur et maître et des esclaves. C'est quelqu'un qui a pris son succès avec philosophie et distance. On ne peut pas en dire autant de la plupart des vedettes d'Hollywood. » Dans la bouche d'un des acteurs noirs les plus militants d'aujourd'hui, le compliment est élogieux. En outre, la silhouette du petit Joe, le fils de Kevin, hantait souvent le plateau, et on imagine mal un acteur aussi soucieux de sa vie familiale avoir une attitude odieuse en présence de son plus jeune enfant.

En fait la rupture entre les deux Kevin a lieu après leur retour en Amérique, à cause du montage. Le responsable de cette brouille n'est autre que James G. Robinson (*Robin des Bois* sera le fleuron de sa filmographie, très déclinante depuis). Celui-ci, affolé par des coûts grimpant à une allure vertigineuse, se met à intervenir dans le montage, suivant l'exemple de nombreux producteurs – dont il raillait lui-même le comportement stupide –

---

1. Il n'avait pas réussi à obtenir du temps et un professeur pour apprendre l'accent anglais de l'époque.

2. Vieux routier hollywoodien, il supervisa les cascades des deux derniers James Bond entre autres.

depuis l'aube d'Hollywood. Les coûts ont d'ailleurs été alourdis par ses propres initiatives. D'abord la création de la filiale Morgan Creek Records pour distribuer la bande originale du film, pour laquelle il a engagé Michael Kamen pour la partie instrumentale et Bryan Adams (son premier disque depuis cinq ans) pour la chanson-titre. Ensuite la réalisation de publicités complètement différentes selon qu'elles s'adressent aux femmes (l'élément romanesque), aux adolescents (l'élément action et mysticisme) et aux adultes (l'élément réalisme, écologie et remise en question du héros).

Robinson a voulu faire signer à Costner un document stipulant que Reynolds pouvait être viré si le tournage dépassait d'1 % le budget prévu, mais Costner a brutalement refusé, entraînant une détérioration de la situation. À la fin des seize semaines de tournage, en janvier 1991, Robinson dit à Reynolds qu'il veut un responsable de la Morgan Creek à demeure dans la salle de montage. Reynolds rétorque que la Directors Guild lui donne le droit de monter seul pendant dix semaines. Son montage initial reçoit un impressionnant 86 % d'approbations lors du premier test public (preview). Mais le lendemain, Robinson, rendu furieux par la scène de la mort du shérif de Nottingham, s'emporte : « (Elle) était si longue que c'en était presque comique. Je ne pense pas qu'il soit nécessaire de voir un couteau plonger seize fois dans les tripes de quelqu'un : s'il doit être tué, qu'il le soit rapidement, pour que l'histoire avance vite. » Il annonce à Reynolds qu'il lui retire le montage. Il faut dire que sur les 57 millions de dollars dépensés, il en avait sorti 30 de sa propre poche : cela rend nerveux... Il fait interdire la salle de montage à Reynolds, lequel riposte par une réunion avec les responsables de la Warner Bros (financiers d'une partie du film) et de la Morgan Creek. Costner, qui veut certains changements, reste en dehors de cette querelle. Le compromis qui en sort fait monter la tension : Reynolds réalisera la moitié des coupures exigées par Robinson, sous le strict contrôle des responsables financiers. Après ces quelques semaines de nouveau montage, la Warner organise une seconde preview : 92 % du public adore. Le lendemain, Robinson et Reynolds ont une sérieuse algarade, et Reynolds est définitivement évincé. Le surlendemain, c'est le monteur Peter Boyle qui ne peut entrer dans la salle de travail, car la serrure en a été encore une fois changée, tandis que Reynolds s'envole de nouveau pour l'Angleterre superviser le doublage du dialogue. Morgan Creek effectue le montage définitif selon les vœux de Robinson. Kevin Reynolds alors n'apprécie pas le fait que son ami Costner n'intervienne pas pour qu'on le laisse monter son film comme il l'entend.

Costner se défend par deux affirmations :

« Les risques que je prends dans cette affaire sont personnels et non professionnels. Professionnellement, j'aurai toujours la possibilité de poursuivre ma carrière et de faire un autre film. Personnellement, je ne veux pas faire un mauvais film. Professionnellement, cela pourra éventuellement être oublié. Personnellement, je ne l'oublierai jamais. Je prends les choses très à cœur. »

« Je crois beaucoup en Kevin (Reynolds). Il sera l'un de nos meilleurs réalisateurs américains. Mais la confiance est quelque chose d'étrange. Elle peut en arriver au point où chacun s'imagine que le metteur en scène n'a pas besoin d'aide – "Oh ! il arrivera à sortir le lapin du chapeau" – ce qui est une situation très dure à assumer. Sur *Danse avec les loups*, j'étais vraiment très seul. »

Les déclarations des deux amis, rapprochées des dires de leur entourage, amènent à penser que le conflit entre eux (à part l'intervention de tous ceux qui leur voulaient « du bien ») vient du fait que Reynolds ne souhaitait pas être aidé et désirait qu'on le laisse seul [1], alors que Costner, n'appréciant pas, quant à lui, d'être délaissé, crut bon d'aider son ami « malgré lui et contre sa volonté », pour lui éviter la solitude désespérée du créateur. Kevin lui-même avait souffert de cet isolement sur *Danse avec les loups* et avait du mal à s'en remettre.

En septembre 1994 les deux Kevin sont définitivement réconciliés puisque Reynolds a réalisé sur l'île de Pâques *Rapa Nui* [2], produit par Costner et sa compagnie Tig Productions, et qu'ils tournent ensemble *Waterworld*, toujours pour TIG. La prédiction de *Variety* en novembre 1990 est ainsi formellement démentie : « N'attendez pas que (la paire) retravaille ensemble à nouveau

1. Notre théorie est confirmée par un entretien avec Reynolds paru dans le *Première* américain de février 1994, où il dit avoir beaucoup apprécié que Costner le laisse totalement seul sur l'île de Pâques pendant le tournage de *Rapa Nui*. Kevin n'y vint qu'une fois.

2. Costner proposa même à Reynolds de réaliser *Bodyguard*, mais ce dernier refusa, préférant faire *Rapa Nui*.

après les nombreux désagréments sur *Robin des Bois*. Ils ont eu, paraît-il, une "expérience créative déplaisante". »

Malgré tous les problèmes de montage et de tournage, le film est un grand succès. Il rapporte tout compris 320 millions de dollars pour un coût total, y compris la publicité, le marketing et le merchandising, de 90 millions. C'est un des succès commerciaux de 1991 : il est deuxième pour les recettes et onzième pour les bénéfices engrangés, ce qui permet à la Warner Bros d'être la première société en parts de marché, *ex æquo* avec Disney. À un moment, *Robin des Bois* se joue dans plus de 4 500 cinémas aux États-Unis et au Canada et plus de 2 000 dans le reste du monde, d'où d'importants frais de tirage de copies. La chanson de Bryan Adams, *Everything I do (I do it for you)* est première au Top 10, aux États-Unis et en Europe, dont la France, pendant plusieurs semaines. Elle se vend à cinq millions d'exemplaires, record jamais atteint pour la chanson-titre d'un film [1]. La bande originale est également au Top 10, et la vidéo de la chanson contribue à faire se précipiter les gens vers le film. Costner retiendra la leçon. Les opérations de « merchandising [2] » (un repas offert après le film dans la chaîne « Taco Bell ») et de marketing (jeu Nintendo, deux novelisations, des sacs de couchage, des panoplies, des chopes, des T-shirts, etc.) engendrent de confortables recettes subsidiaires. Tout cela n'a pas grand-chose à voir avec le film, mais permet d'amortir plus vite son coût. Pour la première fois, Warner Bros dépasse en Amérique du Nord la sacro-sainte limite des 5 dollars la place [3] pendant l'exclusivité.

La version de la Fox, qui se tournait pendant toutes ces péripéties, est sortie la première, grâce à un subterfuge. Roth l'a fait programmer sur le quatrième réseau de télévision, celui de la Fox, possédé également par le magnat Rupert Murdoch [4], une semaine avant la sortie en salles du Reynolds-Costner. Elle est sortie mondialement dans les cinémas au même moment, mais n'a eu – injustement – aucun succès, peut-être à cause de la trop grande liberté qu'elle prenait sur la légende, et du manque de panache de

---

1. Il sera battu par celle d'un certain *Bodyguard : I will always love you*.
2. Techniques favorisant l'achat sur le lieu de vente.
3. Soit 29 francs, ce qui est loin des 45 francs pratiqués à Paris.
4. Propriétaire du groupe News Corporation, qui possède la Fox.

Patrick Bergin dans le rôle de Robin. Elle est l'un des meilleurs films de son réalisateur, le pâlot John Irvin.

La version de Costner est différente des autres : elle débute en 1194 à Jérusalem, dans les geôles de Saladin, en pleine troisième croisade. Robin de Locksley réussit son évasion avec l'aide d'un musulman, Azim, alors que son ami Peter se sacrifie en couvrant leur fuite. Robin et Azim retournent en Angleterre, où le héros découvre que son père a été exproprié et assassiné par le shérif de Nottingham (Alan Rickman). La sœur de Peter, Maid Marian, se révèle être un garçon manqué qui se méfie de Robin. Poursuivis par Guy de Gisbourne, âme damnée du shérif, Robin et Azim font la connaissance des *Merry Men* « Joyeux Lurons » et se joignent à eux. Leurs hauts faits exaspèrent le shérif, qui tue Gisbourne à cause de ses échecs répétés face à Robin. Conseillé par sa marâtre Morantia, une sorcière, le shérif fait enlever Marian et attaquer la forêt par les « barbares celtes [1] ». La plupart des Merry Men sont faits prisonniers et condamnés à être pendus, alors que le mariage du shérif et de Marian doit être célébré. Robin, Azim, Will Scarlett (Christian Slater) et Frère Tuck soulèvent le peuple et empêchent la pendaison, le mariage et le viol de Marian par le shérif. Robin tue le shérif. Frère Tuck célèbre le mariage de Robin et Marian dans la forêt, mais il est interrompu par l'arrivée du roi Richard Cœur de Lion (Sean Connery), qui devient le témoin du comte de Locksley.

L'approche est originale par rapport aux versions précédentes :

– le prince Jean a complètement disparu, et le roi pratiquement ;

– la sorcellerie apparaît, ce qui semble normal pour le XIIᵉ siècle, et chose plus étonnante une critique sévère de l'Église catholique, toujours à la traîne du pouvoir politique ;

– Will Scarlett est plus fouillé psychologiquement : d'abord farouchement opposé à Robin au sein des Merry Men (d'habitude c'est un noble, ami de Robin), il révèle qu'il est son demi-frère quand il est sûr que celui-ci ne triche pas dans sa défense des opprimés ;

– Maid Marian est un personnage à part entière, comme elle l'était dans *La Rose et la Flèche*, reflet sans doute de la libération

---

1. Ce n'est pas nous qui le disons, mais le film !

de la femme dans la société, mais fortement anachronique pour le XIIᵉ siècle ;

– le personnage d'Azim est une trouvaille intéressante, qui décale sérieusement l'eurocentrisme des versions précédentes et ajoute une touche d'humour très bien venue ;

– Robin est beaucoup plus complexe qu'auparavant : marqué par la croisade, il n'est plus le gai luron insouciant d'Errol Flynn, mais il est toujours aussi gauche avec les femmes que Douglas Fairbanks ;

– les personnages de Petit Jean et de Frère Tuck sont beaucoup plus anecdotiques qu'auparavant ;

– le shérif devient aussi important que Robin, et l'extraordinaire interprétation d'Alan Rickman [1] n'est pas pour rien dans le succès du film.

Curieusement, cette originalité gêne la critique dans son ensemble. Rien d'étonnant en France, où la version de 1938 fut accueillie à l'époque comme un honnête divertissement, alors qu'elle est aujourd'hui célébrée, pour y opposer défavorablement le Costner. Aux États-Unis, en dehors de Pauline Kaël et Stanley Kaufmann, éternels et systématiques adversaires de Kevin, Richard Corliss dans l'hebdomadaire *Time* regrette que le film soit « une métaphore sur le Viêt-nam » et que Robin « puisse être un ancêtre des guerriers anxieux des films d'Oliver Stone [2], et les Joyeux Compères une section [3] à peine plus entraînante », que « les acteurs vedettes du film ressemblent à des touristes perdus dans la forêt de Sherwood », que Costner manque d'« exubérance émotionnelle » et que « son jeu manque de passion ».

Le jugement est sévère, mais reflète l'ensemble de la critique européenne, manifestement surprise. La palme de l'injustice revient à John Powers, dans la revue cinéphile anglaise *Sight and Sound*, autrefois mieux inspirée, qui estime que : « À la fois *Robin des Bois* et *Danse avec les loups* préservent les formules simples du cinéma de l'ère Reagan (individualisme triomphant, distinction sans erreur possible entre le bien et le mal, manipulation en force

---

1. Déjà superbe en abominable terroriste dans *Piège de cristal*.
2. Remarquable prémonition, puisque Kevin devait ensuite tourner *JFK* avec Oliver Stone.
3. *Platoon* en américain, donc un jeu de mots sur le titre du film Stone.

du sentiment, qui permet une seule réponse), encore qu'ils les investissent de notions progressistes très à la mode (bonne santé écologique, célébration des Américains indigènes sacrifiés, vol des riches pour donner aux pauvres, notions New Age de croissance personnelle). Quoique je reste sceptique sur la sincérité de Costner (il fait en privé des donations aux campagnes de politiciens d'extrême droite), je dois concéder que ses films cadrent parfaitement avec les années Bush. » Nous voyons par ce papier s'exprimer une critique « gauchiste », se préoccupant plus de politique que du film dont elle doit rendre compte.

La critique française, sans aller jusqu'à de telles extrémités – y compris dans *Les Cahiers du cinéma* – boude le film. Des reproches justifiés (le mauvais accent anglais de Kevin, le physique très latin de Mary Elizabeth Mastrantonio) y côtoient des remarques injustes révélant l'incompréhension de l'approche (le garde du corps berbère Azim « pour faire moderne », Costner « ne semble pas avoir eu le temps de se glisser dans les chausses du célèbre justicier écologiste », « Marian passe de l'état de garçon manqué à celui de ravissante idiote dès qu'on la touche », etc.). Finalement la critique la moins sectaire est celle de Laurent Bachet dans le *Première* français d'août 1991, qui reconnaît : « Non seulement il ne s'agit pas d'un remake speedé de la version Curtiz/Flynn, mais on en arrive même à l'oublier, emporté par une mise en scène qui s'ajuste enfin à son ambition. »

Une fois de plus le divorce entre critique et public est consommé. Le film sort à la fin juin 1991 aux États-Unis, en pleine période estivale, et devient la deuxième recette de l'année derrière *Terminator 2*, un bel exploit. En tout cas, il rapporte tellement à la Morgan Creek que James G. Robinson pourra avec ses gains se lancer dans une suite presque ininterrompue de navets calamiteux qui ne lui rapporteront rien. Un procès opposera Robinson à tous ceux qui avaient un intérêt dans le film – dont Joe Roth d'ailleurs, ce qui ne manque pas de sel. Robinson aura en effet le culot de prétendre qu'avec 320 millions de dollars de recettes [1], le film est toujours... en déficit ! Cela en dit long sur les méthodes grâce auxquelles il a dû faire fortune.

En France, le film est la deuxième recette de 1991 et permet à

---

1. Dont 166 millions pour les seules entrées cinéma.

Kevin Costner d'établir un record qui sera très difficile à battre : il est le premier acteur à avoir deux films la même année dans les cinq premières recettes en France ; aucun Français n'y est jamais parvenu, et *a fortiori* aucun étranger. En effet, *Danse avec les loups* est très loin en tête avec *Robin des Bois*, troisième au palmarès des meilleures entrées, avec respectivement 8 millions et 5 millions d'entrées. En Grande-Bretagne, le film est la première recette de l'année. Le public n'a donc pas suivi la critique.

Il faut dire qu'opposer la version de 1991 à celle de 1938 était ridicule ; elles sont différentes, mais tout aussi réussies l'une que l'autre. Pourquoi reprocher au Robin/Costner de ne pas refléter l'esprit du XIIᵉ siècle, quand le Robin/Flynn en était encore plus éloigné ? Si cette version est imprégnée de l'ambiance post-Viêt-nam, l'approche 1938, comme nous l'avons dit, décrivait l'irritation et les fanfaronnades d'un Américain face à la montée des dictatures totalitaires en Europe, les Normands étant de parfaits clones d'Hitler, Mussolini et Staline vus d'Amérique. La seule version qui s'approcherait le plus de l'esprit du XIIᵉ siècle serait celle de Dwan/Fairbanks – quoique l'introduction de la sorcellerie, dans la version 1991, paraisse très proche de la réalité de 1194. Critiquer la version Costner en lui reprochant de ne pas respecter l'esprit médiéval est donc totalement injustifié, autant que dire du Robin/Flynn qu'il est plus proche du personnage de départ que le Robin/Costner.

Le mot de la fin revient sans doute à Kevin : « Quand vous regardez le film avec Errol Flynn, cela n'arrête pas de bouger. Les épées semblent aller de plus en plus vite, les combats se succèdent, mais le spectateur ne ressent jamais aucun danger. Tout paraît factice. Dans notre version, quand les gens meurent il y a des larmes, quand les gens sont menacés il y a la peur. Nous n'avons pas voulu faire un film clinquant, brillant comme celui de 1938, d'autant qu'Errol Flynn était plus bondissant que je ne le serai jamais. De plus, le Robin des Bois tel que je l'ai joué se sent responsable de toutes ces morts. Il n'est pas le même avant et après une bataille. » Ainsi la critique, justifiée, au sujet de la fatigue de Costner visible à l'écran tombe à l'eau : cette fatigue rend encore plus crédible le Robin que joue Kevin.

Personne ne sait qui fut vraiment Robin des Bois ; il paraît donc difficile de dire quel acteur est conforme au personnage. Nous avons affaire ici à la force mythologique du cinéma, capable de faire entrer dans l'esprit des gens la représentation concrète d'une figure légendaire inconnue de tous. Certains critiques ont pu se gausser des anachronismes nombreux : l'imprimerie, inventée en 1440, le télescope en 1671, la poudre ramenée de Chine par Marco Polo en 1271, etc., alors que l'action se passe en 1194. Ce genre de mauvais procès ignore la licence poétique que les artistes peuvent se permettre pour distraire les foules.

En outre, la critique déteste, à juste titre, qu'un metteur en scène ait été empêché de faire son travail. Les rumeurs de mésentente sur le tournage, l'exclusion du réalisateur Kevin Reynolds de son montage ont suffi pour que le film soit sabré. Mais alors, que n'a-t-on souligné les mésaventures bien plus graves de la version 1938 ? William Keighley, le metteur en scène, fut écarté au milieu du tournage, remplacé et pas même mentionné au générique. Il y a bien là deux poids deux mesures, ce qui prouve hélas la duplicité de certains critiques. Descendre un film en flammes sous de tels prétextes paraît déplacé. Il vaut mieux juger sereinement : si la version de 1938 est très hollywoodienne dans sa splendeur, celle de 1991 est beaucoup plus réaliste –, ce qui ne veut pas dire moins anachronique.

L'introduction du Maure et d'un shérif de Nottingham adepte de la sorcellerie donne une impression de réalisme, de même que les décors naturels où se situe la légende. Le jeu désenchanté de Kevin, introduisant une fêlure dans son personnage, due à la croisade [1], ne fait qu'accentuer cette impression. Les faits d'armes eux aussi paraissent plus à la portée d'un homme et de sa poignée de compagnons que ceux d'un Flynn, virant à la bande dessinée. Si la comparaison avec Flynn s'imposait d'emblée, elle se solde par un agréable match nul.

Kevin avait d'ailleurs déclaré : « Nous n'allons pas nous moquer de la légende de Robin des Bois, mais nous jouerons parfois avec elle. Nous avons ajouté une ou deux choses. Par exemple, Robin est allé à la croisade, a été capturé et emprisonné cinq ans. Ce n'est donc pas le gueux insouciant qu'était Errol Flynn. » Le gag qui consista à apporter les fameux collants verts à Costner tourna court, puisqu'il refusa de les porter, alors qu'il

---

1. Une guerre qui, pour l'époque, ressemble par plus d'un trait à celle du Viêt-nam pour la nôtre – mais il n'appartient pas à ce livre de le démontrer.

DANSE
AVEC LES LOUPS

À la remise des
Oscars.

Sur le tournage
du film.

Avec sa femme Cindy à la soirée de remise des Oscars, arrivée sous les applaudissements.

MÊME LES INDIENS M'AIMENT

Sur les marches du Capitole de Washington, où les Sioux de la réserve de Rosebud l'ont nommé membre d'honneur.

CHAMPION DES OPPRIMÉS

Dans *Robin des bois, prince des voleurs*.

ET DE LA VÉRITÉ

En procureur
Jim Garrison *(JFK)*.

QUI A DIT

QUE JE NE PEUX PAS ÊTRE MÉCHANT ?

Le criminel évadé Butch Haines (*Un monde parfait*).

Avec Kevin Reynolds sur l'île de Pâques pendant
le tournage de *Rapa Nui.*

DES AMITIÉS INOXYDABLES

Avec Clint Eastwood sur le tournage d'*Un monde parfait.*

Wyatt Earp en famille.

L'HOMME DE L'OUEST RETROUVÉ

En route pour OK Corral.

avait « les jambes » pour y être à l'aise. Contrairement à son inquiétude face à Robert Stack/Elliot Ness pour *Les Incorruptibles,* il n'a jamais craint une comparaison défavorable avec Flynn/Robin, disant tout de go : « J'admire Errol Flynn d'être aussi bon dans un film aussi bébête. »

Le jeu de Kevin s'est considérablement enrichi depuis le jeunot bondissant de *Silverado*, assez proche de Robin/Fairbanks de 1922. Ici, plus encore qu'en lieutenant Dunbar, il approfondit une gamme d'émotions qu'il ne possédait pas avant, et qui apparurent chez Gary Cooper vers la fin de sa vie. Une certaine timidité, pour ne pas dire raideur gauche, encore perceptible dans *Revenge*, a définitivement disparu. À trente-six ans, il est un acteur comblé et très riche : il est en tête du box-office pour 1991 (devant ses éternels rivaux [1]) et parmi les vingt acteurs au monde qui peuvent demander plus de 5 millions de dollars par film (soit près de 30 millions de francs). Son pourcentage sur les recettes de *Danse avec les loups* lui a rapporté une fortune (50 millions de dollars) que même les acteurs mieux payés que lui (par exemple Schwarzenegger et Mel Gibson) ne possèdent pas.

Au même âge, Henry Fonda joue dans des comédies assez mièvres, excepté l'excellente *Lady Eve* du brillant Preston Sturges, tandis que James Stewart, son ancien condisciple à Falmouth College et co-locataire à Greenwich Village [2], effectue vingt missions de bombardement sur l'Allemagne nazie. Toujours à trente-six ans, Gary Cooper est devenu une grande vedette, et il apparaît dans cinq films dont trois capitaux pour sa carrière : le superbe *Buffalo Bill* de Cecil B. De Mille, le très renommé à l'époque mais bien démodé depuis *Les Aventures de Marco Polo*, du fort moyen Archie Mayo, enfin sa troisième comédie pour le génial Ernst Lubitsch, la délicieuse et succulente *Huitième Femme de Barbe-Bleue*. John Wayne, lui, commence seulement à tenir la vedette dans de petits films de série B, surtout des westerns. Pour Paul Newman, son ascension se poursuit avec *L'Arnaqueur (The Hustler)*, superbe film sur le billard du grand mais peu prolifique

---

1. Il vient d'égaler le record d'Harrison Ford : jouer dans deux films de suite dépassant la barre des cent millions de recettes.

2. Pour partager les frais, James et Henry habitèrent le même appartement pendant quelques années à New York.

Robert Rossen, et le légèrement raté *Paris Blues*, de l'inégal Martin Ritt. Robert Redford fait sa meilleure année depuis 1969 avec deux films mémorables : *Nos plus belles années (The Way we were)* de son metteur en scène fétiche Sidney Pollack, et son deuxième partenariat avec Paul Newman, l'excellente *Arnaque (The Sting),* leur second phénoménal succès avec leur réalisateur porte-bonheur George Roy Hill. Toujours au même âge enfin, l'un des acteurs favoris de Kevin, Steve Mac Queen, est au sommet de sa carrière avec un western crépusculaire, *Nevada Smith,* du vétéran Henry Hathaway, et l'un de ses rôles les plus riches dans la révisionniste *Canonnière du Yang-Tsê (The Sand Pebbles*, « Les grains de sable ») du méconnu Robert Wise. C'est d'ailleurs cet engouement immodéré autant que persistant pour Mac Queen qui conduira Costner à faire son premier faux pas important.

En 1991, Kevin est un acteur comblé par le public, même s'il reste controversé pour une certaine critique. Bien plus important, il est apprécié des décideurs d'Hollywood parce qu'il attire le public des deux sexes. Dans son numéro du 26 août 1991, l'hebdomadaire *Time*, dans son article « Les vedettes en donnent-elles pour leur argent ? » sous la plume de la journaliste Martha Smilgis écrit : « Kevin Costner est une grande vedette. Il danse avec les loups, engrange les rêves, il joue Robin des Bois avec un accent californien et des files d'attente se forment devant les cinémas du coin qui sont plus longues que celles devant les supermarchés des pays de l'Est. Qualité de star : les gens le regardent sur le grand écran. Pouvoir de star : dix millions de gens (aux États-Unis) paieront ce privilège. Et continueront de payer. (...) Mais même Costner peut subir une éclipse totale. L'année dernière, Columbia Pictures l'envoya au Mexique, lui donna une jolie femme et une passion à enfourcher et appela le film *Revenge* (« Vengeance »). Pour Columbia, la seule vengeance fut celle de Montezuma [1] : le film s'effondra. Il plafonna à 15 millons de dollars de recette, soit dix fois moins que la sortie aux États-Unis de *Danse avec les loups* ou de *Robin des Bois prince des voleurs*. Ce qui confirme

---

1. Allusion à la « courante aztèque » appelée communément aux États-Unis la « vengeance de Montezuma » et dans les milieux cosmopolites la turista !

les deux règles d'or qui régissent la gloire et la peur à Hollywood :

« 1) il existe vraiment une chose qui s'appelle *star power* ;

« 2) il n'y a jamais de *star power* garanti.

« L'offre de films américains de cet été confirme ces deux truismes. Les deux succès colossaux (*megahits*) viennent des deux plus grandes stars : le *Robin des Bois* de Costner (140 millions de dollars jusqu'ici [1]) et le *Terminator 2* d'Arnold Schwarzenegger (160 millions). Mais le plus gros four de la saison est *Le Choix d'aimer (Dying young*, un malheureux 32 millions de dollars) de l'ancienne "Mademoiselle-ne-peut-rien-rater" Julia Roberts. »

Kevin peut donc être fier : il a réussi à trente-six ans ce que les acteurs légendaires, dont il est le digne successeur, n'ont pas encore tous obtenu au même âge. En tout cas, personne de sa génération ne l'a atteint. Il est une vedette adulée du public mondial, indépendante (il a sa propre société de production) et riche (il a gagné en 1991 60 millions de dollars soit 350 millions de francs). Les agents et les producteurs se l'arrachent, il choisit ses metteurs en scène, et il peut mettre lui-même en scène avec succès. Kevin obtient cela à une époque où les anti-héros ont encore de beaux restes (voir Mickey Rourke et Jack Nicholson entre autres), et où les héros ont tendance à n'être que des rois de la gonflette sans cervelle (cf. Stallone, Schwarzenegger, et le petit dernier Jean-Claude Van Damme). Il va alors se faire un petit plaisir, en acceptant pour la première fois de jouer pour un metteur en scène reconnu et récompensé aux oscars (deux fois), même s'il reste controversé : Oliver Stone. Kevin, une fois de plus, se lance dans un projet courageux, qui entraînera à coup sûr polémiques, controverses et rumeurs, surtout aux États-Unis : *JFK* [2].

Son caractère se retrouve bien là : loin de chercher des films rassurant le public et confortant son image, il parie sur un sujet très risqué, qui va provoquer de sérieuses vagues dans le monde

---

1. Le film n'était pas encore sorti au-delà du Canada et des États-Unis, ni distribué en vidéo.

2. Initiales du président des États-Unis assassiné à Dallas le 22 novembre 1963, John Fitzgerald Kennedy.

entier. Les cyniques disent que Costner peut se le permettre. Mais il est le seul à le faire. Ni Mel Gibson ni Harrison Ford n'osent de tels coups de poker. C'est beaucoup trop risqué pour leur carrière.

Quoi qu'il en soit, pour la première fois, Kevin pourra porter des lunettes à l'écran, ce qui lui facilitera sérieusement les choses. Étant myope, il voit à peine ses partenaires, une difficulté qu'il a toujours cachée dans ses déclarations.

CHAPITRE XI

EN ROUTE POUR LA GLOIRE... JFK

Dès sa parution en 1988, le scénariste-metteur en scène Oliver Stone achète les droits cinématographiques du livre du très critiqué et controversé procureur Jim Garrison : *On the Trail of the Assassins* (« Sur la piste des assassins »). Garrison fut le seul à engager un procès contre des organisateurs présumés du complot visant à assassiner le président Kennedy.

Pourquoi ce livre et pas ceux, bien mieux documentés, de David E. Scheim (*The Mafia killed Kennedy,* « La Mafia a tué Kennedy ») paru la même année, ou de David Summers (*Conspiracy,* « Conspiration ») paru en 1980 ? La réponse est simple : Oliver Stone est complètement obsédé par le Viêt-nam. Cette obsession, dont il ne s'est jamais caché, s'est doublée d'une haine des médias, responsables d'avoir dissimulé la vérité sur la guerre, et d'un remords vis-à-vis de Kennedy, dont il avait souhaité la mort. En novembre 1963, Stone, fils d'un agent de change de Wall Street et d'une Française, est l'un des Américains qui ne pleurent pas l'assassinat de Kennedy. Ils sont plus nombreux que la presse internationale a bien voulu le dire. Sa famille, très républicaine, estime que Kennedy est trop conciliant avec l'URSS et Cuba, va trop loin dans les droits consentis aux Noirs, enfin que s'il continue le communisme s'étendra inexorablement. Depuis son retour du Viêt-nam, où il a beaucoup souffert, Oliver Stone se sent coupable vis-à-vis du président assassiné. Il n'aura de repos que s'il fait d'une pierre deux coups : prouver que la mort de Kennedy et la guerre du Viêt-nam ont été ordonnées et déclenchées par les mêmes personnes, à savoir le complexe militaro-industriel, mené par la CIA [1] et couvert par le président suivant Lyndon B. Johnson. Cette accusation a un grand impact de par son énormité, mais elle n'est pas du tout corroborée par les faits, comme nous le verrons.

Nous sommes en 1988. Stone est un excellent scénariste-metteur en scène, aimé du public pour ses films, *Salvador* sur la politique américaine dans ce pays, *Platoon* déjà sur le Viêt-nam, *Wall Street* en hommage à son père disparu, enfin son dernier à l'époque, *Talk Radio*. Il est reconnu par ses pairs : un Oscar pour son scénario de *Midnight Express* en 1980 et un Oscar de la mise en scène pour *Platoon,* qui rafle quatre Oscars en 1987. Pour l'instant, Stone reprend un projet de 1980, l'autobiographie de l'ex-marine Ron Kovic, le plus émouvant livre de souvenirs écrit par un combattant de la guerre du Viêt-nam : *Né un 4 juillet* [2]. Stone avait dû abandonner ce film une première fois, faute de moyens financiers suffisants. Il va y consacrer une bonne année et demie, tout en écrivant simultanément plusieurs versions du scénario de *JFK*. Puis il décide de présenter la sixième version à Costner, qu'il souhaiterait avoir comme interprète pour le rôle de Jim Garrison. Il profite d'un voyage à Londres, où Kevin se trouve en tournage, pour la lui donner à lire.

Costner déclarera, dans un entretien publié par la revue *Ciné-phage* en janvier 1992 : « Je ne connaissais pas grand-chose sur Kennedy. Oliver (Stone) m'a proposé le rôle alors que j'étais à Londres. J'étais fatigué. Je travaillais sur *Robin des Bois,* et l'idée de m'engager pour un film alors que j'en tournais un autre ne me plaisait pas. J'ai passé la main. Mais Oliver a insisté, aussi j'ai lu son scénario. Et c'est un auteur tellement prolifique... Il était persuadé que j'étais idéal pour le personnage. Moi je disais : "Je ne lui ressemble même pas à Garrison", mais il m'a dit que ce n'était pas important. Ce qui l'était, c'était de trouver un acteur ressemblant pour jouer Lee Harvey Oswald, car tout le monde connaît sa tête ; pour Jack Ruby pareil. Pour Garrison c'était différent. Moi je me trouvais trop jeune, mais il m'a poursuivi. Finalement, ce qui m'a décidé, c'est le plaidoyer ultime de

---

1. Agence Centrale de Renseignement (Central Intelligence Agency).
2. Jour de la fête de l'Indépendance, équivalent de notre fête nationale le 14 juillet.

Garrison. J'aime ce discours, les valeurs qu'il défend. (...) C'est du Capra, oui. (...) Il me semble que nous sommes dans un pays politiquement naïf. J'aime la simplicité de ce discours. Il est long, mais bon. Garrison ne pouvait gagner ce procès, alors il s'en est servi pour parler, pour exposer des idées auxquelles il croyait. Il a parlé de la vérité de l'émotion, du droit à la vérité... »

Cet article ne dit rien d'une autre déclaration de Costner dans laquelle il raconte qu'il fit lire le scénario à sa femme Cindy en lui exposant ses doutes. « Cindy et moi avions décidé de prendre trois ou quatre mois de repos. Nous avions mis beaucoup d'énergie dans *Danse avec les loups,* puis il y avait eu *Robin des Bois* – un tournage très dur en Angleterre. J'étais fatigué et je ne me sentais même pas le droit de proposer le film à Cindy. Je lui dis que je ne "sentais" pas ce film au point de déranger pour lui nos plans de promenades dans les montagnes avec les enfants. » Mais Costner fut très surpris quand sa femme lui répondit qu'il devait le faire. « Elle n'a jamais été aussi claire de toute ma carrière, elle était très déterminée. J'ai senti que c'était très important pour elle. Elle savait que j'étais sur un fil. Elle a compris que c'était pour le pays, et après j'ai pensé comme elle. » Pour la première fois, la femme de Kevin met tout son poids dans la balance. Elle pense, avec raison, que ce film va provoquer une prise de conscience chez tous les Américains vis-à-vis de l'assassinat de Kennedy, et il est évident pour elle que Kevin doit en être le déclencheur. Son mari l'écoute et se range à son opinion alors qu'il était, lui, d'un avis contraire.

Il accepte ce projet pour la plaidoirie finale, qui ressemble comme deux gouttes d'eau à celle que prononce James Stewart dans *Monsieur Smith au Sénat,* de l'irremplaçable Frank Capra. Ainsi il s'engage encore une fois dans un film à cause d'un monologue poignant qui défend les valeurs fondatrices de l'Amérique. Ironie du sort, le dernier monologue mémorable et anthologique qu'il avait interprété, dans *Duo à trois,* lui faisait dire entre autres : « Je crois que Lee Harvey Oswald a agi seul... » Il avait déclaré à l'époque : « Je crois peut-être que c'est Lee Harvey Oswald parce que je ne peux croire que nous soyons aussi corrompus – peut-être que je *veux* y croire. » Il va essayer de nous prouver le contraire dans *JFK.*

De même que John F. Kennedy ne fut pas le premier président des États-Unis assassiné, *JFK* n'est pas le premier film sur l'assassinat ou la tentative d'assassinat d'un président ou d'un chef d'État. À voir le nombre de films qui ont fleuri sur la question [1], il est permis de se demander si nous n'avons pas affaire à un sous-genre cinématographique. Des quatre présidents assassinés dans l'histoire : Abraham Lincoln en 1865, James Garfield en 1881, William McKinley en 1901, puis JFK en 1963, seuls Lincoln et Kennedy semblent avoir intéressé les cinéastes. Il faut dire que tous deux ont été assassinés de la même façon en apparence (un seul tireur reconnu), mais qu'ils furent victimes d'une conspiration jamais complètement élucidée jusqu'ici, même dans le cas de Lincoln, soit cent trente ans après.

La reconstitution de l'attentat contre la vie de Lincoln est faite dans *Naissance d'une nation* (1915) et *Abraham Lincoln* (1930) du génial pionnier David Wark Griffith, et dans *Je n'ai pas tué Lincoln* du monumental John Ford en 1936. Un excellent film méconnu, *Le Grand Attentat* d'Anthony Mann en 1951, relate une authentique tentative d'assassinat contre Lincoln dans un train, déjouée par un inspecteur de police nommé Kennedy. (Cela ne s'invente pas !) De même, un téléfilm de Jack Gold en 1990 (*La Rose et le Chacal*) détaille, entre autres, comment Allan Pinkerton [2] réussit à combattre un complot meurtrier visant Lincoln au cours de son voyage inaugural, également en train, vers Washington où il devait prendre ses fonctions, fait historique exact et différent du précédent. Contrairement à la croyance populaire actuelle, le président Lincoln fut particulièrement détesté de son vivant par une frange non négligeable de l'opinion, et de nombreuses conspirations contre sa vie furent déjouées. Ce fut aussi le cas, dans une moindre mesure, pour Kennedy, mais aucun complot ne fut exécuté avant le fatal.

Au cinéma, pour beaucoup de gens, une tentative d'assassinat, et *a fortiori* un assassinat réussi, est un sujet porteur. Un court résumé convaincra les plus incrédules. Un petit thriller nerveux en 1954 nous montre un surprenant Frank Sinatra en tueur venu

---

1. Lire l'excellent article de Michel Cieutat, « L'assassinat de JFK et Hollywood » dans *Positif* de mars 1992, qui nous a servi d'aide-mémoire.

2. Créateur du service secret chargé de la protection du président, et plus tard de la fameuse agence de détectives Pinkerton qui débarrassa l'Ouest de nombreux bandits et hors-la-loi et apparut souvent dans les westerns.

abattre le président, encore une fois dans un train : *Je dois tuer (Suddenly)*, un film remarquable du méconnu Lewis Allen. Il est suivi dans les années soixante par deux films curieux autant que prémonitoires, réalisés par le même metteur en scène John Frankenheimer, un obsédé de la conspiration comme Stone. Sortis à deux ans d'écart, ils sont particulièrement intéressants car pro-Kennedy. Le premier, chronologiquement (1962), nous raconte comment le beau-fils (Lawrence Harvey) par remariage d'un sénateur d'extrême droite a été manipulé par les Chinois. Lors d'un lavage de cerveau pendant la guerre de Corée, il est conditionné pour abattre le candidat président une fois celui-ci élu, afin que le sénateur, candidat à la vice-présidence, puisse gouverner selon leurs vœux [1]. *Un crime dans la tête* (traduction stupide de *The Manchurian Candidate*, « Le candidat manchou »), nous montre comment Frank Sinatra (toujours sur la brèche) parvient à faire comprendre la manipulation des Chinois à son ancien sergent, le tueur programmé par la dame de carreau, afin qu'il puisse s'en sortir. Ce dernier abattra du coup sa mère et son beau-père, après avoir assassiné préalablement sur ordre sa fiancée et le père de celle-ci, sénateur libéral opposant acharné de son beau-père. Le message très kennedien – le metteur en scène est un proche des Kennedy – peut paraître ambigu, comme les revues *Positif* et *Télérama* l'affirment dans leurs critiques récentes du film, à des yeux non américains, mais il ne l'est pas du tout en réalité : la démocratie doit être défendue à tout prix contre les totalitaires de tout bord, notamment contre les communistes, les plus dangereux à l'époque. Il ne faudrait pas croire que si Kennedy est prêt à la négociation, il va lâcher n'importe quoi au communisme, alors en pleine expansion.

Comme si un film ne suffisait pas, alors que Kennedy va être assassiné en 1963, John Frankenheimer tourne la même année *Sept Jours en mai*, d'après le roman très populaire de Fletcher Knebel et Charles W. Bailey Jr. C'est le récit d'un complot mené par un général commandant en chef de l'armée américaine (interprété par le très libéral et pro-Kennedy Burt Lancaster),

---

1. Cela peut paraître abracadabrant, mais ce fut le principal argument retenu par le général de Gaulle pour ne pas créer de poste de vice-président en France. La réalité dépasse plus souvent la fiction que le public ne le croit.

aidé par des éléments de la CIA et des sénateurs anti-libéraux, ainsi que par un journaliste d'extrême droite, pour renverser par un putsch le président, signataire d'un traité de paix et de désarmement avec les Soviétiques. À sa sortie en 1964, certains – notamment les tenants de la thèse du complot organisé par certains éléments du gouvernement – y ont vu un document prémonitoire de la conspiration contre John Kennedy. Ce fut en fait un sondage très subtil, et en grandeur réelle, de l'opinion américaine face à une négociation possible avec les Soviétiques [1], avant les élections présidentielles de 1964. J. F. Kennedy lui-même avait autorisé Frankenheimer à tourner à la Maison-Blanche et au Pentagone, fait sans précédent et jamais renouvelé depuis. La tactique en tout cas était bonne, puisque les milieux conservateurs accueillirent très mal le film, ce qui en disait long sur leur état d'esprit.

De là à penser qu'ils étaient responsables de l'assassinat, il y avait peut-être un pas à ne pas franchir, ce que s'empressa pourtant de faire l'acteur Burt Lancaster. Convaincu qu'il y avait eu complot – ce que peu de gens contestent – il présenta en 1972 au metteur en scène David Miller, très moyen mais lui aussi libéral, les résultats de l'enquête fort partiale menée par les avocats d'extrême gauche Mark Lane et Donald Freed. Miller fut d'accord pour en tirer un film. Lui-même et Lancaster s'adressèrent à Dalton Trumbo, l'un des Dix d'Hollywood [2], longtemps sur la liste noire, pour écrire le scénario. *Executive Action* (« Exécution des milieux dirigeants ») narre dans le détail la conspiration fomentée par un magnat du pétrole et un sénateur ultra-conservateur. Elle est dirigée par un ancien du FBI (Burt Lancaster affublé de lunettes aussi incroyables que celles de Costner dans *JFK*) pour assassiner J. F. Kennedy, afin d'empêcher une dynastie Kennedy de s'emparer de la Maison-Blanche. Si le traitement de la reconstitution du complot avant et après l'assassinat est plus convaincant que le mobile – assez farfelu il

---

1. Dirigés à l'époque par Khrouchtchev, lui-même favorable à une négociation s'il faut en croire ses *Mémoires*.
2. Anciens membres du Parti communiste qui refusèrent de témoigner devant la Commission des activités anti-américaines (HUAC) du sénateur McCarthy, en invoquant le premier amendement de la Constitution des États-Unis.

faut bien le dire – la mise en scène très plate et conventionnelle empêcha le film d'avoir du succès en 1973. Le générique déclare honnêtement qu'il s'agit d'une hypothèse pure et simple ; l'ennui est que la Mafia en est totalement absente. Absence d'autant plus troublante que Lancaster lui-même déclara : « Tout ce que nous disons dans *Executive Action* est fondé sur des faits établis. (...) Il y a eu une sorte de conspiration, ça ne fait aucun doute. C'est pourquoi tant de témoins sont morts après coup [1]. » Cette technique de suppression des témoins d'un meurtre est la pratique la plus ancienne de la Mafia, depuis sa création au XVIIIe siècle en Sicile. La branche américaine en général, et Jack Ruby – assassin d'Oswald – en particulier, l'ont élevée au rang d'un art [2].

L'année suivante (1974), Alan J. Pakula, dans son film *À cause d'un assassinat* (*The Parallax View*, « Le point de vue de la Parallax ») suivait la piste d'une organisation secrète, hélas jamais clairement désignée. Le film s'ouvre sur le meurtre d'un sénateur, candidat libéral à la présidence, en haut de la tour de l'Exposition universelle de Seattle, et nous entraîne dans l'enquête d'un journaliste, intrigué par l'élimination de nombreux témoins. Il découvre alors une organisation secrète, la Parallax, dans laquelle il entre sous une fausse identité. Il assiste à l'assassinat d'un deuxième candidat libéral en compagnie d'autres membres de la Parallax, mais, démasqué, on le fait passer pour le tueur en laissant un fusil à l'endroit où il se trouvait, tandis que les vrais tireurs opéraient plus loin. La police le traque et l'abat, laissant la Parallax continuer ses méfaits sans être inquiétée. Pakula utilisait-il une métaphore pour désigner la Mafia ? Il ne s'en est jamais clairement expliqué.

Le syndrome de Dallas habite de nouveau l'Amérique. À la même époque, l'excellent livre de Charles Ashman *The CIA-Mafia Link* (« Le lien CIA-Mafia »), sur les découvertes de la commission Nelson Rockfeller, relève que plus de quatre-vingts

---

1. David E. Scheim, dans *Les Assassins du président Kennedy* (*The Mafia killed Kennedy*), Éditions Acropole, 1992, en dénombre 35 dans son chapitre III, « Une piste de crimes qui veut tout dire ».
2. Voir dans le même livre pages 94 à 155 (chapitres VI à XI) comment Jack Ruby échappa à plusieurs accusations de meurtre, contre des syndicalistes entre autres, grâce à la miraculeuse disparition de tous les témoins ou à leur étrange rétractation.

assassinats et tentatives de meurtre contre des politiciens (les maires et les gouverneurs d'États constituant des cibles plus souvent visées que les présidents) ont été perpétrés aux États-Unis depuis 1835, et que dans 80 % des cas la Mafia a été formellement identifiée comme instigatrice du crime – alors que dans *tous* les cas il s'agissait d'un tireur isolé selon les versions officielles. Sans remonter jusqu'à l'attentat manqué contre le président Andrew Jackson en 1835, il suffit de se remémorer celui, également raté – comme on le crut un peu trop rapidement à l'époque – contre le président Franklin D. Roosevelt, en 1933 à Chicago, par un anarchiste fort voyant et très pratique, Giuseppe Zingara, attentat qui entraîna la mort du maire de la ville, Anton Cermak. Depuis, l'examen des bandes d'actualité et le récit de témoins encore vivants (là encore, un certain nombre d'entre eux disparut bizarrement) permirent d'identifier dans les premiers rangs de la foule, derrière et à côté de Zingara, des tueurs d'Al Capone, qu'Anton Cermak gênait considérablement en favorisant Elliot Ness et le Groupe secret des Six. En fait, la Mafia visait Cermak, sous couvert d'un prétendu attentat anarchiste contre le président.

À cause d'un assassinat est le dernier film américain sur l'attentat de Dallas avant *JFK*, mais la controverse va tenter d'autres metteurs en scène en Europe et surtout en France.

En 1979, Henri Verneuil, réalisateur réputé aux yeux des critiques français pour travailler « à l'américaine [1] », sort *I comme Icare* avec Yves Montand en vedette. Il place en exergue du film cette citation : « Cette histoire est entièrement vraie puisque je l'ai imaginée d'un bout à l'autre » signée Boris Vian dans *L'Écume des jours*. Dans un pays imaginaire, le président Marc Jarry est assassiné. Une commission est nommée par le nouveau président pour faire toute la lumière sur cet attentat, et le procureur Henri Volnay (Yves Montand) en fait partie. Lors de la remise publique du rapport de la commission, Volnay se désolidarise de ses conclusions, et se voit de ce fait chargé de poursuivre l'enquête. Il découvre alors, malgré la disparition curieuse de la plupart des témoins, un complot impliquant la Mafia et les

---

1. Le professeur Jean Tulard dit dans son *Dictionnaire des réalisateurs* (Laffont, collection Bouquins) qu'« il est peut-être le plus américain des réalisateurs français ».

services secrets. Il se fera lui aussi abattre, car à l'instar d'Icare il s'est trop approché de la lumière, donc de la vérité. Le message est clair, mais peu convaincant, car le mobile n'est pas exposé de façon explicite. Ce sera le dernier film directement inspiré par le meurtre de JFK.

Mais aux États-Unis un certain nombre d'œuvres décrivent la paranoïa meurtrière dans laquelle tout le pays est tombé à la suite de cet attentat :

– l'excellent réalisateur Martin Scorsese [1] met en scène en 1975 un ancien du Viêt-nam, Travis Bickle (remarquable De Niro), qui tente par jalousie d'abattre un sénateur candidat à la présidence (*Taxi Driver*) ;

– dans *La Cible de Vancouvert (Russian Roulette,* « Roulette russe »), un petit thriller tourné au Canada en 1975 par le monteur devenu metteur en scène de série à la TV Lou Lombardo, un agent de la police montée canadienne (joué par George Segal) s'efforce de déjouer un complot organisé par le KGB contre la vie de Kossyguine, venu à Vancouvert signer un accord de désarmement, un émigré lituanien servant de tueur kamikaze ;

– le très grand réalisateur Robert Aldrich en 1977, dans *L'Ultimatum des trois mercenaires* [2], décrit en détail la façon dont un ancien général de l'US Air Force, joué par l'éternel Burt Lancaster, aidé de deux acolytes, s'empare de silos à missiles nucléaires, pour que le président lise à la télévision un document secret du Conseil national de sécurité lançant l'escalade au Viêt-nam. Ce film fut amputé d'une heure pendant dix ans [3], la référence au Viêt-nam étant remplacée par une sombre histoire de fric !

---

1. Dont l'un des étudiants à l'école de l'université de New York (NYU) n'est autre qu'un certain Oliver Stone à l'époque. Il suivait ses cours de mise en scène et réalisa un court métrage sur un ancien du Viêt-nam comme film de fin d'études.

2. Titre exécrable une fois de plus, fort éloigné du beau titre original *Twilight's last Gleaming,* « la dernière lueur du crépuscule ».

3. Ce n'est qu'en 1988 que la télévision britannique (la BBC) diffusa la version intégrale, autrement plus intéressante que le sombre chantage financier étalé sur les écrans français et américains. À notre connaissance, cette intégrale est toujours invisible aussi bien aux États-Unis qu'en France. Le festival d'Amiens de novembre 1994 la montra pour la première fois.

– loin de s'atténuer dans les années quatre-vingt, la vague reprend avec l'*Opération Crépuscule (The Package)* du jeune réalisateur de films violents Andrew Davis, lançant un sergent américain (le grand Gene Hackman) à la poursuite d'un général et du tueur d'élite (agissant toujours seul) que ce dernier a fait engager pour abattre le chef de l'État soviétique, venu signer un accord sur le désarmement nucléaire à Chicago ;

– en 1993, le réalisateur allemand Wolfgang Petersen prend l'agent du service secret Frank Horrigan (l'autre grand acteur-réalisateur Clint Eastwood) *Dans la ligne de mire (In the line of fire)*. Horrigan y poursuit un ancien tueur de la CIA (superbe John Malkovich), qui se prend pour John Wilkes Booth – assassin de Lincoln – et qui veut abattre le président actuel pour se venger des turpitudes de son employeur, qui a cherché à se débarrasser de lui maladroitement. Mais Horrigan était présent à Dallas le 22 novembre 1963, garde du corps favori de JFK, et y a réagi une seconde trop tard, aussi ne veut-il pas laisser passer cette seconde occasion.

Quels que soient les thèmes abordés par ces films, il est un fait que la théorie officielle du meurtre de JFK – Lee Harvey Oswald, partisan de Castro et de l'URSS, a tué seul et de sa propre initiative – ne tient plus debout depuis longtemps, même si Crash Davis, le personnage interprété par Kevin Costner dans *Duo à trois*, y croit encore. Il faut bien convenir que cela s'est passé autrement mais sur cet autrement les avis [1], autorisés ou non, divergent.

Le tournage de *JFK* commence à Dallas le 14 avril 1991. Stone tint absolument à débuter par la reconstitution de l'attentat, sur les lieux mêmes, à Dealey Plaza, dont il dispose pendant dix jours. Des copies pirates du premier scénario circulent abondamment et ont entraîné des articles défavorables dans la grande presse américaine. Déjà le 8 février, dans une lettre à Oliver Stone, Harold Weisberg, le plus ancien chercheur sur le crime, a écrit que Garrison n'était qu'un dangereux affabulateur, qu'il fallait ignorer. Il en sait quelque chose puisqu'il a travaillé avec Garrison pour l'enquête du procureur, avant de devenir l'un de ses plus féroces accusateurs. Stone a passé outre, et il s'enferre dans l'in-

---

1. Voir la bibliographie.

terview publiée le 14 avril 1991 par le *Dallas Morning News* :
« Je fais avant tout et une fois pour toutes un film. Je ne fais pas
un cours et je n'ai pas les responsabilités d'un documentaliste.
J'ai les responsabilités d'un dramaturge face à son public. »

Du coup, il reçoit la première salve de Jon Margolis, dans le
quotidien *Chicago Tribune* du 13 mai 1991, et de l'article *Dallas
in Wonderland* (« Dallas au pays des merveilles »), du grand
journaliste George Lardner Jr, paru dans le *Washington Post* [1] du
19 mai 1991. Celui-ci déclare que l'enquête de Garrison est frau-
duleuse, et il affirme le 2 juin qu'« une conspiration a probablement eu lieu ». Plus grave, le *Times Picayune,* quotidien de La
Nouvelle-Orléans, écrit dans son édition du 9 juin que le procureur Garrison savait que son enquête n'aboutirait à rien mais
qu'il l'avait cyniquement poursuivie pour se faire de la publicité.
Le 12 juin, le *New York Times* jette de l'huile sur le feu en citant
Oliver Stone lui-même : « Je ne voulais pas faire seulement un
film du livre de Garrison. Il est le héros de l'histoire mais son
livre finit en 1969 et je voulais pousser le film plus loin,
jusqu'aux découvertes d'après 1969 et d'avant 1979 – les autop-
sies, les balles, le travail d'autres chercheurs. Alors j'ai pris des
licences dramatiques. Ce n'est pas une histoire véritable en soi.
Ce n'est pas l'histoire de Jim Garrison. C'est un film appelé
JFK. Il explore tous les scénarios possibles [2] du pourquoi
Kennedy a été tué, comment et par qui. Ce qui se passe dans le
film est que vous voyez différents scénarios et différentes
conclusions possibles. »

Au milieu de toute cette controverse, Kevin Costner reste de
marbre. « Vous pouvez examiner point par point, discréditer,
démanteler tout dans *JFK,* mais le film dans son ensemble possède une vérité émotionnelle. » Ce qui est tout à fait juste. Le
tournage se poursuit à Dallas et Costner va au Texas School
Book Depository d'où Oswald est accusé d'avoir tiré les coups
de feu. « J'ai découvert que ce n'était pas un coup facile – c'était
carrément impossible. Et je me souviens m'être dit : "Cela n'a

---

1. Rappelons que ce quotidien déclencha l'affaire du Watergate et eut la
peau du président Nixon.
2. C'est faux, il n'expose qu'une des quatre théories en présence, et c'est
ce que tout le monde lui reproche, car il l'a fait passer pour la vérité.

pas pu se passer comme ils l'ont dit." Être là, à cette fenêtre du cinquième étage, me remit les idées en place vis-à-vis du film. Ce que nous croyons maintenant est qu'il est très possible que plus d'une personne ait été impliquée – par définition il s'agit dès lors d'une conspiration. Je crois à notre histoire. Je pense qu'il y avait une conspiration autour de ce meurtre. Je ne suis pas d'accord avec tout ce que dit Oliver Stone, mais je pense que ce qu'il a fait dans *JFK* vous tient en haleine. C'est presque un tournage de guérilla. Je le soutiens pleinement pour ce film. Oliver est un plus grand patriote que ce que les gens s'imaginent. »

Les faits et gestes de Kevin sont suivis de très près pendant le tournage, aussi bien à Dallas – où le *Dallas Morning News* tient une chronique intitulée *Kevin Watch* (« Surveillance de Kevin », dans laquelle quiconque l'a rencontré peut écrire ses impressions – qu'à La Nouvelle-Orléans un peu plus tard. C'est ainsi que l'Amérique découvre deux de ses traits de caractère, la gentillesse et la générosité, dont ont également fait preuve Gary Cooper, James Stewart et Henry Fonda. Leur manifestation n'est pas nouvelle puisqu'elles sont apparues dès *Danse avec les loups,* mais c'est leur couverture médiatique qui l'est. Ainsi, Kevin donne tout l'argent qu'il a sur lui (1 200 francs) à une mère affamée qu'il a vue voler du lait pour son bébé, et il revient payer le lait au supermarché. Toujours à La Nouvelle-Orléans, il organise une séance spéciale [1] de *Robin des Bois* pour Sean Dunlap, un enfant de quatorze ans en train de mourir et dont c'était le dernier souhait. Les mauvaises langues ne peuvent s'empêcher de dire et d'écrire que tout cela est orchestré pour contrer les rumeurs sur ses prétendues aventures extra-conjugales [2], qui filtrent dans une certaine presse anglaise et américaine.

---

1. Le film n'est alors sorti qu'à New York et Los Angeles.
2. Une entraîneuse anglaise, Sheri Stewart, prétendit que Kevin l'avait abordée dans le bar où elle travaillait et l'avait attirée dans sa chambre d'hôtel. Ils auraient eu une liaison torride pendant le tournage de *Robin des Bois.* Ses « confessions » firent des articles dans la presse anglaise. Du coup une Américaine, Christine Dinard, déclara à la presse que Kevin était son amant depuis ses débuts et qu'il lui avait promis de divorcer pour elle. Ces histoires n'ont aucun fondement, mais déclenchèrent la colère de Costner envers une certaine presse.

En juillet 1991, Kevin et le champion de tennis André Agassi jouent au golf avec le président Bush à Camp David et déjeunent ensuite à la Maison-Blanche. L'événement, très médiatisé [1], relance la polémique sur le film, et Kevin se sent obligé de déclarer : « (Le président Bush) ne m'a jamais demandé mon aide en quoi que ce soit, et il n'a jamais mis en cause ce film. Je vous demande d'être très clair sur ce point, car il est évident que c'est un sujet important pour lui. Je ne lui dis pas comment faire son travail et il ne se permet pas de me conseiller sur le mien. Je ne pense pas qu'il soit le genre d'homme à être déstabilisé par un film comme *JFK* – même si c'est semble-t-il le cas pour de nombreux Américains. » Ce fut l'occasion pour la presse de rappeler les opinions politiques conservatrices de Costner – qu'il partage là encore avec Gary Cooper, James Stewart, Errol Flynn [2] et John Wayne, alors qu'elles sont foncièrement opposées à celles d'Henry Fonda, Paul Newman et Robert Redford, sans oublier Oliver Stone. Sa composition dans le rôle de Garrison et les propos très libéraux qu'il tient dans le film n'en sont que plus méritoires, et prouvent une fois de plus que l'idéologie n'a rien à voir avec le talent ni avec la valeur morale.

Quoi qu'il en soit, Stone est satisfait de sa vedette. « Kevin est un acteur très sous-estimé, dans le sens où ce qu'il fait est très subtil. Sa présence, comme celle de Gary Cooper [3], est très détendue. Il se sent bien dans sa tête. Il sert parfaitement mon travail parce qu'il ancre le film dans l'honnêteté, l'intégrité, et qu'il est fascinant à regarder. Il a pris de sacrés risques en jouant dans ce film, il va se faire des ennemis, mais je suis très fier de lui. » Cette opinion n'est pas celle de nombreux journalistes, cri-

---

1. Le président Bush déclara : « J'espère que le sommet (avec Eltsine) se passera mieux que le match avec Kevin », car il fut battu à plates coutures.

2. Ses escapades nombreuses, notamment en Espagne, avec un nazi notoire (consul d'Allemagne à Los Angeles) ont fait récemment l'objet d'un livre. Il faut dire que ce nazi était également courtisé par les Juifs Louis B. Mayer, Samuel Goldwyn et Adolph Zukor, entre autres, qui voulaient préserver ainsi les gros intérêts qu'ils possédaient en Allemagne.

3. Orson Welles dit de lui dans son livre *Moi Orson Welles (This is Orson Welles)* déjà cité : « Vous voyez Cooper sur le plateau et vous vous dites : "Mon Dieu, ils vont être obligés de refaire cette prise." Il n'avait même pas l'air d'être présent. Et puis vous regardez les rushes et il n'y a que lui sur l'écran. (...) C'est le cas classique de l'acteur de cinéma. »

tiques et chercheurs. Quelques jours avant la première, le 13 décembre 1991, au journal du soir de la chaîne CBS, le célèbre présentateur Dan Rather annonce qu'Oliver Stone sort un film « arrangeant l'histoire pour donner sa version des circonstances et des motifs de l'assassinat de John F. Kennedy. C'est une version qui diffère totalement du rapport de la Commission Warren, évoquant un tireur fou ayant agi seul ». Après cette introduction, le journaliste Mark Phillips, dans son reportage, interviewe Weisberg qui répète : « L'enquête de Jim Garrison était du bidon. Et Oliver Stone n'a pas fait œuvre d'historien, il s'est contenté de créer une nouvelle fiction. »

Le ton est donné : la première mondiale a lieu à Dallas le 17 décembre 1991, et celle d'Hollywood le lendemain dans un cinéma de Westwood Village, banlieue chic de Los Angeles. L'exploitation commerciale commence le 20. Les deux premières déclenchent une avalanche d'articles, notamment dans *Life, Time, Newsweek,* hebdomadaires datés du 23 décembre, ainsi que dans les quotidiens *Washington Post* et *Baltimore Sun* du 20, sans compter les critiques elles-mêmes du film dans l'*Hollywood Reporter* du 16, le *New York Times* et le *Washington Post* du 20. Ce dernier attaque entre autres la prestation de Kevin : « Les efforts dramatiques de Stone sont tristement assombris par Costner. Dans le rôle de Garrison, c'est un acteur mort et vide. Peut-être ce casting à contresens est-il ironiquement approprié : la véritable histoire est celle de Kennedy. Quelqu'un ayant de la personnalité n'aurait pu que s'interposer et gêner le film. »

Cette critique féroce du jeu de Costner est partagée par des enquêteurs comme Harrison Edward Livingstone [1] ou des critiques de cinéma. Au contraire, David Ansen, dans son article intitulé « La vérité tordue de JFK : pourquoi le film d'Oliver Stone n'inspire pas confiance » du magazine hebdomadaire *Newsweek,* finit curieusement par des louanges : « Ce que le colonel X nous dit est peut-être plus que ce que la plupart des gens peuvent ou veulent avaler. Personne ne devrait prendre *JFK* pour argent comptant : c'est un réquisitoire très argumenté, mais qui ne peut être confondu avec des preuves. Je tire mon chapeau

---

1. Dans son livre déjà cité p. 523, il parle d'« un très mauvais acteur pour jouer Garrison ».

au réalisateur et à la Warner Bros pour le talent de l'essai. Ne vous y trompez pas : c'est un divertissement très incendiaire venu d'Hollywood. Deux bans pour M. Stone, un fauteur de troubles de notre temps. » Ansen est suivi par le grand romancier Norman Mailer, lui-même réalisateur à ses heures perdues, dans sa critique pour le magazine *Vanity Fair* : « C'est l'un des pires films géniaux de toute l'histoire du cinéma », mais aussi « la première chose à dire sur *JFK* est que c'est un film génial ».

Desson Howe, dans sa critique du *Washington Post,* ne peut s'empêcher d'écrire : « Malgré ses trois heures, *JFK* est excitant à regarder. Ce n'est pas du journalisme. Ce n'est pas de l'histoire. Ce ne sont pas des preuves au sens légal du terme. La plus grande partie du film est risible. C'est une œuvre d'art, ou un divertissement. Stone, qui a reconnu avoir mélangé des faits connus et d'autres inventés, a pleinement exercé son droit, en tant qu'artiste, à utiliser la licence poétique. Il devrait éprouver plus que la satisfaction du simple artisan devant le résultat. (...) (En tant que divertissement) Stone crée un captivant mariage de réalité et de fiction, d'hypothèses et de preuves empiriques, dans l'esprit d'un film policier qui-rive-à-son-fauteuil pour dévoiler une conspiration. » Et Howe termine son article en nous expliquant le message du film : « Kennedy provoqua la fureur de certains éléments d'extrême droite en essayant de se retirer du Viêt-nam et en ne libérant pas Cuba lors de l'incident de la baie des Cochons. Se mêler de la machine de guerre fut l'erreur fatale qu'il commit. Il n'y eut pas seulement une conspiration contre lui, mais une junte militaire. » On ne peut mieux résumer la démonstration d'Oliver Stone et son caractère outrancier, encore amplifié par les déclarations qu'il fit aux journaux et aux télévisions du monde entier, déclarant que les États-Unis avaient « un gouvernement fasciste [1] » ou, comme dans le *Los Angeles Times* du 24 juin 1991, que les Américains avaient « un État fasciste de haute sécurité pour diriger leur pays ».

Time et *Life* sont obligés de parler énormément du film, mais pour d'autres raisons : ils font partie du même groupe de

---

1. Il le dit en France sur TF1 au journal de 20 heures (à PPDA) et sur Canal + à *Nulle part ailleurs* (à Philippe Gildas) et à Michel Denisot.

communication que Warner Bros qui l'a produit, le premier groupe mondial Time-Warner, qui possède aussi de nombreuses maisons d'édition et les chaînes télé câblées *HBO (Home Box Office), Showcase* et *Cinemax*. Dans leurs articles, ces magazines se lancèrent dans un exercice aussi difficile que périlleux : défendre le film (pour le business) tout en tournant sa thèse en ridicule. La controverse fait vendre, c'est une règle d'or des médias. Cela donne dans *Time* : « Pour les vieux ennemis de Stone, *JFK* peut paraître un mélange volatil, un de plus, de mégalomanie et de sentiment macho. Pour ses détracteurs plus récents, le film peut sembler irresponsable jusqu'au délire, hurlant à la folie entre ses dents comme un ivrogne soliloque dans la rue *(sic)*. Mais, pour les lecteurs de ces myriades de romans d'espionnage et de politique-fiction dans lesquels les méchants sont toujours la CIA, ou des cabales de hautes personnalités restant secrètes[1], la thèse développée par le film ne fera que reprendre une accusation couramment portée contre les gouvernants. *JFK*, c'est Ludlum[2] ou Le Carré[2] pour de vrai. Ou – différence cruciale – pour du cinéma[3]. Souvenez-vous de ceci, fanatiques de la conspiration, gardiens de la respectabilité publique : *JFK* n'est qu'un film. Et, à sa manière pugnace – la seule qu'on puisse attendre d'Oliver Stone – un film excitant. »

L'article de *Life*, lui, sous le titre : « Pourquoi le sujet continue-t-il à nous intéresser ? Un nouveau film sur l'assassinat rouvre une vieille controverse », passe fort honnêtement en revue toutes les théories et leurs auteurs. Mais le reste de la presse est très divisé. Les fameux duettistes Egbert et Siegel[4] sont pour : « Un chef-d'œuvre. Il vous saisit et vous dérange comme sous hypnose » déclare Roger Egbert dans le *Chicago-Sun Times*. Joël Siegel : « Une mise en scène magistrale, un résultat étonnant. Vous vous cramponnez à votre siège. Kevin

---

1. Remarquons qu'il s'agit là de la thèse du colonel L. Fletcher Prouty dans son livre déjà cité *JFK* – si ce n'est que lui met en cause la CIA *et* les cabales.
2. Célèbres écrivains de politique-fiction et d'espionnage, qui ont contribué à l'élaboration des mythes du genre.
3. Le journaliste joue sur les mots américains *real* (vrai) et *reel* (bobine de film).
4. Critiques de cinéma à la télé américaine, aussi influents que controversés.

Costner est excellent » soutient le film dans l'émission de la chaîne ABC *Good Morning America*. Jim Garrison [1] lui-même approuve le film [2]. Mais de nombreux critiques réputés sont violemment contre. Vincent Canby, dans le *New York Times,* sous le titre sans appel « Quand tout revient à rien », écrit qu'il ne clarifie rien et que « La conspiration demeure encore plus vague que le film ne le prétend. *JFK*, avec tous ses sous-entendus balayés et son montage de film-vidéo en miettes, s'essouffle à la recherche d'une mise au point. Le film continuera à faire enrager les gens – qui en savent sans doute autant sur l'assassinat que M. Stone – mais il embrouille le public, et à la fin joue avec lui au chat et à la souris, en laissant une impression de fausseté. Il culmine avec un drame de cour d'assises, au sein d'un procès dont il évite de donner les détails, pour permettre à Kevin Costner, la vedette « super vieux jeu [3] » du film, de faire un sermon sur l'avenir de l'Amérique, avec une émotion qui paraît totalement gratuite. (...) L'insurmontable problème du film est la quantité impressionnante de faits qu'il n'arrive pas à rendre cohérents... M. Stone est Fibber McGee [4] ouvrant la porte d'un placard surencombré de cadavres. Il croule sous les faits, les témoignages contradictoires, les rumeurs et les conjectures qu'il a accumulés dans son film. Au moment où *JFK* atteint le procès de Clay Shaw [5], la plupart des spectateurs non informés seront épuisés et s'ennuieront. Le film, à la fois arrogant et timoré, a été incapable de séparer les faits importants de ceux qui sont anec-

---

1. Détail à peine croyable, dans le film Garrison joue le rôle de celui qui fut son ennemi intime dans la réalité, le juge Earl Warren, président de la fameuse commission qui porte son nom et de la Cour suprême.

2. Carl Oglesby, dans *The JFK Assassination*, p. 274, écrit que Garrison « apprécie de se voir joué par un acteur aussi convaincant et sympathique que Costner dans un film mis en scène avec le punch et l'art d'Oliver Stone ».

3. Jeu de mots sur *4 square* (*square* = nunuche, vieux jeu) et *4 star* (4 étoiles, super).

4. Personnage d'une célèbre énigme policière dans un feuilleton télévisé qui découvre dans un placard la victime d'un crime.

5. Clay Shaw était président de l'International Trade Mart de La Nouvelle-Orléans et à ce titre un personnage très influent. Étant métis et homosexuel, ses pérégrinations dans le monde le conduisirent à devenir un agent de la CIA, comme toute personne se déplaçant souvent dans des pays sensibles.

dotiques. Passé un certain moment, l'intérêt de la salle s'évanouit. (...) Quand Walter Matthau apparaît, pour le rôle bref et peu gratifiant du sénateur Russell B. Long [1], *JFK* se présente comme un film dont les acteurs n'ont pas été engagés normalement pour jouer leur personnage, mais enrôlés pour défendre une noble cause. La cause peut bien en valoir la peine, le film certainement pas. »

Stephen Hunter va plus loin dans le *Baltimore Sun* du 20 décembre : « Le film est finalement incohérent – Stone n'arrive jamais à rendre crédible l'angle de la conspiration liée à La Nouvelle-Orléans [2] – et semble partir dans d'étranges directions pour complaire à toutes les chapelles de la dialectique de l'assassinat. Les chercheurs travaillant sur le meurtre seront quelque peu sidérés par la façon cavalière dont le film attribue toutes les "découvertes" à Garrison et à son équipe, alors que la plupart des faits ont été développés plus tard et par d'autres. » Hunter ne croit pas si bien dire. Harrison E. Livingstone, l'un de ces chercheurs, déclare dans *High Treason 2* qu'« Oliver Stone tenait un sacré film mais qu'il l'a raté, surtout parce qu'il l'arrête en 1969 sur un point mineur qui ne peut en aucun cas servir de preuve de la conspiration : Clay Shaw avait un pseudonyme [3]. Alors que Stone était au courant de toutes les nouvelles preuves trouvées depuis 1969, il a préféré exposer sa théorie, qui est sans fondement. » Carl Oglesby de son côté, dans *The JFK Assassination,* estime que même ceux qui partagent la thèse de Stone sortiront de la salle avec beaucoup de questions sans réponse, et que lui-même « a été choqué de voir Stone lancer les suspects l'un après l'autre dans le chaudron de la conspiration – la Mafia, la CIA, le Pentagone, les milliardaires du pétrole texans, les Cubains – comme s'ils étaient ensemble *tous coupables*. En tant que défenseur né de ce film, j'ai été troublé en outre par le fait que Stone entrelace très librement les faits entourant l'assassinat

---

1. Sénateur de Louisiane, frère du célèbre gouverneur du même État assassiné en 1935, Huey Long, populiste aux tendances fascistes, opposé à Franklin Roosevelt : ce dernier lui reprit de nombreuses idées dans le *New Deal*.
2. Ce fut aussi le problème de Garrison et pourtant il est important !
3. Ouvr. cité dans la bibliographie, p. 514.

avec une fiction sur Garrison. » Le fin mot sur le film des enquêteurs ayant travaillé sur l'assassinat de Kennedy vient sans aucun
doute de Scott Van Wynsberghe, un Canadien réputé pour son
sérieux, qui écrit à Livingstone [1] le 31 décembre 1991 : « Je me
demande si *JFK*, le film, ne commence pas à détourner beaucoup
trop l'attention de JFK, l'assassinat. C'est devenu une cause en soi
– ce qui, hélas, était aussi arrivé à l'affaire Garrison, et nous
savons combien cela a entravé la recherche des assassins de JFK. »

Mais la palme des critiques revient au journaliste George
F. Will de la *Pittsburgh-Post Gazette,* relayée par le *Washington
Post.* Dans l'édition du 27 décembre, Will écrit : « Dans ce mensonge qui dure *trois* heures, Stone falsifie tellement qu'il peut
être assimilé à un sociopathe intellectuel indifférent à la vérité
(sic). Ou peut-être simplement à l'un de ces propagandistes pris
dans les années 1960 comme une mouche dans l'ambre, combi-
nant l'arrogance morale à une flagrante ignorance de la réalité
historique. Un de ces "activistes" si occupés à essayer de faire
l'Histoire qu'ils n'en ont rien retenu. Intellectuellement Stone est
"à quatre pattes avec son reflet dans la glace" : les gens de la
John Birch Society [2], qui comme lui pensaient qu'Earl Warren
était un traître. Stone et eux font partie d'une longue tradition
minoritaire, la veine paranoïaque de la politique américaine, une
veine très friande de théories conspiratrices. » Et Will termine en
s'en prenant à Kevin : « Pourquoi l'acteur Kevin Costner s'est-il
prêté à cette mise en accusation mensongère de l'Amérique ?
Est-il définitivement ignorant ou tout simplement vénal ? Rien
d'autre ne peut expliquer sa volonté de faire un héros de Jim
Garrison qui, en tant que district attorney [3] de La Nouvelle-
Orléans, conduisit une "enquête" sur l'assassinat qui combina
cruauté, imprudence, abus de pouvoir, déloyauté et soif de publicité, toutes sur une échelle où l'insanité semble le disputer au
cynisme. »

---

1. Ouvr. cité, p. 543.
2. Société d'extrême droite financée par des pétroliers texans (notamment
les frères Hunt), violemment anticommuniste, qui fit beaucoup parler d'elle
dans les années soixante. Son nom vient de John Birch, un missionnaire américain en Chine assassiné par les partisans de Mao Tsê-Tung.
3. Correspond en France aux fonctions de procureur et d'avocat général à
la fois.

Kevin s'était défendu d'avance contre ces accusations lors de la conférence de presse qu'il a donnée avant la sortie américaine du film. « Je connais les attaques que nous subissons tous. En ce qui me concerne, je sais que quand je suis attaqué, mes amis prennent très rarement ma défense dans la presse. Tout ce qu'ils font c'est de me dire : "Kevin, ce sont des salauds. Ne t'inquiète pas." Je vous le dis, les hommes sont faits d'argile. Ils sont faibles. C'est dur à reconnaître mais il est important de le savoir. (...) Je n'ai aucun doute quant à l'ambition personnelle de Jim Garrison, mais je sais aussi que c'est un patriote. Il a ravagé l'existence de ce type (Clay Shaw), mais peut-être était-ce le prix à payer pour faire toute la lumière. Jim Garrison doit vivre [1] avec cela – pas moi. »

Dans un tel climat, la télévision ne peut être en reste : le journal du soir de la CBS a en quelque sorte donné le coup d'envoi. Forrest Sawyer, le 20 décembre, dans son émission *Nightline* sur la chaîne ABC, interroge, outre Oliver Stone, William Gurvich, chef enquêteur et bras droit de Garrison, qui le quitta brusquement en juin 1967 – quand il s'aperçut que l'enquête ne reposait sur aucune base solide – pour aller travailler avec l'équipe de défense de Clay Shaw [2]. Gurvich le réaffirme à la télévision : « Je sais qu'il n'y avait aucune preuve. » Harold Weisberg, l'un des premiers chercheurs qui travailla avec Garrison, avant de le quitter lui aussi après avoir été le témoin de ses méthodes douteuses, avait mis en garde Oliver Stone. Au cours de la même émission, il traite ce dernier de « grand monstre », et réitère ses attaques du 13 décembre sur la chaîne CBS.

Stone, imperturbable, fait à Sawyer dans cette émission d'autres déclarations troublantes qui aggravent son cas. En premier lieu, que la rencontre entre M. X, joué par Donald Sutherland dans le film – dans la réalité l'ancien colonel de l'US Air Force Fletcher Prouty [3] – et Jim Garrison n'eut pas lieu, alors qu'elle nous est montrée dans *JFK*. Par la suite, il déclarera :

---

1. Jim Garrison n'est mort que fin novembre 1992 d'une mort naturelle.
2. Ce fait, très révélateur de l'enquête Garrison, ne figure pas dans le film, ce qui est gênant.
3. Pourquoi Stone ne le nomme-t-il pas dans le film, alors que Prouty l'y avait autorisé ? Encore un mystère irritant à mettre au passif du cinéaste.

« Ce que nous faisons en quelque sorte, c'est jouer aux détectives *(sic)*. C'est divertissant ; c'est un film policier. En fait il s'agit de quatre films différents. Nous suivons Garrison à La Nouvelle-Orléans ; nous recréons le cortège motorisé dans Dealey Plaza [1] ; nous racontons l'histoire d'Oswald, et plus loin, au bout du compte, nous bouclons le tout à Washington, où se trouve le vrai pouvoir. (...) Le film est une hypothèse [2], basée sur des faits. » Enfin le bouquet : « J'ai essayé de réunir tous ceux qui ont enquêté dans le personnage de Garrison. » Nous avons vu comment ces derniers ont apprécié le geste.

En fait, Stone s'est piégé tout seul : il veut à tout prix trouver une solution simpliste qui puisse accuser les mêmes personnes de l'escalade au Viêt-nam [3], un traumatisme dont il n'arrive pas personnellement à se remettre, et de l'assassinat de JFK, pour apaiser sa mauvaise conscience – quitte à travestir la vérité si elle va à l'encontre de son obsession.

Malgré toute cette agitation médiatique, ou plutôt grâce à elle, le film est un énorme succès. Il engrange jusqu'en janvier 1993 72 millions de dollars de recettes rien qu'aux États-Unis et 125 millions à l'étranger, soit un total de 197 millions de dollars (plus de 1 000 millions de francs), ce qui est étonnant pour un film censé inciter à la réflexion. Il obtient six nominations aux Oscars 1992 et remporte ceux de la Meilleure photographie et du Meilleur montage, une année qui voit beaucoup d'excellents films en compétition (*Les Nerfs à vif, Thelma and Louise, Bugsy, Barton Fink, Fried Green Tomatoes,* etc.), et le triomphe mérité du *Silence des Agneaux,* qui rafle cinq Oscars dont les principaux (ceux de Meilleure mise en scène et Meilleur film). Costner rate une fois de plus l'Oscar du Meilleur acteur, mais il ne s'en soucie pas outre mesure. Il est significatif qu'Hollywood n'ait pas voulu être entraîné dans la controverse en accordant davantage d'Oscars au film. C'est très mauvais pour l'image, même si c'est excellent pour le business.

---

1. Lieu du crime.
2. Jamais déclarée comme telle dans le film, ce qui est malhonnête.
3. À l'été 1993 il a fini de tourner son quatrième film (soit un film sur deux jusque-là) lié au Viêt-nam, sans compter son court métrage de fin d'études.

Auparavant, Oliver Stone avait été honoré par la presse internationale et par celle de Los Angeles en recevant le Golden Globe Award du Meilleur metteur en scène (attribué l'année précédente à Kevin Costner).

La première française de *JFK* a lieu à Paris le 28 janvier 1992. Stone vient de recevoir les insignes d'officier des arts et des lettres de la main de Jack Lang, et il se lance dans une promotion très médiatisée de son film : *Nulle Part Ailleurs* et Denisot sur Canal +, les journaux de TF1 et Antenne 2, le tout dans la même semaine. Son français impeccable fait mouche [1]. La polémique s'empare de la France à son tour : en plus des critiques de cinéma, tous les magazines (du *Figaro Magazine* à *Elle*), tous les quotidiens (du *Monde* [2] à *L'Humanité*) y vont de leur article pour – ou contre – le film. Comme aux États-Unis, ils sont dans l'ensemble plutôt contre. Seules les revues cinéphiles (*Positif* en tête, mais curieusement pas *Les Cahiers du cinéma*...) et spécialisées (*Première* et *Studio* entre autres) défendent le film. Mis à part *Libération*, la grande presse et la presse cinématographique grand public attaquent surtout son optique sur l'assassinat de Kennedy.

À ce sujet, l'article de Pierre Salinger dans *Le Figaro Magazine* du 25 janvier 1992 est très intéressant. Salinger fut un proche conseiller du président, resté très ami avec la famille Kennedy tout en poursuivant une carrière de journaliste international ; en clair, un témoin privilégié. Or il déclare : « Je faisais partie des Américains qui croyaient au rapport Warren. (...) Chez les Kennedy, Robert – qui fut assassiné par la suite – et Edward – plus connu sous le diminutif de Ted – croyaient aussi à ce rapport. » Il poursuit, après avoir fait un historique des critiques et des campagnes médiatiques : « Je n'hésite pas à déclarer que l'œuvre de Stone constitue de ce fait le plus grand mensonge jamais osé depuis la mort de Kennedy. (...) C'est-à-dire que si nous devions suivre l'interprétation de Stone, il faudrait en

---

1. Il est à moitié français par sa mère.

2. Oliver Stone ne réussira pas à faire publier une réponse aux trois articles de ce journal critiquant son film. Dans son entretien avec Michel Denisot, il attaquera violemment *Le Monde*, déclarant : « Je n'ai aucun respect pour ce journal ; c'est du journalisme de merde *(sic)* comme le *New York Times*. »

conclure que Kennedy n'a fait que se mettre à la remorque de Khrouchtchev dans la crise des missiles de Cuba, qu'il était prêt à abandonner le Viêt-nam aux communistes, et qu'il fut tué pour ces deux raisons – entre autres. » Salinger démontre ensuite que Khrouchtchev [1] a cédé dans la crise des missiles et que « La théorie d'Oliver Stone sur cette affaire, comme ce qu'elle implique, ne repose donc sur rien. L'autre théorie, selon laquelle Kennedy était prêt à abandonner le Viêt-nam, n'est pas moins fausse. Il est vrai que Kennedy ne voulait pas engager directement les États-Unis dans la guerre, et que c'est à titre de conseillers militaires qu'il a déployé 16 000 GI's au Sud-Viêt-nam. Fin 1963, il a annoncé qu'il retirait 1 000 à 2 000 hommes parce qu'il recherchait une solution diplomatique au conflit, mais le renversement puis l'assassinat du dirigeant vietnamien Ngo Dinh Diem, juste un mois avant la mort de Kennedy, a amené les observateurs américains à examiner avec prudence les conséquences de cet assassinat. Lors de la conférence d'Honolulu à laquelle j'ai assisté, deux jours avant l'assassinat de Kennedy, nous avions envoyé un message au président pour l'informer de l'impossibilité du retrait des troupes au Viêt-nam. Il avait approuvé. La théorie de Stone est donc fausse sur ce point-là aussi. »

Il est difficile d'être plus catégorique. Faut-il croire de préférence un proche collaborateur ou des sources plus lointaines ? La réponse est d'autant moins facile que l'article de l'hebdomadaire *Télérama* (daté du 29 janvier 1992) est surprenant à cet égard. L'historien français André Kaspi, professeur à la Sorbonne et spécialiste des États-Unis, nous y dévoile sans rire les *trois* thèses pour lui les plus sérieuses – parce que les plus médiatisées sans doute – en omettant totalement celle impliquant la Mafia. (En revanche, lors de l'émission de télévision de France 2 *Les Brûlures de l'Histoire* du 2 novembre 1993, le même Kaspi parlera de la Mafia à propos de Jack Ruby, en déclarant qu'elle pouvait avoir eu un mobile pour commanditer l'assassinat : la perte de Cuba). Décidément, l'histoire officielle (?) française est bien frileuse devant cette organisation criminelle. Est-ce par manque de documents ou par peur ? En tout cas le quotidien *New York*

---

1. Il l'a reconnu lui-même dans ses *Mémoires* publiés en 1989.

Post publie au même moment, le 14 janvier 1992, une interview de Frank Ragano (insérée en encadré dans l'article de Salinger du *Figaro Magazine*), l'ancien avocat de Jimmy Hoffa, ex-président « disparu » mystérieusement [1] du très puissant syndicat des *teamsters* (routiers), qui affirme que Hoffa avait commandé à la Mafia l'exécution de JFK [2], et que lui-même avait servi de messager pour transmettre l'ordre d'exécution *au début de 1963* [3] à Carlos Marcello [4] et Santos Trafficante, deux amis personnels de Jack Ruby. Comment un historien comme André Kaspi peut-il écarter une telle information ?

Quoi qu'il en soit le film, avec 3 millions de spectateurs, se classera pour 1992 au cinquième rang des meilleures recettes en France [5].

Sa présentation en Angleterre atteint un sommet dans le burlesque. S'il faut en croire l'échotier Baz Bamigboye, du quotidien *Daily Mail*, la princesse Diana ne peut à son grand regret se rendre à la première à Londres, pour serrer la main de son acteur favori Costner, car « les conseillers du Palais royal lui ont dit que le film ne pouvait être soutenu par un membre de la famille royale ». Là aussi la polémique fait rage. Pierre Salinger porte dans le quotidien *Evening Standard* les mêmes accusations qu'il va bientôt reprendre en France. Mais c'est surtout le très sérieux et documenté hebdomadaire *The Economist*, dans son numéro du 18 janvier 1992, qui met à mal la théorie de Stone sur le Viêtnam – mobile du crime, en rendant compte des volumes publiés par le Département d'État sur *Les Relations étrangères des États-Unis 1961-1963,* et notamment les volumes III et IV sur le

---

1. Son corps n'a toujours pas été retrouvé. Il gît probablement dans une dalle de béton coulée au fond d'un des grands lacs américains.

2. C'est aussi la thèse de David E. Scheim, de G. Robert Blakey et de Chuck et Sam Giancana ; voir la bibliographie.

3. Hoffa purgeait alors une peine de prison et risquait une nouvelle condamnation.

4. Parrain tout-puissant du Sud-Ouest, contrôlant notamment le Texas (Dallas donc) et la Louisiane (La Nouvelle-Orléans par conséquent). C'est le seul des mafiosi dont on parle au sujet de JFK à être mort récemment : le 2 mars 1993, à 88 ans, après avoir été très malade (victime de la maladie d'Alzheimer) pendant plus de dix ans.

5. Derrière *Basic Instinct, L'Arme fatale 3, L'Amant* et *Hook.*

Viêt-nam pour la période janvier-décembre 1963. Nulle part aucun document, notamment parmi les memoranda du Conseil national de sécurité (les fameux NSAM) signés par JFK (surtout le NSAM n° 263 du 11 octobre 1963), n'indique que Kennedy voulait quitter le Viêt-nam et rapatrier toutes les troupes. Seul le retrait de 1 000 conseillers (sur 16 000) est évoqué. D'ailleurs le livre de Neil Sheehan *L'Innocence perdue* (Seuil, 1991) [*A Bright Shining Lie*, « Un bon gros mensonge »], sans aucun doute l'un des meilleurs livres jamais écrits sur le Viêt-nam à ce jour, est tout aussi clair : JFK cherchait la solution militaire la plus efficace et la plus rapide afin de vaincre définitivement la rébellion communiste. Des documents qui, avec les témoignages des conseillers de Kennedy (Dean Rusk, secrétaire au Département d'État, Robert S. McNamara, secrétaire à la Défense et Pierre Salinger entre autres), mettent sérieusement à mal la théorie d'Oliver Stone, reprise par l'ancien commandant J. M. Newman dans son livre *JFK and Vietnam* (publié aussi par Time-Warner en 1992), et encore plus récemment par l'ancien colonel Prouty, le fameux M.X. du film, dans son livre *JFK – the CIA, Vietnam and the Plot to assassinate Kennedy* [1]. L'introduction de ce dernier livre est signée Oliver Stone, ce qui lui permet de se défendre – mais précisément que dit son film ?

Il suit d'abord page à page le livre de Garrison : comment il apprend l'assassinat de Kennedy dans une brasserie de La Nouvelle-Orléans, comment un premier interrogatoire de David Ferrie (étonnant Joe Pesci en moumoute rousse ahurissante) en 1966 lui met la puce à l'oreille, comment, par une remarque que lui fait le sénateur Russell Long (Walter Matthau) lors d'un voyage en avion, sa conviction s'en trouve renforcée. Garrison (Costner) mène une enquête avec ses adjoints sur l'origine de la conspiration à La Nouvelle-Orléans. Ils découvrent que Guy Bannister (Edward Asner) et Lee Harvey Oswald (Gary Oldman) ont une adresse dans le même immeuble au coin de

---

1. Singulièrement, le livre (Birch Lane Press, décembre 1992) est beaucoup plus captivant par ses révélations sur l'histoire secrète des États-Unis de 1945 à 1965 que sur l'assassinat de Kennedy, qu'il met sur le compte d'une cabale d'hommes aussi puissants que secrets, dont pas un n'est nommé !

deux rues, dans le quartier où se trouve l'antenne de la CIA et celle de la Military Intelligence. Garrison recueille le témoignage de Jack Martin (Jack Lemmon) sur les activités de Bannister durant l'été 1961 : l'opération Mangouste destinée à entraîner des mercenaires cubains pour une nouvelle invasion à laquelle participe David Ferrie, Oswald et un certain Clay Bertrand. Le fil d'Ariane les conduit à la ferme-prison d'Angola où un pédéraste du nom de Willie O'Keefe (Kevin Bacon [1]) leur raconte qu'au cours d'une soirée de l'été 1963, où étaient présents Bertrand et Oswald, Ferrie s'est vanté de pouvoir faire assassiner Kennedy en le prenant en tir croisé avec trois tueurs dont l'un serait sacrifié.

Garrison et son équipe reconstituent ce qui s'est passé à Dealey Plaza, à l'aide de témoignages, et reviennent sur la troublante interview de Jack Ruby par Earl Warren, où Ruby veut être emmené à Washington pour dire la vérité car en prison à Dallas il ne peut pas : « Ils sont là et me tiennent ; je suis en danger de mort et vous ne saurez rien. » Garrison et ses adjoints arrivent à remonter jusqu'à Clay Shaw (subtil Tommy Lee Jones), le président de l'International Mart de La Nouvelle-Orléans, un très important homme d'affaires, ancien de la CIA. Garrison l'interroge chez lui sans succès le dimanche de Pâques 1966, et le lendemain la presse attaque le magistrat. Ferrie, peu après, révèle lors d'une rencontre qu'il connaît Oswald et Ruby et que Shaw le tient depuis l'opération Mangouste. Mais, avant de faire d'autres aveux, il est retrouvé mort dans des circonstances mystérieuses.

Garrison effectue alors un voyage à Washington pour rencontrer M.X. (superbe Donald Sutherland), qui parle du mémorandum NSAM n° 263 qui aurait tout déclenché, puis de la violation des procédures du service secret pour la protection de Kennedy à Dallas, enfin de l'opération Mongouste et du complexe militaro-industriel (les hélicoptères Bell et la General Dynamics sont cités [2]). M.X. pose la vraie question : « Pourquoi ? Qui en a

---

1. Ce personnage est une invention complète de Stone : il ne figure dans aucun livre, pas même dans celui de Garrison.
2. Ce passage, le plus passionnant du film, est hélas beaucoup trop court et non explicite, ce qui n'est pas le cas dans le livre de L. F. Prouty.

bénéficié ? Qui a le pouvoir de couvrir la vérité ? » Il nous fait assister à des conversations secrètes avec des personnages non identifiés qui aboutissent à la rédaction du mémorandum NSAM n° 273, prétendument inversé et signé par le président Johnson le 27 novembre 1963.

À son retour, alors que Garrison évoque un coup d'État, une querelle éclate entre ses adjoints [1] et lui : l'un d'entre eux, Bill Broussard (Michael Rooker), refuse de croire que le gouvernement et le président Johnson aient été impliqués ; un autre, Lou Ivon (Jay O. Sanders) lance un ultimatum à Garrison, qui réclame sa démission. Nous assistons avec Garrison, sur son poste de télévision, à l'assassinat de Robert Kennedy [2]. Peu après s'ouvre le procès de Clay Shaw : Garrison expose tous les faits relatifs à l'assassinat [3] : l'étude sonorisée du film pris par le témoin Abraham Zapruder, l'étude balistique de la fameuse balle magique [4], les témoignages contradictoires sur l'assassinat de l'agent de police Tippit [5] (imputé à Lee Harvey Oswald), l'itinéraire du cortège, changé à la dernière minute pour passer par Dealey Plaza [6], etc., qui prouvent qu'il y a eu conspiration [7]. Il se lance dans un réquisitoire pour la vérité, la justice et la démocra-

---

1. Il est très troublant que le film ne parle jamais ni d'Harold Weisberg ni de William Gurvich, les assistants qui quittèrent Garrison à cause de son manque de rigueur.

2. Curieusement rien n'est dit sur ce meurtre – et pour cause, il contredit la thèse de Stone. Voir sur ce point le livre déjà cité de David Scheim.

3. Découverts ou expliqués pratiquement tous bien après le vrai procès de Shaw en février 1969.

4. Celle qui est censée avoir frappé Kennedy, puis, après avoir changé deux fois de direction, le gouverneur Connally.

5. Le policier J.D. Tippit, familier de Jack Ruby, fut abattu près du cinéma Regal, une heure avant qu'Oswald y soit pris. Oswald fut accusé de ce meurtre, mais, étant sans voiture, il aurait fallu qu'il batte un record du monde de course à pied pour arriver à temps du Texas Book Depository. Il est beaucoup plus probable que Tippit refusa d'emmener Oswald hors de la ville, et fut abattu par Jack Ruby.

6. Ce fait annule les théories autres que celle accusant la Mafia, car la police de Dallas est arrosée par la Mafia depuis 1947 : voir les ouvrages déjà cités de Scheim, John H. Davis et Blakey entre autres.

7. Mais non qu'il s'agit de la CIA, du complexe militaro-industriel et d'une cabale de personnages secrets.

tie, contre un pouvoir occulte et corrompu. Mais le 1er mars 1969 (c'est nous qui le disons et pas le film !), le juge, sur décision du jury, acquitte Clay Shaw. Garrison n'a plus d'affaire.

Cet excellent film ne nous donne à aucun moment de réponse satisfaisante au vieil adage romain *Hic fecit cui prodest* – « le criminel est celui à qui le crime profite ». Jamais ce proverbe, applicable sans pouvoir être réfuté à tous les assassinats ou machinations politiques depuis des siècles, n'a été mieux approprié qu'au complot pour abattre JFK. C'est le tort d'Oliver Stone de ne pas avoir su y répondre avant de se lancer dans son film. En fait, à qui profite le meurtre de JFK ?

Au complexe militaro-industriel, variante nouvelle des « Deux Cents Familles », de la « Haute Cabale » soi-disant dénoncée par Churchill à des amis intimes ou du *Protocole des sages de Sion* mis en avant par tous les antisémites ou des *Financiers qui mènent le monde*[1] ? Que nenni. Il amasse autant d'argent sous Kennedy que sous Johnson[2] ; le meurtre ne lui rapporterait que le risque d'être découvert, ce qui est très mauvais pour les affaires.

À la CIA ? Oui, si Kennedy avait vraiment agi pour la démanteler, mais ses anciens proches (la famille et ses conseillers, Rusk, McNamara, Salinger, etc.) ont déclaré depuis qu'il n'avait jamais eu une telle intention. Il voulait seulement reprendre le contrôle complet de l'Agence de renseignements après le fiasco de la baie des Cochons ; pas vraiment matière à assassinat, ou alors nous sommes en plein roman d'espionnage à la Ludlum ou Le Carré.

À Fidel Castro ? Non, l'embargo américain continue, et aucun pourparler ne sera engagé sous Johnson ; mais il est vrai que les tentatives d'assassinat contre sa personne s'arrêtent, alors... peut-être !

Aux Cubains anticastristes ? Certainement pas puisque le président Johnson ne lancera aucune nouvelle attaque d'envergure ni aucun commando (les camps de l'opération Mangouste ne seront pas réouverts) sur Cuba. Ils ne seront pas plus avancés que sous Kennedy.

---

1. Henry Coston, La Librairie Française, 1962.
2. Prouty, dans *JFK*, en convient lui-même, en dévoilant les dessous de l'énorme contrat de 6,5 milliards de dollars pour le chasseur TFX (pages 143 à 152, ouv. cité).

228

À la Mafia ? *Oui, énormément.* Le président Johnson n'engagera plus sous son administration que 45 % du total des poursuites engagées par le duo des frères Kennedy. Jimmy Hoffa purge sa peine sans être poursuivi pour les autres charges que Robert Kennedy avait retenues contre lui. Carlos Marcello ne sera plus jamais inquiété [1]. Las Vegas ne sera pas attaqué juridiquement ni investi par la police comme l'avait déclaré et juré Robert Kennedy. Bref, la Mafia est tranquille depuis l'attentat de Dallas, et peut même étendre son trafic d'héroïne dans le Sud-Est asiatique grâce à la guerre du Viêt-nam, déclenchée par JFK. Du moins jusqu'au 4 juin 1968, où Robert Kennedy, candidat à la présidence et vieil ennemi de l'organisation, est en tête dans la course à la Maison-Blanche après les primaires qu'il vient de remporter, notamment en Californie. Comme par hasard, ce soir-là, il est abattu dans les cuisines de l'hôtel Ambassador, d'après la thèse officielle par un Palestinien musulman et illuminé, Sirhan Sirhan, qui travaille sur les champs de course appartenant à la Mafia [2]. Mais les balles qui provoquent la mort sont tirées par un des gardes du corps de R. Kennedy, Thane Cesar, souvent utilisé par la Mafia [3], qui possède aussi de gros intérêts dans l'hôtel Ambassador [4]. Le même mobile a donc provoqué les deux assassinats. À cinq ans de distance, la Mafia a réglé ses comptes avec la famille Kennedy qui lui a porté tant de coups [5], alors qu'elle-même lui a fait tant de bien (l'origine de la fortune de Joe, le père [6], l'élection de John grâce à l'État d'Illinois apporté sur un plateau d'argent par Sam Giancana [7], etc.).

---

1. Le jour de l'assassinat de Dallas, il comparaissait devant un tribunal pour une nouvelle demande de banissement ; David Ferrie assistait à l'audience (cf. les ouvrages cités, *y compris celui de Jim Garrison*).

2. Il est troublant que Stone n'ait pas jugé bon d'incorporer ces faits à son film. Il est vrai qu'ils réduisent encore plus sa thèse à une peau de chagrin.

3. Cf. le livre de David Scheim (ouvr. cité), pp. 348 à 357.

4. *Ibid.*, p. 356.

5. Participation des deux frères à la commission McClellan contre le crime organisé dans les années cinquante, nombreuses poursuites et condamnations des dirigeants mafieux de 1961 à 1963, perte de sa base de Cuba, menaces contre son empire de Las Vegas.

6. *Ibid.* p. 83, puis Blakey et Billings, ouvr. cité, p. 375 notamment.

7. *Ibid.*, pp. 83-84.

L'énigme n'en est plus une : Jimmy Hoffa a demandé la mort de JFK à Sam Giancana, qui a probablement requis l'autorisation du comité exécutif de la Mafia, puis chargé Carlos Marcello et Santos Trafficante de l'exécution. Le puzzle se met en place. Qui a l'idée géniale d'engager comme « porteur de chapeau » l'agent trouble des services secrets Lee Harvey Oswald [1], qui n'a vraisemblablement tiré aucune balle ? Qui a mouillé les agents subalternes de la CIA, les frustrés de l'opération Mangouste [2] et de la baie des Cochons, pour détourner d'éventuels soupçons et avoir des conseillers afin de bien réaliser le tir croisé ? Qui a ordonné à la police de Dallas de changer l'itinéraire du cortège au dernier moment pour l'attirer dans la souricière ? Nous ne le saurons sans doute jamais : Hoffa, Giancana, Trafficante, Marcello et leurs subalternes sont tous morts.

Au moment où les enquêteurs privés se rapprochent de plus en plus de la Mafia, Carlos Marcello (ou Sam Giancana) a vraisemblablement l'idée de lancer son obligé le procureur Jim Garrison [3] sur la piste des éléments douteux de l'opération Mangouste, pour relancer la polémique sur une conspiration gouvernementale et de la CIA [4]. C'est magistral, et réussi : le procès de Clay Shaw et l'enquête Garrison détournent tout le monde de la Mafia, font peur à la CIA et au FBI, bien trop occupés à se défendre pour dire ce qu'ils savent. Le film *JFK* poursuit ce détournement – les mafiosi peuvent être satisfaits.

Les tenants comme Stone de la conspiration gouvernementale rétorquent à cela, comme Costner dans le film lors de la violente altercation avec ses adjoints : « La Mafia n'a pu étouffer l'affaire

---

1. Voir tous les livres cités sur le sujet.
2. Cette opération est décrite dans le livre de Carl Oglesby, ouvr. cité pp. 277-278, et dans le film *JFK*.
3. Voir le livre de D.E. Scheim, ouvr. cité pp. 62 à 66, et celui de Robert Sam Anson, ouvr. cité p. 296. Marcello aurait favorisé les élections de Garrison comme district attorney, puis juge. On le vit plusieurs fois déjeuner en sa compagnie peu avant une élection. Jamais aucun membre du gang Marcello n'eut à souffrir de Garrison.
4. Curieusement Garrison persistera et signera en ajoutant une postface à son livre *JFK* (déjà cité) par Carl Oglesby, rejetant sans beaucoup d'arguments l'hypothèse de la Mafia. Un tel acharnement est aussi troublant que suspect.

comme cela a été fait par la commission Warren, le FBI, la CIA, etc., donc elle n'en est ni l'instigateur, ni l'exécuteur. » Ce raisonnement en apparence imparable a une faiblesse. Il est vrai que la Mafia ne pouvait bricoler l'autopsie, rajouter des balles, faire disparaître le cerveau, et tous autres agissements destinés à masquer le complot. Mais pourquoi la conspiration de « couverture » serait-elle nécessairement l'œuvre des mêmes comploteurs que l'assassinat ? C'est assurément par là que pèche la thèse impliquant les gouvernants. Tous les témoins directs de ces deux folles journées des 22 et 23 novembre 1963 parlent de panique à la Maison-Blanche, d'un Lyndon Johnson affolé et apeuré (pas du tout le conspirateur ambitieux d'un coup d'État réussi), de folles rumeurs sur un complot castriste ou soviétique. Certains parlent d'une Troisième Guerre mondiale imminente si jamais ces hypothèses se révélaient exactes : il faut donc cacher au peuple américain et au monde une vérité qui pourrait être dévastatrice. Il n'en faut pas plus pour lancer l'opération d'étouffement à laquelle tout l'establishment [1] (politiques, hauts fonctionnaires, conseillers, journalistes, FBI, CIA, etc.) participe. Pendant ce temps, la Mafia exécute ce qu'elle a toujours remarquablement su faire : la disparition ou la réduction au silence des témoins gênants, qui ont vu ou entendu les autres tireurs (celui de la butte de gazon, celui du pont de chemin de fer, celui ou ceux du cinquième étage du Texas Book Depository [2]). Sans s'en apercevoir, probablement, le gouvernement et ses administrations font disparaître les indices restants qui pourraient révéler la conspiration mafieuse – mais ils attirent par là sur eux les soupçons des chercheurs.

La Mafia a triplement réussi son coup : le président Kennedy est mort, son frère réduit à néant, et l'establishment couvre ses méfaits

---

1. Depuis, le remarquable livre de John H. Davis *The Kennedy Contract* (« Le contrat Kennedy », Harper Collins, New York, 1993) tout en corroborant la thèse développée ici, prouve que la couverture fut principalement assurée par J. Edgar Hoover, le patron du FBI, que Marcello tenait par des dettes de jeu impayées et qui détestait les Kennedy. Il réussit à intoxiquer tout l'establishment politique, puisqu'il fut la seule et unique source de l'enquête !

2. À la place d'Oswald, qui lui sirote un Coca à la cafétéria du premier étage, comme plusieurs témoins, dont un motard de la police, l'ont dit à la commission Warren. Voir tous les livres cités.

à elle. Personne, à part quelques rares chercheurs, ne l'accuse officiellement. Officieusement en revanche, d'après un sondage effectué par CNN et *Time* (encore lui) auprès de 1 500 Américains entre le 17 et le 22 décembre 1991 :

– 73 % croient à une conspiration ;
– 10 % croient qu'Oswald a agi seul (thèse toujours officielle) ;
– 48 % croient que la Mafia a fait le coup (conclusion de la commission des Représentants en 1979) ;
– 13 % pensent que c'est la police de Dallas (noyautée par la Mafia) ;
– 50 % pensent que la CIA est responsable.

Ce qui donne 61 % pour un complot Mafia-police de Dallas. Le total dépasse 100 %, car les sondés n'étaient pas astreints à donner une seule réponse : certains ont pu dire Mafia et CIA par exemple.

Le peuple américain semble avoir plus de bon sens que ses politiciens, ses médias, et les professionnels de complots tous aussi fumeux que mystérieux. Car enfin, si la CIA, le complexe militaro-industriel et un « gouvernement invisible » ont fait le coup, comment se fait-il qu'aucun des transfuges de la Centrale (Philip Agee, Victor Marchetti, Harry Rositzke, Lyman B. Kirkpatrick) n'en ait parlé dans leurs livres respectifs, où ils la fustigent et font des révélations autrement plus dévastatrices ? Et que dire de Dean Rusk et Robert McNamara, témoins privilégiés de la prétendue désescalade de Kennedy, puis de l'escalade réelle au Viêt-nam, qui, à la retraite aujourd'hui, auraient pu se dédouaner dans leurs *Mémoires* et ne l'ont pas fait ?

Qu'importe après tout si Oliver Stone n'a pas dit la vérité sur l'assassinat de Kennedy, du moment qu'il a fait un excellent film, beau et fort, qui a le mérite de relancer la thèse de la conspiration, thèse qu'il faudra bien admettre un jour. Qu'importe si le Jim Garrison qu'interprète avec talent Costner n'a rien à voir avec le vrai, corrompu et assoiffé de publicité personnelle, du moment que Kevin en fait un défenseur farouche de la démocratie « à la Capra », qui passera à la postérité autant que son modèle. Qu'importe si certains faits mettant en pièces la théorie de Stone ont été tus dans le film ; ce n'est pas la première fois, ni probablement la dernière, qu'Hollywood prend des libertés avec l'histoire pour créer la controverse. Faut-il en vouloir à Kevin, condamner ses films et les boycotter ?

Souvenons-nous : Errol Flynn dans *La Chevauchée fantastique* a campé un général Custer très éloigné du vrai ; est-ce que pour autant le film ne vaut rien ? Il est devenu un grand classique du cinéma et continue à ravir des générations de spectateurs. Souvenons-nous du sombre portrait de John Brown (interprété par Raymond Massey), abolitionniste, défenseur de la liberté des Noirs, qui est brossé dans *La Piste de Santa Fé* : il est représenté sous les traits d'un abominable terroriste, dont il faut se débarrasser coûte que coûte, ce que s'empressent de faire les futurs généraux Sheridan (encore Errol Flynn) et Custer (le futur président Ronald Reagan, dans un de ses meilleurs rôles). Ce parti pris rend-il le film mauvais et sans intérêt ? Malgré un message douteux, il continue de plaire aux foules, même à ceux qui ne sont pas d'accord avec son contenu. Les exemples ne manquent pas où Hollywood prend des licences artistiques avec l'histoire ; au moins a-t-elle le courage de s'attaquer à des sujets controversés, au contraire d'autres corporations dont c'est pourtant le métier.

Quel que soit le message de *JFK*, que l'on soit d'accord ou non avec lui, il faut bien constater que Costner a pris, comme souvent d'ailleurs, des risques en faisant ce film ; il en sort grandi, puisque ce sera une grande référence dans une carrière jusque-là sans erreur. (*Revenge* est excusable : cela arrive aux meilleurs.) Il fait entrer de plain-pied Kevin dans la lignée des grands acteurs mythiques dont nous avons déjà parlé, et qui eux aussi jouèrent des personnages controversés de l'histoire américaine, devenus depuis emblématiques. Citons, parmi bien d'autres, le général Billy Mitchell, prédisant en cour martiale en 1920 l'attaque de Pearl Harbor, interprété par un Gary Cooper au jeu très retenu, dans *Condamné au silence (The Court martial of Billy Mitchell,* 1955) du grand Otto Preminger ; l'aviateur mis en question (pour ses positions germanophiles avant la Seconde Guerre mondiale) Charles Lindbergh dans *L'Odyssée de Charles Lindbergh (The Spirit of Saint Louis,* 1957) du maître Billy Wilder, joué par un James Stewart toujours économe de ses moyens ; le Billy the Kid torturé et vengeur, traité très Actor's Studio par Newman dans *Le Gaucher* du débutant (en 1958) Arthur Penn ; le très critiqué réformateur des fermes-prisons d'Alabama *Brubaker* dans le film homonyme (1980) de Bob Rafelson et Stuart Rosenberg, interprété par un Redford très contenu. Incontestablement, l'interprétation de Kevin Costner dans *JFK* rejoindra toutes celles-là, et bien d'autres, dans l'imaginaire musée du cinéma, peuplant les souvenirs des cinéphiles de tous les pays et de toutes les générations.

Costner s'affirme comme un acteur capable de monologues qui deviendront des morceaux d'anthologie récités par des spectateurs enthousiastes. Il l'avait déjà fait pressentir dans *Duo à trois* et *Jusqu'au bout du rêve* ; ici, il confirme ce don aussi rare que délicat. Il a d'autant plus de mérite d'avoir interprété ce rôle que celui-ci va à l'encontre de ses convictions politiques – d'ailleurs très exagérées par la presse. Sa rencontre avec Bush, ses dons au sénateur républicain du Texas Phil Gramm pour la campagne présidentielle de 1996 l'ont fait cataloguer comme extrémiste, ce qu'il n'est pas. En fait il a adhéré au parti républicain à 21 ans (en 1976), ce qui choque un establishment hollywoodien plutôt ancré (c'est un euphémisme !) chez les démocrates.

Kevin est un homme riche, reconnu par ses pairs. (Il a encore été nominé pour l'Oscar du Meilleur acteur pour *JFK*.) Pour la première fois en cette année 1992 il est en tête du box-office, distançant des mastodontes comme Schwarzenegger. Au sommet, il occupe une place toujours difficile et inconfortable. Son film suivant va se révéler son premier faux pas artistique, ce que même *Revenge* n'était pas tout à fait – une erreur difficile à comprendre, même s'il a des circonstances atténuantes. « Garde du corps » n'est décidément pas un métier de tout repos, surtout au cinéma.

CHAPITRE XII

UN MONDE PARFAIT...
DE *BODYGUARD* À *WYATT EARP*

Après la tempête et les remous de *JFK*, les tournages se succèdent (depuis *Danse avec les loups,* il enchaîne film sur film). Kevin pensait pouvoir souffler un peu. L'engagement de Whitney Houston comme vedette féminine pour un film produit par sa société Tig, *The Bodyguard* (« Le garde du corps »), va l'en empêcher. Ce projet est tiré d'un scénario de Lawrence Kasdan écrit en 1979 pour Steve Mac Queen, qui devait le tourner après le médiocre *Le Chasseur (The Hunter)*. Hélas la mort de Steve, due au cancer, peu après le tournage de ce dernier film, mit ce scénario au placard... d'où il n'aurait jamais dû sortir. Kasdan garde sous verre une longue feuille de papier avec les soixante-cinq refus de son scénario depuis 1975. Il pense d'ailleurs que le film est « la version bizarre de ce qu'il a écrit » même s'il reconnaît que « Kevin est tout à fait conforme à ce que j'ai écrit en 1975 ». En fait c'est la fidélité de Costner à Mac Queen, l'un des acteurs préférés de son adolescence, et l'attachement de Kasdan pour son premier scénario à faire l'objet d'un projet qui firent sortir ce sujet du placard. C'est pendant le tournage de *Silverado* que Kevin s'enticha de cette histoire, en écoutant Kasdan en parler à Scott Glen. Il déclara même à Lawrence : « Un jour je le ferai avec toi », à quoi celui-ci rétorqua : « Monte plutôt sur ton cheval pour le moment. »

Par un concours de circonstances, Whitney Houston, que son producteur de disques Arista cherchait à mettre en valeur dans un film depuis quatre ans sans en trouver aucun à sa mesure, tomba sur le scénario de Kasdan. La perspective de tourner avec Kevin, la « star » montante, rendait la chose encore plus attrayante. Costner dit à Whitney : « Je sais que vous pouvez le faire ; je sais que vous pouvez jouer. C'est vous que je veux (pour ce rôle). » Il aurait été impressionné par les vidéo clips et les entretiens télévisés de la vedette de la pop music. Il aurait dû se méfier : d'abord, reprendre un projet d'une vedette morte n'est jamais de bon augure (même si cela relève de la superstition) ; ensuite, faire débuter une grande star de la chanson dans un sujet qui égratigne son image n'a jamais produit de bons films, artistiquement parlant. Mais Kasdan lui-même trouve que « l'instinct de Kevin vis-à-vis de Whitney Houston était juste, et qu'elle a une grande part dans le succès du film. Malheureusement, tout ce qui tourne autour d'eux ne fonctionne pas comme cela devrait et c'est en partie ma faute, parce que j'étais un des producteurs, et peut-être aurais-je dû apporter quelque chose, ce que je n'ai pas fait ».

En outre, quand une débutante, aussi célèbre soit-elle, fait sa diva en repoussant le projet d'un an, mieux vaut abandonner – surtout quand vous avez dans vos cartons un sujet bien plus enthousiasmant, *The Mick*. Dès mai 1991 en effet, Tig a trois projets en vue : *China Moon* que devait jouer Ed Harris [1], *The Bodyguard*, où Costner était seulement acteur, et enfin *The Mick*, une biographie de Michael Collins, créateur de l'IRA et l'un des fondateurs de l'État libre d'Irlande (l'Eire).

The Mick devait être joué *et* mis en scène par Costner. Ce projet traîne depuis longtemps à Hollywood, puisque le metteur en scène Michael Cimino devait le réaliser en 1987 pour Nelson Entertainement avec un budget de 18 millions de dollars, un petit budget pour l'époque [2]. Mais l'ostracisme qui frappe toujours Cimino depuis *Heaven's Gate* l'oblige à abandonner le sujet quelques jours seulement avant le début du tournage, fixé au 1er juillet 1987. Hollywood a une mémoire d'éléphant dans ses inimitiés, comme le prouve cette troisième mise à l'index, après

---

1. Le film attendit longtemps un metteur en scène et fut pour finir confié à un débutant, Raymond Bailey. Kevin donne leur chance aux jeunes. Le film est sorti en novembre 1994 en Amérique du Nord.
2. Le seuil de 20 millions distingue alors une grosse production d'une « indépendante » (terme péjoratif en langage hollywoodien).

celles lancées contre Orson Welles et Eric Von Stroheim [1], les pairs de Cimino par le talent. Les amoureux du cinéma furent donc heureux d'apprendre que Costner reprenait le flambeau, d'autant plus heureux que *The Bodyguard* était ajourné. Sachant que Costner ne pouvait rester inactif, cela signifiait que *The Mick*, un sujet excitant, allait voir le jour.

Hélas, il fallut vite déchanter. Tig annonça le report du tournage du *Bodyguard* et l'ajournement, sans abandon, de *Mick* [2]. Il faut dire qu'entre-temps Tig s'était réinstallé dans les studios Warner Bros de Burbank, comme l'annonçait le quotidien professionnel *Variety* le 20 mai 1991. Depuis mars, en fait, Kevin était de plus en plus souvent dans le bureau que lui avait donné la Warner – et pour cause puisqu'il allait tourner trois films pour eux en l'espace d'une année : *Robin des Bois, JFK* et *Bodyguard*. Des rumeurs circulaient selon lesquelles les deux associés dans Tig, Costner et Jim Wilson, fuyaient Orion Pictures alors en pleine déconfiture [3], pour gagner la Warner riche en argent mais pauvre en talents. (Seul Clint Eastwood et sa Malpaso Company était fidèle à cette grosse société.) La Warner avait, c'est une certitude, tout fait pour ce rapprochement, une excellente affaire pour elle. Ce n'était du reste qu'un retour aux sources pour Kevin, puisqu'il avait tourné successivement dans les studios Warner *Une bringue d'enfer (Fandango)* et *Le Prix de l'exploit (American Flyers)* en 1984 et 1985.

La direction d'Orion furieuse en privé, ne faisait pas de commentaires publics. Elle vivait ce départ comme un abandon, au moment où elle avait le plus besoin de Costner – elle qui lui avait donné sa chance avec deux films de base-ball auxquels per-

---

1. Eric Von Stroheim ne put plus trouver de travail comme metteur en scène après qu'Irving Thalberg l'eut condamné pour ses énormes dépassements de budgets sur *Les Rapaces* (1923), *La Symphonie nuptiale* (1928) et l'eut empêché de terminer *Walking down Broadway* (1929). Orson Welles, lui, dut à la haine de Randolph Hearst après *Citizen Kane* et au désastre du tournage d'*It's all true*, de se faire charcuter *La Splendeur des Ambersons*, puis interdire de tourner pour les grands studios d'Hollywood.

2. Annonce reprise périodiquement depuis par Tig ce qui devient inquiétant.

3. Elle a, depuis, été rachetée par l'indépendant Robert Shaye, président-fondateur de New Line Cinema. Elle distribua en 1994 *China moon*.

sonne ne croyait. Elle omettait de dire que Costner n'avait toujours pas reçu son dû de *Danse avec les loups,* sous prétexte qu'Orion connaissait des problèmes – alors même qu'elle avait deux énormes succès : *Danse avec les loups* justement (à cette date 168 millions de dollars de recette en 185 jours, un record seulement dépassé par les dinosaures de *Jurassic Park* à l'été 1993) et *Le Silence des agneaux,* qui allait rafler cinq Oscars en mars 1992. Kevin avait seulement touché 1,5 million de dollars pour son rôle, mais il devait toucher une grosse partie de la recette en tant que producteur-metteur en scène, et n'avait encore reçu que 7,5 millions sur des gains estimés à 50 millions. À ce prix, il est normal que l'amertume n'ait pas été du seul côté d'Orion. La remarque acide de Costner : « La vie essaye de nous manger tous. Et ou vous croquez la vie, ou vous êtes mangé » prend alors une tout autre tournure : personne n'aime se faire gruger quand on vous doit de telles sommes. D'autant plus qu'Orion Pictures venait de vendre *La Famille Adams* à la Paramount pour une coquette somme non divulguée, et qu'elle possédait toujours les films lucratifs de Kevin, ainsi que les projets *The Mick* et *American Hero*, finalement joué par Dustin Hoffman et dirigé par Stephen Frears.

Quoi qu'il en soit, un contrat « premier droit de regard » [1] est signé avec Warner par Tig Productions, alors que Kevin commence le tournage de *Bodyguard*. Kevin déclare que les bons scénarios sont de plus en plus rares à Hollywood. Le scénariste-metteur en scène Lawrence Kasdan, son ami, est de surcroît lié à la Warner depuis 1982 et *La Fièvre au corps.*

Le tournage de *Bodyguard*, finalement commencé en octobre 1991, n'est pas la partie de plaisir annoncée. Les déclarations respectives de Costner et Houston n'y changeront rien : Whitney s'est comportée comme une prétentieuse vedette du pop, parfaitement insupportable, au lieu de la débutante attentive dont elle a voulu donner l'image dans ses interviews ; cela se voit même à l'écran. Quant à Costner, pourquoi cette fixation sur une chanteuse dont le jeu est aussi plat et banal que la voix, ce qui n'est pas peu dire ? Est-ce pour son formidable potentiel au Top 10 ? Est-ce à cause de la reconnaissance de ses pairs, puisqu'elle a

---

1. Contrat par lequel l'artiste soumet tous ses projets au studio et attend sa décision avant de contacter qui que ce soit d'autre.

obtenu deux Grammys [1] et onze American Music Awards ? Mais alors, où est passé le Costner si attaché à faire des films de qualité et à respecter son public ? Et pourquoi prendre un jeune metteur en scène anglais, Mick Jackson, qui n'a aucun bon film à son actif ?

Kevin a choisi lui-même Mick, un de ces nouveaux metteurs en scène arrivés d'Angleterre et dont Hollywood raffole, on se demande bien pourquoi, uniquement parce que Kevin Reynolds n'était pas intéressé, puis parce que Kasdan préféra faire *Grand Canyon*. Dans un article du magazine *Première* américain de juillet 1994, ce dernier déclare : « Quelque chose de profond en moi me disait : "Laisse-le mourir." C'est le seul scénario déjà vendu que je n'avais jamais pu faire – mais Kevin n'avait de cesse qu'il l'ait tourné. »

Jusque-là Jackson n'a fait que des téléfilms aussi moyens que rebattus pour la BBC et la célèbre chaîne Channel 4, et deux films américains plats et incolores : *Chattahoochee* (inédit en France) et *L.A. Story*. Seul ce dernier a eu un certain succès, dû avant tout à sa vedette, le comique très prisé outre-Atlantique Steve Martin, également auteur du scénario – ce qui limite sérieusement les mérites de Mick Jackson, qui a dû se contenter de suivre ses indications. Pourquoi Kevin l'a-t-il donc choisi ? Il ne s'en est jamais expliqué, laissant trop facilement la réponse à ses détracteurs : pour pouvoir faire pression sur le réalisateur et agir à sa guise. Le consternant résultat, bien pire que *Revenge*, montre qu'ils ont tort. Il semble plutôt que Kevin ait voulu être tranquille avec un metteur en scène peu connu, après les énormes controverses autour de *JFK*, dont la sortie est alors imminente, surtout après les menaces de mort qu'il a reçues pour avoir joué le rôle de Jim Garrison. Cependant Kevin reconnaît lui-même [2] : « Mick fit un très bon travail pendant le tournage mais quand le film fut mis bout à bout, il n'était pas aussi bon qu'il aurait dû l'être. »

Le plateau du studio est d'ailleurs fermé à toute personne étrangère à l'équipe. La rumeur veut que Kevin ait engagé ses propres gardes du corps, ce qu'il n'avait jamais fait auparavant.

---

1. Équivalent des Oscars pour la musique.
2. Dans *Première* américain de juillet 1994.

Dès le début du tournage, en janvier 1992, Whitney et Kevin ne s'entendent pas. Leurs déclarations le prouvent. Selon Houston : « Il y avait de la place pour un conseiller, pas pour des leçons d'art dramatique. J'ai toujours été une actrice – quand vous vous montrez sur scène, vous jouez. Je n'ai pas besoin de leçon. » Pauvre Whitney, cela se voit très peu à l'écran, malgré les efforts de Kevin. Après avoir été vu embrassant la jeune femme derrière sa caravane, Kevin déclare, embarrassé : « Nous répétions une scène d'amour ! Elle avait besoin d'aide. Elle n'avait jamais tourné un seul film auparavant. Elle avait été engagée sur le crédit de son nom. Elle n'a fait aucun test cinéma [1]. Je pensais pouvoir l'aider quand il fallait. Les scènes de baiser sont très dures à faire pour être convaincantes, même pour moi. » Ces deux entretiens le prouvent : un fossé sépare les deux partenaires. D'un côté un acteur-producteur patient, qui a attendu un an et qui pense que sa vedette débutante a besoin d'aide, de l'autre une chanteuse mièvre et banale, dont la seule qualité est d'être noire, qui se prend pour une star de cinéma parce qu'elle a tourné dans quelques vidéo-clips très moyens. D'ailleurs, dans le magazine *Première* américain de décembre 1992, elle déclare que le tournage a été dur et qu'elle n'est pas prête à recommencer, lançant ingénuement : « Je vais chanter un peu pour changer. »

Pour arranger le tout, Whitney Houston ne fait rien sans consulter sa maman, la chanteuse de gospel Cissy Houston, dont la ferveur baptiste est bien connue. Or maman n'était pas du tout d'accord pour voir sa fille faire l'amour au cinéma, de surcroît avec un Blanc. Whitney exigea donc de porter un body couleur chair pour les scènes d'amour avec Kevin, lesquelles étaient prises en silhouette, pour faire croire qu'elle était nue. Elle déclara au *Daily Mirror* britannique : « Je ne pouvais pas le faire. Ma mère m'aurait tuée. » Ce à quoi la mère répliqua : « Je me moque que Whitney veuille faire du cinéma à tout prix. Elle ne devrait même pas faire semblant d'être nue. Ce n'est pas bien. » Le résultat est risible pour ne pas dire consternant,

---

1. Procédure inhabituelle, dont les résultats sont désastreux : Whitney ne passe pas à l'écran. Comme Orson Welles l'a dit à Peter Bogdanovich : « La caméra n'est pas tant un détecteur de mensonges qu'un compteur Geiger d'énergie mentale. » Pour Whitney, l'aiguille ne bouge pas d'un poil.

comparé aux puissantes scènes d'amour auxquelles Kevin nous avait habitués avec Sean Young *(Sens unique)*, Susan Sarandon *(Duo à trois)*, Madeleine Stowe *(Revenge)* et Mary McDonnel *(Danse avec les loups)*. Les scènes d'amour Costner-Houston sont les plus glacées de l'histoire du cinéma : nous n'y croyons pas un instant. En les comparant aux grandes scènes de Raquel Welch et de Michelle Pfeiffer avec des acteurs noirs, Jim Brown dans *Les Cent Fusils* et Dennis Haysbert dans *Love Field*, c'est la Bérézina.

Pourtant le film ne manquait pas d'atouts. Costner avait consulté de nombreux professionnels pour comprendre le métier peu connu et plutôt secret par essence de garde du corps. Il s'était entraîné au lancer de couteau et aux arts martiaux, avait potassé la surveillance électronique, pour donner de l'authenticité à son personnage. En outre le contrat exclusif avec la Warner le sécurisait et lui ouvrait de nouvelles perspectives [1]. Il lui permit la présence dans le film de plusieurs chansons de Whitney Houston et d'un vidéo-clip, tourné lui aussi par Mick Jackson. Kevin fit enregistrer des chansons nouvelles, ainsi que plusieurs des succès passés de Whitney Houston, sur la bande-son originale, s'assurant ainsi des ventes de disques auprès des jeunes fans de la chanteuse.

Le directeur artistique Jeffrey Beecroft, qui avait déjà travaillé sur *Danse avec les loups*, reconstitua l'opulent style de vie d'une star de rock, et monta une cérémonie complète de remise des Oscars avec limousines, paparazzi et admirateurs tandis que mille figurants attendaient à l'intérieur du cinéma Pantage.

Malgré tout cela, le film reste extraordinairement atone. Kevin reconnaît dans un article de *Première* américain : « Certaines choses avaient besoin d'être revues et mises au point parce qu'elles étaient embarrassantes pour moi et tout aussi embarrassantes pour Whitney. Et je devais tenir la promesse que je lui avais faite qu'elle serait aussi bien que possible dans le film. » Du coup Costner prit la direction du montage et fit venir le

---

1. Bien sûr, il y avait eu la déconvenue de *Nostradamus*, une co-production franco-américaine, sous la direction d'un autre acteur-réalisateur-producteur : le shakespearien Kenneth Branagh. Costner devait participer à cette production. Mais cela s'était fait et défait pendant *JFK* et il n'avait plus eu à s'en soucier.

co-producteur Kasdan. « J'avais réellement besoin du soutien moral de Larry, qui savait comment une telle situation peut se résoudre. » Jackson, le metteur en scène, prit avec diplomatie l'intervention de Costner et de Kasdan au montage. « Quand vous avez trois réalisateurs avec de fortes personnalités dans la même salle de montage, vous obtenez trois versions différentes de la même scène. » Bref, ils retinrent surtout l'histoire d'amour et coupèrent une demi-heure de film, tout en arrivant à une demi-heure supplémentaire par rapport au montage original de Jackson (1 h 30). Sur le tournage de *Wyatt Earp*, Kevin reconnaît : « Le film a encaissé 400 millions de dollars et la fin ne tient même pas debout : elle n'a aucun sens. »

Le scénario tourné n'arrange d'ailleurs rien. Frank Farmer (Kevin Costner) est le garde du corps de personnalités politiques. Il est contacté par Bill Devaney (Bill Cobbs), le manager de la star rock Rachel Marron (Whitney Houston), pour assurer la protection de celle-ci, qui vient de recevoir des menaces de mort. Lors de la visite de la villa [1] (objet d'un très joli plan à la grue, seul intérêt de mise en scène de tout le film, d'autant plus superflu qu'il ne sert à rien), Frank se heurte à l'hostilité de Rachel et de son imprésario Sy Spector (excellent Gary Kemp) et au je-m'en-foutisme de l'entourage de la star. Seuls Nikki Marron (Michele Lamar Richards), la sœur, et Joe, le fils de Rachel, lui prêtent attention. Il accepte finalement après une nouvelle intervention de Bill. Il fait faire toutes les améliorations de sécurité de la villa et déjoue ce qui semble être une première tentative du fan meurtrier.

Au cours d'une prestation dans une boîte à la mode, Rachel panique face à l'enthousiasme un peu trop exhubérant et violent de ses fans (seule scène vraiment prenante du film) et se rapproche de Frank. Ils font l'amour. Mais le lendemain, prenant conscience qu'il vient d'enfreindre une règle d'or de son métier, Frank redevient distant avec Rachel. Celle-ci ne comprend pas et par dépit, lors d'un gala à l'hôtel Fontainebleau de Miami, se donne à un autre garde du corps, Portman (inquiétant Tomas

---

1. Il s'agit de celle que le magnat de la presse William Randolph Hearst fit construire pour sa maîtresse Marion Davies, dont il essaya vainement de faire une star dans les années 1920.

Arana), provoquant la fureur rentrée de Frank – qui fait échouer une deuxième tentative de meurtre.

Pour se reposer de ses émotions, Rachel, avec son fils et sa sœur Nikki, se rend dans le ranch du père de Frank, Herb Farmer (suave Ralph Waite), avec ce dernier, dans le Montana. D'autres tentatives d'assassinat interviennent, et une nuit ils se retrouvent tous bloqués sans électricité ni téléphone dans le ranch. Seule avec Frank, Nikki avoue qu'en réalité c'est elle qui, par jalousie (elle est aussi chanteuse et a joué dans le même groupe), a engagé un tueur pour abattre sa sœur. Mais elle est finalement assassinée cette nuit-là par erreur. Sa mort provoque des remords chez Rachel, qui décide, contre l'avis de Frank, de se rendre à la cérémonie de remise des Oscars, où elle peut être couronnée pour son rôle dans son premier film : *Queen of the Night* (« Reine de la nuit »). Pendant la cérémonie, Frank découvre, bien tard, que le tueur n'est autre que son vieux rival Portman, qui batifola avec Rachel à Miami. Quand celle-ci vient chercher son Oscar, il s'interpose et reçoit la balle qui lui était destinée, avant d'abattre son concurrent. À l'aéroport, d'où elle décolle pour une nouvelle tournée avec son fils, Rachel dit au revoir à Frank convalescent, qui reprend son métier auprès d'un sénateur.

Ce résumé du film montre bien la minceur et la banalité de son propos, visiblement écrit pour une autre époque : 1992 n'est plus 1979. Il reflète la dégringolade où était tombé Steve Mac Queen peu avant sa mort, et dont *Le Chasseur* est le parfait exemple. D'ailleurs, hormis le fait qu'un western les ait lancés tous les deux (*Les Sept Mercenaires* pour Steve, *Silverado* pour Kevin), les carrières et les rôles de Mac Queen et de Costner sont assez éloignés : Steve a souvent joué des personnages désabusés, rebelles et revenus de tout, notamment de nombreux militaires ; sans compter qu'il fut au départ une vedette de télévision avant tout [1]. Seule une admiration aveugle a pu entraîner Kevin dans ce premier désastre artistique. Il admet : « J'étais très excité à l'idée de faire ce film et même Larry (Kasdan) ne s'en rendait pas totalement compte. »

Le film sort aux États-Unis et au Canada le 25 novembre 1992, en France et en Angleterre le 9 décembre, pour profiter

---

1. La fameuse série culte *Au nom de la loi (Wanted dead or alive)*, 1958-61, où il avait une winchester sciée en guise de revolver.

des fêtes de fin d'année. Kevin, pour la première fois, vient en France faire la promotion de son œuvre ; il passe trois jours au Ritz en novembre à répondre à des interviews. Mais les critiques, tant en Amérique du Nord qu'en Europe, sont assez dures, avec raison. L'enthousiasme de *Danse avec les loups*, le dépit de *Revenge* et la controverse mêlée d'admiration de *JFK* sont bien loin. Isabelle Danel, dans le *Télérama* du 16 décembre 1992, exécute le film en dix lignes. Laurent Vachaud dans *Positif* de janvier 1993 est plus équitable : il parle avec justesse de la différence fondamentale entre Mac Queen, à la solitude pathétique, et Costner, « image parfaite du *family man* américain », de la similitude de l'argument avec celui de *Traquée*, film (lui aussi raté d'ailleurs) de Ridley Scott, des « clips étirés au-delà de toute vraisemblance, où la comédienne débutante disparaît totalement derrière la chanteuse aseptisée », et il conclut : « On a peine à croire que Costner se soit passionné pour son personnage de gorille, droit et consciencieux, qui ne se pardonne pas d'avoir manqué à sa tâche (il était en vacances) le jour où John Hinckley avait tiré sur Reagan. (...) Costner semble pourtant avoir cru à ce film risible et interminable (2 h 10) puisqu'il en a assuré la production, via sa société Tig. » Cette critique reflète l'avis de tous les amateurs de cinéma, de l'ensemble des revues et de la presse. Même le scénariste et co-producteur Lawrence Kasdan est très gêné vis-à-vis du film : « C'est un sentiment bizarre d'être mécontent de quelque chose que vous avez fait et qui a énormément de succès. C'est aussi énervant que quand vous pensez avoir fait quelque chose de très bien, qui n'a aucun succès. » Kasdan n'a eu que 32 millions de dollars de recettes avec son *Grand Canyon*, pas même le dixième de *Bodyguard*.

Apparemment, le public n'est donc pas du tout du même avis, puisqu'à la fin janvier 1993 *Bodyguard* a déjà rapporté, rien qu'aux États-Unis et au Canada, après sept semaines d'exploitation, 102 millions de dollars, ce qui le hisse à la troisième place du box-office américain. En France, à la fin mars 1993, après douze semaines d'exploitation, il fait 768 000 entrées rien qu'en région parisienne, ce qui le situe en cinquième place, position qu'il occupe toujours au mois d'août [1], malgré *Les Visiteurs* venu

1. Avec plus de 3 millions d'entrées en France, soit légèrement moins que *Robin des Bois*.

secouer le palmarès entre-temps. La bande originale du film, comme c'était prévisible, fait un malheur encore plus considérable : elle est première au Top 10 partout dans le monde, le reste cinq semaines aux États-Unis, sept en France, huit en Angleterre. Elle bat les records de vente détenus auparavant par les Beatles et Elvis Presley, puisque trois mois après sa sortie elle s'est déjà vendue à 18 millions d'exemplaires. Aux États-Unis, elle bat même le record hebdomadaire appartenant au groupe de hard-rock Guns'N'Roses (800 000 exemplaires), en atteignant le million de disques vendu en une semaine. Le clip est montré dans le monde entier et fait un tabac jusqu'en Asie. La vente de disques et de clips dépasse même les gains cinématographiques. En septembre 1993, toutes les recettes confondues (disques et clips compris), son rapport mondial est de 362 millions de dollars, légèrement inférieur à celui de *Danse avec les loups* – ce qui est sympathique pour le producteur, mais pas pour l'artiste. Tient-on là l'explication de l'acharnement de Kevin Costner à faire ce film ?

Flash-back sur 1991, où une certaine chanteuse au succès mondial, Madonna, sort un film à sa propre gloire : *Au lit avec Madonna (Truth or Dare,* « La vérité ou le défi »), réalisé par Alex Keshishian, metteur en scène spécialisé jusque-là dans les vidéo-clips, dont certains de Madonna bien entendu. Parmi les séquences remarquables de ce film naïf et hagiographique, on voit Kevin Costner venu féliciter et remercier Madonna après un concert. Juste après qu'il l'a quittée, la chanteuse se fourre deux doigts dans la gorge et imite un bruit de vomissement. Kevin, furieux d'avoir été piégé, déclarera à la presse qu'il a été pris pour un imbécile : « Je ne sais pas pourquoi je suis dans ce film. Ils nous (Kevin et sa femme Cindy) ont donné des billets. Madonna nous a invités dans sa loge. Je ne sais pas pourquoi elle a cru bon de faire ça. En tout cas, la presse fait des gorges chaudes – si ce mauvais jeu de mots est permis – de l'histoire, et certains journaux déclarent que la séquence en question est la meilleure de tout le film. »

Kevin va bientôt tenir son explication. En effet, le quotidien *Variety* révèle que Madonna aurait instamment désiré avoir le rôle de la rock star dans *The Bodyguard*. La rumeur veut que Costner lui-même ait insisté pour qu'elle ne l'ait pas. Nous sommes ici en présence du vieux problème de l'œuf et de la poule : qui a précédé qui ? En fait, les dates indiquent bien que Kevin aurait refusé le rôle à la chanteuse *avant* la tournée où fut prise la fameuse séquence. Madonna aurait donc monté le coup pour se venger. Cette catholique fervente (c'est elle qui le proclame [1]) pratique fort peu la charité chrétienne. Dès lors l'acharnement de Costner à faire *Bodyguard* ne serait peut-être qu'une pierre dans le jardin très médiatisé de Madonna. Dans le numéro du 17 juillet 1992 de l'hebdomadaire *Entertainment Weekly,* un sondage auprès d'un échantillon représentatif de l'ensemble de la population américaine place Whitney en cinquième position à la question : « Quelle est votre chanteuse préférée ? » et Madonna n'arrive qu'au septième rang (mais au deuxième pour la tranche des 15-24 ans).

Une autre source déclare que Kevin aurait informé Whitney de son intention de chanter avec elle cinq des chansons qu'elle avait enregistrées sur la bande originale du *Bodyguard.* C'est ici le moment de révéler que, vers 1984, Kevin a été chanteur et guitariste vedette d'un groupe de country-rock de quatre personnes appelé *Roving Boy.* Ce groupe dure depuis bientôt dix ans aujourd'hui et comprend, en plus de Costner, Blair Forward, Steve Appel et John Coinman. Leur premier disque, intitulé *The Simple Truth* (« La simple vérité »), n'est sorti qu'au Japon, le 25 avril 1988. En parlant de cette autre corde à son arc, Kevin avoue : « Je ne dis pas aux gens tout ce que je fais. La musique est quelque chose de très privé pour moi. Je fais très attention à la façon dont on va en parler. » Costner serait-il un émule de Woody Allen [2] de par son violon d'Ingres ? En tout cas, son disque ne s'est placé que 67e du box-office japonais. À ce jour il ne s'est vendu qu'à 13 000 exemplaires en simple et 10 000 en album. Nous sommes loin des scores de Madonna et de Whitney Houston. Néanmoins la chanson-titre figure sur la bande-son de la série télévisée *Dun Huang,* un feuilleton sur la Chine du XIe siècle produit par le groupe Tokuma, également producteur du disque.

---

1. Voir dans son film les ridicules séquences de prière collective de toute son équipe avant chaque spectacle.

2. Pour les lecteurs qui l'ignorent, Woody se produit avec son groupe comme clarinettiste de jazz Nouvelle-Orléans, tous les mercredis où il est présent à New York, au *Michael's Pub.*

Robert Hillburn, le célèbre critique musical du *Los Angeles Times*, a déclaré : « Si les récents albums de Don Johnson *(Miami Vice, Deux Flics à Miami)* et Bruce Willis *(Die hard, 58 minutes pour mourir)* représentaient le "bon" et le "mauvais" dans les performances musicales des célébrités d'Hollywood, ce n'est pas être méchant que de dire que l'album de Costner représenterait l'"affreux [1]". » Il ajoute que le problème de Costner, à part un manque évident de talent musical, est qu'il se prend trop au sérieux comme chanteur et compositeur (deux des dix chansons de l'album sont de lui), au lieu de s'en tenir aux bons vieux succès inusables comme le font Johnson et Willis. Il est vrai que cette manie bien actuelle des vedettes du show-biz de vouloir être présents sur tous les fronts est passablement agaçante [2].

Kevin aurait-il voulu tâter de la pop à l'ombre d'une de ses stars ? Lui seul pourrait le dire. Une mésentente avec Whitney Houston à ce sujet a pu le faire renoncer. Quoi qu'il en soit, il vaut mieux qu'il s'en tienne à ce qu'il sait bien faire : la mise en scène et l'art dramatique au cinéma. Ce piètre résultat artistique est d'autant plus navrant que *Bodyguard* a dû être entièrement remonté à l'issue d'une « preview » catastrophique.

Kevin semble aujourd'hui à la croisée des chemins. Sa renommée est grande et son pouvoir certain. Si son éternel rival Mel Gibson le bat d'une tête dans le sondage de l'hebdomadaire *Entertainment Weekly* du 17 juillet 1992 sur « Qui est votre acteur favori ? », il demeure significativement le favori des 15-24 ans et des 45-60 ans (nourris au lait de la grande époque d'Hollywood), Mel se réservant la tranche des 25-34 ans et des moins de 15 ans. En revanche, sur la liste annuelle du magazine *Forbes* des quarante vedettes (toutes disciplines confondues) les mieux payées du monde, il apparaît en 1991 pour la première fois et à la sixième place, largement en tête de tous les acteurs de cinéma. De même, dans l'enquête annuelle du magazine améri-

---

1. Jeu de mots sur le titre américain du *Bon, la Brute et le Truand* de Sergio Leone : *The Good, the Bad and the Ugly* (« Le bon, le mauvais et l'affreux »).

2. La France, avec Patrick Bruel et Vanessa Paradis, parmi de nombreux autres, est à l'avant-garde de ce courant.

cain *Première*, « Qui a le pouvoir à Hollywood ? » il arrive en septième position en 1993 (au lieu de dix-septième en 1992) alors que son imprésario Mike Ovitz (premier en 1991 et 1992) rétrograde en troisième position. Les atouts reconnus de l'acteur sont sa portée internationale (chacun de ses quatre derniers films a rapporté au moins 100 millions de dollars hors Amérique du Nord, ce que nul autre n'a réussi jusque-là) et sa ténacité, comme son récent bras de fer avec l'Universal [1] le prouve. Ses faiblesses reconnues sont ses difficultés à changer d'accent (entre *Robin des Bois* [2] et *JFK* notamment [3]) et ses coupes de cheveux jugées ridicules. (*Bodyguard* a choqué de ce point de vue de nombreux critiques, déjà échaudés par *JFK*.)

Va-t-il s'endormir sur ses lauriers, attraper la « grosse tête », comme ne cessent de le répéter ses détracteurs, ou simplement nous étonner une fois de plus ? « J'ignore ce que le public attend de moi, mais je sais ce que j'attends de moi, et tout est là. Je ne fais pas une carrière par calcul, où j'essayerais d'anticiper les tendances ou de deviner ce que les spectateurs vont apprécier. Je fais des films parce que je les aime d'avance quand je lis le scénario. Certes j'ai du succès aujourd'hui, mais à long terme, je le vois bien, votre course à Hollywood peut n'être qu'un sprint, alors que votre vie entière sera un marathon. Je ne me suis jamais imaginé que je serais le premier ; je n'ai pas ce genre d'attitude [4]. Ma façon d'être maintenant restera toujours la mienne. Je crois aussi qu'il faut laisser la porte ouverte aux occasions qui se présentent, pour

---

1. Au sujet du très secret *Waterworld*, dont on sait que Costner l'interprétera et le produira, tandis que Kevin Reynolds le réalisera. Ce projet, datant de 1988, fut financé par Largo Entertainment, la société de Larry Gordon, mais les Japonais de JVC, associés de ce dernier, refusèrent le budget initial de 60 millions de dollars. Le projet échoua chez Universal, dont le patron Tom Pollock refusait depuis cinq ans de faire un autre projet de Kevin Costner *(Paradise)*. Après un bras de fer de deux ans, Pollock accepta de laisser partir *Paradise* à la Warner Bros, à condition que Costner fasse *Waterworld* pour Universal.

2. Le film de Mel Brooks *Sacré Robin des Bois* trouve le moyen de se moquer de son accent californien.

3. Une subtilité peu perceptible pour la majorité des oreilles françaises.

4. Nous en savons quelque chose puisque Kevin ne souhaite pas rencontrer ses biographes. Cela ne l'intéresse pas du tout à l'heure actuelle.

qu'une surprise entre dans votre vie. Qui sait ce qui peut arriver ? Peut-être un jour ne serai-je même plus dans le cinéma. (...) La vie est un long voyage. Je me réserve le droit de changer de destination si je le désire. » Une telle déclaration, et les nombreux projets de Costner, plaident en faveur de cette dernière hypothèse.

Déjà ses retrouvailles avec Kevin Reynolds montrent qu'il n'est pas rancunier. Tous deux partent en mars 1993 sur l'île de Pâques pour les repérages du nouveau film de Reynolds (le premier depuis *Robin*), que Kevin et Tig vont produire. Le tournage sur l'île se termine en juillet de la même année, après un considérable dépassement de budget. Les deux Kevin sont restés amis, malgré la Morgan Creek, James G. Robinson et les mauvaises langues. Costner aurait même souhaité que Reynolds dirige *Bodyguard*. Ils doivent se retrouver pour *Waterworld* d'Universal (un budget de plus de 100 millions de dollars).

Kevin doit également produire pour la télévision une série de huit heures sur l'histoire des tribus indiennes d'Amérique du Nord, *Cinq cents Nations*, pour laquelle il investit personnellement 8 millions de dollars (soit la bagatelle de 45 millions de francs). Il précise : « *Danse avec les loups* n'était qu'une anecdote. En revanche, *Cinq Cents Nations* représente l'histoire intégrale des Indiens. Je ne cherche pas à faire des films épiques à chaque fois, mais plutôt à trouver quelque chose de stimulant et de nouveau. » Il compte retracer la vie des Indiens depuis bien avant l'arrivée de Christophe Colomb et jusqu'à la bataille de Wounded Knee ; un épilogue fera l'état des lieux des sociétés indiennes aujourd'hui. La série montrera non seulement les Indiens des États-Unis et du Canada, mais aussi ceux du Mexique et des Caraïbes. La chaîne de télévision CBS s'est engagée à diffuser la série à l'heure de plus grande écoute (20 h-22 h) au début 1995, Costner en assurant la présentation.

Kevin Costner est également intéressé par le rôle de « Benya the King », d'après l'histoire la plus célèbre des *Contes d'Odessa* du Juif russe Isaac Babel, épuré en 1936 par Staline après avoir été un véritable combattant de la révolution bolchevique et de la guerre civile dans la cavalerie de Boudienny [1]. Cette coproduc-

---

1. Les lecteurs intéressés liront à ce sujet son beau roman *Cavalerie rouge*.

tion américano-franco-russe n'est toujours pas en selle au printemps 1995 : elle conterait l'histoire authentique du Robin des Bois juif d'Odessa, un rôle sur mesure pour Kevin.

À l'opposé est le rôle de *A perfect World (Un monde parfait)*, le film qu'il vient de tourner avec et sous la baguette de l'autre grand acteur-producteur-réalisateur, l'increvable Clint Eastwood. Kevin y joue le rôle d'un tueur évadé, Butch, qui va enlever un enfant. N'a-t-il pas peur de ternir son image ? « Pas du tout », répond-il à Jean-Paul Chaillet dans la revue *Première* française. « Un acteur a toujours intérêt à se trouver à l'affiche d'un bon film. C'est ainsi que j'ai toujours mené ma carrière. Je m'efforce d'être dans les bons films. *Un monde parfait* est un bon film, dans lequel je joue un personnage qui sera peut-être une surprise pour beaucoup. » Il reconnaît dans cet entretien, paru en août 1993, que son personnage de garde du corps n'était pas très profond, mais que « Butch est profondément américain. Dans la lignée des personnages joués par des acteurs comme James Cagney, Edward G. Robinson ou encore Paul Newman dans *Le plus sauvage d'entre tous (Hud)*. » Kevin lui-même concède qu'il prend des risques, mais il ne s'en préoccupe pas. Les rôles de Cagney et de Robinson qu'il évoque sont des rôles de salauds, à l'opposé de l'image de héros que possède Costner. Newman lui aussi a pris ce risque au même âge que lui (trente-huit ans), bien qu'après il se soit efforcé de rendre sympathiques les pires crapules (Butch Cassidy). Cooper ne jouera des rôles ambigus qu'après avoir dépassé la cinquantaine, et Fonda ne se laissera aller à incarner un salaud absolu qu'une fois dans sa carrière, et à soixante-quatre ans (dans *Il était une fois dans l'Ouest* de Sergio Leone). Flynn, Stewart et Tracy n'ont jamais joué de tels rôles. Gregory Peck et Robert Redford se sont glissés dans la peau de personnages ambigus au début et à la fin de leurs carrières, Peck ne s'autorisant à être l'abominable médecin nazi Mengele qu'à soixante-deux ans *(Ces garçons qui venaient du Brésil* de Franklin Schaffner).

En pleine gloire, Kevin n'hésite pas à jouer une ordure – prendre un enfant en otage n'ayant nulle part bonne presse. C'est un nouveau défi qu'il se lance, défi qu'aucun des acteurs mythiques dont il perpétue la lignée n'a tenté avant lui au même âge. Il montre que sa volonté d'acteur est plus forte que toute prudence ou opportunisme, qui seraient pourtant légitimes, et banals,

250

à ce stade de sa renommée. Le défi est d'autant plus difficile qu'il se remet entre les mains d'un confrère peu réputé pour faire des concessions, et qui ne prend jamais d'autre vedette que lui-même. Pour la première fois de sa carrière, Kevin se confie à un égal, dont la célébrité est aussi grande que la sienne [1]. Que pense le metteur en scène Eastwood de sa vedette ? « J'aime voir des acteurs prendre des risques dans des contre-emplois, c'est d'ailleurs ce que je me suis efforcé de faire pour *Un monde parfait (A Perfect World)*. Il y a cinquante ans, c'est un rôle qui aurait convenu à Humphrey Bogart ou James Cagney. C'est l'occasion pour Kevin d'incarner un personnage plus dur que ceux dont il a l'habitude, et de révéler un aspect plus violent de sa personnalité – même s'il ne s'agit pas d'un film violent à proprement parler. »

En fait, Kevin n'était pas au départ le choix d'Eastwood, mais la Warner n'a pu résister au coup fabuleux que représentait le tandem de ses deux acteurs-réalisateurs-producteurs maison récemment couronnés par les Oscars et dont les derniers films ont rapporté beaucoup d'argent. Eastwood a reconnu lui-même, dans un entretien reproduit par la revue *Studio* de décembre 1993 : « Si j'ai adoré travailler avec Kevin, c'est non seulement pour ses qualités d'acteur mais aussi pour son expérience de metteur en scène. Cela le rend aussi attentif au moindre détail qu'à la continuité du film. (...) Kevin prend son métier d'acteur très au sérieux. J'apprécie chez lui sa manière toujours positive de faire des suggestions. Nous avons discuté ensemble de ses scènes avant de les tourner. Je crois qu'il a beaucoup contribué à améliorer le film. » Des compliments qui comptent puisqu'ils viennent d'un professionnel connu pour en être avare. Kevin renvoie la balle dans un entretien publié par *Ciné Revue* le 5 août 1993 : « Clint avait manifesté une profonde admiration pour mon travail dans *Danse avec les loups*, et moi j'ai toujours vu en Clint un double de moi-même. C'est l'acteur et le réalisateur dont je me

---

1. Le dernier film de Clint Eastwood, *Impitoyable*, un superbe western, a remporté quatre Oscars en mars 1993 (dont les deux principaux : meilleur film, meilleure mise en scène), après les Golden Globes en septembre 1992 : exploit que seul un certain Kevin Costner avait réussi avant lui. Eastwood fut en tête du box-office de 1978 à 1981 en compagnie de Burt Reynolds.

sens le plus proche dans la profession. D'ailleurs je considère *Impitoyable* comme un chef-d'œuvre. S'il est un film que j'ai voulu faire c'est indéniablement celui-là. Clint est non seulement un professionnel mais aussi un artiste, un vrai. Il ne se moque pas du public. Des hommes comme lui, il en existe de moins en moins. C'est une espèce en voie de disparition, une espèce qu'il faut protéger ! » En fait, Costner et Eastwood ne se rencontrèrent pour la première fois qu'en janvier 1993, et s'entendirent à merveille au cours de cette première prise de contact organisée par la Warner. Le tournage a lieu au Texas d'avril à juin 1993, et le film sort en décembre 1993 dans le monde entier : le 7 aux États-Unis, le 15 en France et le 26 en Grande-Bretagne.

Le sujet est fort : nous sommes au Texas à l'automne 1963, la nuit d'Halloween, quelques semaines avant l'arrivée du président Kennedy (encore !). Condamné pour meurtre, Butch Haynes (Kevin Costner) s'évade du pénitencier d'Huntsville et part en cavale avec son compagnon de cellule Terry Pugh (Keith Szarabajka), qu'il n'apprécie pas du tout. Après avoir pénétré dans une maison, terrorisé la famille et enlevé le jeune fils Philip (T.J. Lowther), les deux criminels volent une voiture et s'enfuient. Quand Terry tente de violer Philip, Butch l'abat, après une poursuite dans un champ de maïs. La police d'État intensifie ses recherches. Un Texas Ranger solitaire et revenu de tout, Red Garnett (Clint Eastwood) se met en chasse, avec une caravane – poste de commande dernier cri destinée au gouverneur pour la venue du président, afin d'éviter que la vie de l'enfant soit en péril. Tout au long de sa course-poursuite, Red va être aidé (avec réticence) par une jeune criminologue féministe, Sally Gerber (Laura Dern), que lui a envoyée le gouverneur, et un agent du FBI plus pressé de tirer un coup (dans tous les sens du terme) que de rendre service. Des rapports presque filiaux vont se développer entre Philip et Butch, tous deux n'ayant pas vraiment connu leur père. La cavale comportera son lot de drames et d'épisodes comiques. Un pauvre fermier noir, dans le champ duquel ils ont échoué pendant la nuit, va imprudemment offrir le gîte à Butch et Philip. À leur réveil, tout se passerait bien si ce fermier n'avait la malencontreuse idée de frapper son fils pour une peccadille. Butch redevient alors le meurtrier en cavale, force le Noir sous la menace de son revolver à embrasser son fils et à lui dire qu'il l'aime, puis ligote toute la famille – mais Philip, qui a pris son revolver, le blesse au ventre. La fin prévisible et bouleversante aura lieu, Red, Sally et le FBI arrivant sur place à ce moment-là, avec le gouverneur et la mère de Philip.

Des réminiscences de *La Grande Évasion* de Raoul Walsh et de *La Peur au ventre,* son remake par Stuart Heisler, ainsi que des *Passagers de la nuit* de Delmer Daves pour Bogart, de *L'Enfer est à lui,* encore du maître Raoul Walsh, pour Cagney, ne manqueront pas d'être évoquées par les cinéphiles. Costner a apporté beaucoup de touches personnelles au personnage : comme lui il est attiré par les espaces sauvages de l'Alaska, et ressent l'importance d'une relation saine avec son père pour l'élaboration de la personnalité. Il s'est efforcé d'insuffler une sympathie au personnage pour le rendre encore plus complexe, ce à quoi les cinéphiles ont été sensibles.

La critique, tant américaine qu'européenne, apprécie le film, sans le ranger parmi les chefs-d'œuvre de Clint Eastwood. Dans son excellent article du magazine *Time* du 20 décembre 1993, le critique Richard Corliss compare le film à *L'Homme des vallées perdues (Shane)*, western de 1953, déclarant : « Ici Haynes est le méchant [1], mais il est surtout Shane [2]. Il donne à Philip des leçons de virilité naturelle : comment fumer, draguer, danser, lutiner une serveuse, conduire une voiture, voler une voiture, faire un hold-up, et bien sûr pointer un revolver chargé sur les gens que vous détestez. Les aveugles conduisent les aveugles : Butch essaye de devenir le père que ni lui ni le gamin n'ont connu. Le film donne aussi l'occasion à Butch d'expliquer la plupart de ses excès. Il semble que sa mère ait été une pensionnaire de bordel, et que son père l'ait battu. Comme les enfants maltraités deviennent des adultes malfaiteurs, Butch, au père absent, devient un minable ersatz de père pour Philip. Mais le garçon est prêt à idolâtrer – et finalement à se dresser contre – le premier homme qui a voulu lui témoigner un intérêt paternel. » Plus loin, il rend hommage à Kevin : « Costner est tellement à l'aise avec la caméra qu'il est à la fois méprisable et délicieux. Ce "monde" n'est pas parfait : il zigzague jusqu'à son épilogue, et s'endort dans le pathos quand il y arrive. Mais c'est une belle carte

---

1. Joué par un brutal et inquiétant Jack Palance dans le western de George Stevens, un des modèles du genre.
2. Nom du héros et titre original du western de 1953.

de visite pour deux acteurs hollywoodiens en pleine forme – l'un au zénith de son vedettariat, l'autre dans l'après-midi feutré d'une carrière remarquable. » Cette opinion rend très bien compte du film, et va servir de modèle à la plupart des autres critiques.

Dans le magazine *Première*, édition anglaise, de janvier 1994, Tom Shone compare non sans raison le Kevin Costner du film au Cary Grant de *Soupçons* d'Alfred Hitchcock : « Je ne me suis jamais imaginé que Costner avait une once de menace dans le corps, mais ici il prouve que j'ai tort, à l'aide de quelques accessoires : des lunettes noires, des Lucky Strike et un cure-dents qu'il ne cesse de promener d'un coin de sa bouche à l'autre, comme si quelque chose en lui montait et descendait, attendant de s'abattre sur quelqu'un. »

La critique française adopte le même ton dans son ensemble. Bernard Génin, dans *Télérama* du 15 décembre, termine un article mitigé par : « Pourtant il sera difficile d'oublier ce grand moment d'émotion qu'est l'épilogue. Dans un champ cerné par la police, un petit garçon désemparé ne sait plus où se trouvent le bien et le mal. Et on s'aperçoit que son ravisseur jouait à la fois le truand, la brute et le bon... » Jean-Paul Chaillet, dans *Première* de janvier 1994, et Yann Tobin dans *Positif* du même mois, tout en reconnaissant que ce *Monde* n'est pas un film parfait, comme Corliss avant eux, l'ont néanmoins apprécié, le rattachant aux films-balades (pour Tobin), aux œuvres plus personnelles (pour Chaillet) de Clint Eastwood : *Bronco Billy* et *Honky Tonk Man*. Il faut dire que dans une interview, Eastwood a déclaré : « Il y a sans doute des éléments de *Bronco Billy* et *Honky Tonk Man* (dans ce film). » Étant donné que ces films sont parmi les cinq meilleurs de Clint, celui-ci est, malgré tout [1], probablement à la mesure du défi que se sont lancé ces deux monstres sacrés. Eastwood n'a jamais dirigé un acteur de la stature – financière et artistique – de Kevin, de surcroît en jouant avec lui. Ils n'ont d'ailleurs qu'une très courte scène ensemble, éloignés l'un de l'autre et à la fin de l'histoire. Néanmoins ils ont réussi un film attachant, désenchanté – même s'il est un peu trop long.

---

1. Chaillet déclare avec raison : « Dès que la caméra se détourne de Costner et de l'enfant, le film ralentit et perd de son impact, à cause de scènes parfois aussi inutiles qu'artificielles. Dommage. »

Nous sommes loin du ratage de *Bodyguard,* et son interprétation de Butch (« le criminel amical » comme l'appelle Tom Shone dans *Première* édition anglaise) fera encore rebondir la carrière de Costner. Voudrait-il maintenant s'inscrire aussi dans la lignée du dur mythique Humphrey Bogart, élu acteur le plus célèbre du monde, par un sondage d'*Entertainment Weekly* en août 1993 ? L'avenir nous le dira. Il faut reconnaître que, par moments, la prestation de Kevin (face à son complice, au fermier noir ou au directeur du magasin *Friendly*) donne aussi froid dans le dos que celle de Bogart dans *La Maison des otages (The Desperate Hours* [1]*)* de William Wyler, ce qui n'est pas un mince compliment.

Mais plus encore qu'aux acteurs et aux rôles que nous venons de citer, Kevin Costner et Butch Haynes font irrésistiblement penser à Robert Mitchum et Harry Powell dans *La Nuit du chasseur.* Même si les rapports entre l'enfant et le père putatif sont inversés – dans la « Nuit », le gamin est constamment rebelle et ce n'est qu'à la fin, quand Powell est arrêté comme l'a été son père auparavant, qu'il le défend et lui dévoile son secret – le jeu de Costner et celui de Mitchum sont très semblables : tour à tour charmeurs et inquiétants, rien que par des éclairs dans le regard, des intonations de voix, l'utilisation d'accessoires. (Les doigts tatoués avec les lettres constituant les mots « amour » et « haine », la chanson leitmotiv, l'habit de pasteur de Mitchum ont le même pouvoir de fascination que les lunettes, les cigarettes et le cure-dents de Costner.) Est-ce à dire qu'*Un monde parfait* l'est autant que *La Nuit du chasseur* ? Certainement pas : seule la performance des deux acteurs est admirable, et comparable. Costner a parfaitement réussi son passage au contre-emploi. Certains trouveront qu'il est encore trop sympathique, mais que dire alors de Mitchum et de Grant dans les films que nous avons cités précédemment ?

Kevin lui-même déclare de son personnage, dans la critique du *Figaro* du 15 décembre : « Si aimable qu'il puisse paraître, n'oublions pas que c'est un individu extrêmement dangereux. Quand les choses tournent mal pour Butch, elles tournent mal

---

1. Dont Michael Cimino fit une remarquable version, supérieure à l'original, en 1991.

pour tous ceux qui le côtoient. C'est ce que la société a le plus de difficultés à comprendre chez le criminel. » Réponse définitive à ceux qui pourraient encore croire Butch sympathique. En fait, c'est bien la preuve de l'immense talent de Costner : arriver à rendre aimable par certains côtés un personnage profondément répugnant. Seuls les très grands sont capables d'une telle prouesse. Kevin prouve une fois pour toutes sa filiation avec Gary Cooper, lequel « changeait considérablement de personnage et de style de jeu d'un film et d'un réalisateur à l'autre » dixit Luc Moullet [1], et avec Robert Redford, dont l'évadé prétendument criminel de *La Poursuite impitoyable (The Chase)* d'Arthur Penn (1967) était lui aussi loin d'être antipathique. Costner a également démontré sa parenté avec Paul Newman en prenant modèle sur *Le plus sauvage d'entre tous (Hud),* s'attachant comme son prédécesseur à trouver, par ses gestes et son comportement, une manière d'éclairer la personnalité du criminel qu'il interprète.

Malgré cela, le film n'est pas un succès aux États-Unis, où il ne fait que 35 millions de dollars de recettes. En Europe ce sera beaucoup mieux, et en France il atteindra les 2 millions de spectateurs, ce qui en fait l'un des succès de la fin 1993-début 1994.

Pour compenser les risques inhérents à un tel défi, Costner, sitôt fini le tournage d'*Un monde parfait*, se lance dans une véritable boulimie de tournages successifs. Tout commence par la désormais traditionnelle compétition annuelle des studios pour un même sujet. Souvenons-nous : en 1991 elle avait mis aux prises la Fox, Tri-Star et Morgan Creek (associée à la Warner) sur *Robin des Bois*. En 1992, c'étaient la Paramount et la Warner qui s'étripaient sur Christophe Colomb. Si en 1991 la Warner avait gagné par KO dès le départ, le résultat de 1992 est plus incertain, les deux films ayant fait des « bides » retentissants, malgré Depardieu (dans celui de Ridley Scott) et Brando (dans celui de John Glen).

En 1993 la guerre s'est dédoublée : d'une part, la Paramount (encore) et la Warner (toujours) en viennent aux mains sur Pancho Villa et Tom Mix, avec en prime les deux frères Scott (Ridley et

---

1. Dans son livre *La Politique des acteurs*, Éditions de l'Étoile/Cahiers du Cinéma, 1993.

Tony) en rivaux [1] ; d'autre part la Warner (et de deux !) et la Disney s'étripent sur Wyatt Earp, figure emblématique de l'Ouest légendaire. Remarquons au passage que Ridley Scott est le seul avec Costner à participer à plus d'une de ces joutes annuelles. Si le projet de la Disney, via sa filiale Hollywood Pictures [2], est le premier en production, celui de la Tig et de la Warner est le plus excitant. Détail amusant, les deux films se tournent en Arizona et au Nouveau-Mexique, à une centaine de kilomètres de distance l'un de l'autre. Il faut dire que quand le projet de Kevin Jarre était chez Universal, il avait envoyé son script à Costner – en juin 1992 – mais ce dernier avait répondu qu'il avait son propre projet pour Earp, puisque Kasdan souhaitait qu'il soit la vedette de son film.

Wyatt Earp, de la Warner-Tig, est plus intéressant sur le papier que *Tombstone* de la Disney, pour de nombreuses raisons :

– Kevin Costner est un acteur autrement plus passionnant que l'impavide Kurt Russel pour interpréter la figure de Wyatt Earp ;

– Lawrence Kasdan a déjà réalisé un western réussi *(Silverado)* et paraît de ce fait mieux armé que le scénariste-réalisateur débutant Kevin (encore un !) Jarre, qui a d'ailleurs été très vite remplacé par George P. Cosmatos, quelques semaines avant le début du tournage ;

– Costner et Kasdan sont unis par une longue complicité (depuis *Les Copains d'abord* jusqu'à *Bodyguard* en passant par *Silverado*) ;

– Dennis Quaid est un acteur autrement plus original que Val Kilmer pour jouer le compagnon ambigu d'Earp, Doc Holliday ;

– le remarquable Gene Hackman est un acteur superbe pour le rôle de Nicholas Earp, le père, absent de la version Disney ;

– Jeff Fahey est aussi merveilleux que Walter Brennan (dans *La Poursuite infernale*) pour le rôle d'Ike Clanton, en tout cas infiniment supérieur à Stephen Lang ;

---

1. En octobre 1994, aucun de ces films n'a été tourné. La rivalité des deux frères, qui avaient la même agence même si ce n'était pas le même agent, a paru un peu exagérée. Même à Hollywood, il y a des limites à ne pas dépasser.

2. Créée au départ pour produire des films moins « grand public » que l'autre filiale Touchstone Pictures, et pour donner leurs chances à de jeunes réalisateurs débutants ou peu connus, elle semble avec ce film s'être singulièrement détournée de son objectif initial.

– le tandem Costner-Quaid est plus prometteur, par le contraste de leurs styles et l'éclat de leurs personnalités, que celui Russell-Kilmer, acteurs très semblables par le physique et par le jeu ;

– Isabella Rosselini apportera une touche féminine à ce tandem, absente du projet Disney, en jouant la maîtresse d'Holliday – un rôle remarquablement tenu par Jo Van Fleet dans le film de John Sturges – touche accentuée par les trois femmes d'Earp et ses belles-sœurs (dont JoBeth Williams, Catherine O'Hara, Mare Winningham) jamais vues ensemble dans un film ;

– enfin le scénario de Kasdan ne se limite pas comme celui de Jarre à la période ultime d'Earp, la plus vue au cinéma, celle d'OK Corral à Tombstone ; au contraire il évoque sa vie sur plus de trente ans.

Kevin, avec ce rôle, sera le seizième Wyatt Earp de l'histoire du cinéma parlant et de la télévision, le dix-neuvième si les trois films tirés du roman *Saint Johnson* (très inspiré de la vie d'Earp), du grand écrivain et scénariste W. R. Burnett (1899-1982), y sont incorporés. Earp, personnage fort trouble de l'Ouest américain, est né le 19 mars 1848 à Monmouth (Illinois) et mort en 1929 à Hollywood, où il travaillait comme conseiller et scénariste. Entre-temps il a été successivement, et pas forcément dans cet ordre, cow-boy, chasseur de bisons, joueur – et donc tricheur – professionnel, probablement hors-la-loi (comme Pat Garrett [1] d'ailleurs), bien qu'il l'ait énergiquement nié plus tard (au contraire de Garrett qui s'en vantait), prévôt [2], shérif, et enfin marshall [3], avant de ter-

---

1. Autre célèbre figure de l'Ouest, qui abattit Billy the Kid après avoir été son ami. Leur tandem a suscité autant d'adaptations cinématographiques que celui d'Earp-Holliday.

2. Nommé par les habitants d'une ville pour la nettoyer, il donnait des ordres au shérif, élu par ailleurs.

3. Au contraire du shérif élu par un comté *(county)* qui devient sa juridiction pour les affaires de police, le marshall est nommé par le gouverneur d'un État et supervise un ensemble de comtés, bien qu'il dépende des institutions fédérales *(United States marshall)*. Ces deux institutions existent toujours aux États-Unis (voir à ce titre le film *Le Fugitif*), en parallèle avec les polices municipales des villes et le FBI, police fédérale. Ce système très souple et redoutablement efficace (la concurrence a toujours payé, même dans la police) donne lieu à des querelles de juridiction aussi amusantes et fréquentes que *très vite* résolues ; ce n'est pas la France !

miner sa vie comme conseiller technique pour les westerns muets, notamment pour le grand Thomas Ince. L'Amérique lui doit les pacifications très controversées [1], sur le plan des méthodes et des alliances, des *cattle towns* [2] successives de Wichita, Dodge City et Tombstone, villes capitales dans l'économie de la viande et hautement mythiques dans l'histoire de l'Ouest et de la Frontière.

Il n'est donc guère étonnant que Wyatt Earp soit, aux côtés de Billy the Kid, Buffalo Bill, Jesse James et de Wild Bill Hickock, l'un des personnages de western les plus représentés au cinéma. Si l'on excepte l'excellent mais rarement programmé *Law and Order* [3] (1932) d'Edward L. Cahn, tiré de *Saint Johnson*, le premier film parlant consacré à Earp est *Frontier Marshall* (1934) de l'artisan Lewis B. Seiler, où George O'Brien campe un Wyatt énergique, d'après la célèbre biographie de Stuart N. Lake parue en 1931, *Wyatt Earp Frontier Marshall* [4]. Ce film fit l'objet d'un remake par le prolifique pionnier Allan Dwan (encore lui) sous le même titre en 1939, le séduisant Randolph Scott interprétant un Earp justicier impavide au côté d'un Doc Holliday basané en la personne de Cesar Romero, l'un des Mexicains les plus célèbres d'Hollywood. Il était suivi en 1942 d'un petit film de série B très court et très nerveux, *Tombstone (The Town too tough to die,* « La ville trop dure pour mourir ») du tâcheron William McGann avec le pâle Richard Dix et un nerveux Kent Taylor respectivement en Earl et Holliday. Le film suivant est le chef-d'œuvre incontesté du cycle Wyatt Earp : d'abord par son metteur en scène, le maître John Ford, ensuite par son interprète principal le mythique Henry Fonda, enfin par les rôles

---

1. Il aurait souvent pu faire partie des indésirables qu'on lui demandait de chasser !

2. Villes où étaient concentrées les têtes de bétail amenées des ranches de différents États pour être expédiées par train vers Chicago (où elles étaient abattues en masse) ou vers les villes grosses consommatrices du Nord-Est (New York, Boston, Baltimore, Philadelphie, etc.).

3. Ce film fera l'objet de deux remakes de même titre : celui de Ray Taylor (§1940) avec Johnny Mack Brown et celui de Nathan Juran (1953) avec Ronald Reagan.

4. Cette biographie basée sur des entretiens avec Earp raconte les exploits de Wyatt tels que celui-ci voulait qu'ils fussent narrés ; elle est bourrée d'erreurs et de pieux mensonges, éloignés de la réalité, bien moins reluisante.

secondaires : le bovin Victor Mature y trouvait l'un de ses meilleurs rôles en Holliday, l'éternel Walter Brennan en Ike Clanton et les femmes merveilleuses que sont Linda Darnell, dans son rôle le plus flatteur, et Joan Leslie. Il s'agit de *La Poursuite infernale (My Darling Clementine*, 1947), dont les décors naturels de Monument Valley et de la superbe région frontalière entre l'Utah et l'Arizona font partie intégrante de l'histoire.

Ce film aussi magnifique que crépusculaire fermait les années quarante, et ne suscitait plus d'amateur jusqu'en 1953 avec la *Tempête sur le Texas* [1] *(Gun Belt)* du tâcheron Ray Nazzaro avec l'incolore James Millican. L'année 1955 voit deux westerns s'inspirer de Wyatt : *Un jeu risqué (Wichita)*, excellent film méconnu du grand Jacques Tourneur, où n'apparaît pas Doc Holliday et qu'interprète avec fougue et détermination cet acteur très sousestimé qu'est Joel McCrea [2] ; en face, *Masterson of Kansas* de l'artisan William Castle, où les très falots Bruce Cowling et James Griffith jouent d'assez fantaisistes Wyatt et Doc. L'année suivante voit le deuxième chef-d'œuvre du cycle, rendu très populaire par sa chanson [3], le célébrissime *Règlement de comptes à OK Corral (Gunfight at the OK Corral)*, du réalisateur injustement méprisé (par la critique française et anglaise seulement [1]) John Sturges, où évoluent de formidables acteurs (Burt Lancaster et Kirk Douglas pour les rôles principaux, mais aussi John Ireland à la trogne incomparable) et de superbes actrices (la pulpeuse mormone

---

1. Titre français aussi stupide (le titre original signifie « La ceinture de colt ») qu'impropre (le film ne se passe jamais au Texas).

2. Acteur mort en 1991, spécialiste du western, acteur fétiche de Jacques Tourneur et de Joseph Newman, que Kevin Costner aimait beaucoup rencontrer sur la fin de sa vie parce qu'il lui racontait l'âge d'or d'Hollywood.

3. En France tous les aspirants vedettes s'y essayaient, tandis que l'original était chanté par Frankie Laine, comme d'ailleurs auparavant *Si toi aussi tu m'abandonnes* du western *Le train sifflera trois fois* de Fred Zinneman.

4. Sa mort récente (août 1992) fit l'objet de peu d'articles, la plupart sarcastiques, alors que ce metteur en scène nous a donné d'excellents westerns (*Les Aventuriers du désert, Fort Bravo, Le Trésor du pendu, les Sept mercenaires, Le Dernier Train de Gun Hill* pour ne citer que les incontournables) et des policiers originaux, ainsi que deux films de guerre plaisants (*La Grande Évasion, L'aigle s'est envolé*) ; ce n'est pas si mal comme palmarès.

rousse Rhonda Fleming et l'excellente Jo Van Fleet). Sturges en fera d'ailleurs une excellente suite-remake, *Sept secondes en enfer (Hour of the Gun,* « L'heure est au colt ») en 1967 avec James Garner et Jason Robards, qui commence par OK Corral et décrit la chute d'Earp après sa poursuite impitoyable des survivants.

En 1958, l'abominable metteur en scène Fred F. (comme fauché[1]) Sears sort un western aussi curieux que nerveux : *Badman's Country,* où s'affrontent de nombreuses célébrités de l'Ouest dont Wyatt Earp, interprété par le bondissant Buster Crabbe. Ce sera le dernier des années cinquante, car la télévision s'est emparée du sujet avec une série, *The Life and Legend of Wyatt Earp* (« La vie et la légende de Wyatt Earp »), qui va durer de 1955 à 1960 en 226 épisodes de 25 minutes chacun, et fera d'Hugh O'Brian et de Douglas Fowley (Doc) des stars du petit écran. Les années soixante verront deux films parler du mythe. Le grand John Ford, en 1964, trois ans avant la nouvelle version de Sturges, dans son western révisionniste *Les Cheyennes (Cheyenne Autumn,* « L'automne des Cheyennes ») ne peut s'empêcher d'inclure une séquence[2] avec Wyatt Earp et Doc Holliday interprétés par James Stewart et Arthur Kennedy. Les Italiens se croiront obligés d'y aller de leur clone habituel en proposant *Un duel à Rio Bravo (Jenny, Lees ha una nuova pistola,* « Jenny, Lees a un nouveau pistolet ») du médiocre Tullio Demichelli, où un vieillissant Guy Madison s'essaye maladroitement aux pistolets du grand Earp.

En 1971, le réalisateur d'habitude mieux inspiré Frank Perry[3] nous gratifie de la plus mauvaise version, et de son plus mauvais film, *Doc (Doc Holliday),* qui, sous prétexte de rétablir la vérité historique sur les deux personnages légendaires, nous noie sous un

---

1. Le malheureux n'a jamais pu avoir de la Columbia, studio lui-même relativement pauvre dans les années cinquante, que des budgets extrêmement réduits (les Américains disent *shoestring,* « lacets de souliers », ce qui ne lui facilita pas la tâche.

2. Qui, il faut bien le dire, vient comme un cheveu sur la soupe.

3. Il avait su nous émouvoir avec *David et Lisa* et venait de nous amuser avec son *Journal d'une femme mariée* (1970). Il nous ravit plus tard avec un policier étrange, *L'Enquête impossible,* et un western moderne ironique, *Rancho De Luxe,* qui, bien que mal reçus par le public et la critique, devinrent très vite des films-culte.

bavardage et des gros plans vite insupportables. Il faut dire que son casting n'arrange pas les choses, avec les austères Harris Yulin en Earp et Stacy Keach en Doc. Tristement, c'est aussi le dernier film de la saga avant la lutte de 1993 : en effet, Wyatt Earp ne réapparaîtra, sous les traits une nouvelle fois de James Garner (mais trop âgé cette fois pour le rôle), que dans le clin d'œil géant lancé par Blake Edwards, metteur en scène raffiné s'il en fut, en lui faisant côtoyer dans l'Hollywood du muet l'acteur Tom Mix (joué par un Bruce Willis moins cabot que d'ordinaire) pour l'enquête sur un *Meurtre à Hollywood (Sunset)*.

Tenant compte de sa mauvaise expérience avec *Robin des Bois,* Kevin ne tient pas cette fois-ci à être dans le premier film à sortir. Le duel avec la Fox, précipité, est encore frais dans sa mémoire, et il préfère que Kasdan prenne son temps. Celui-ci avait prévu un tournage de six mois et une durée de quatre heures en deux parties. En réalité le tournage commence le 15 juillet et se termine le 15 décembre 1993. Il se déroule dans les mêmes décors que *Silverado* au Nouveau-Mexique, à une demi-heure de Santa Fé. C'est l'occasion pour Kasdan et Costner de se souvenir de leur amitié naissante, mais aussi de s'affronter sur leurs conceptions parfois divergentes.

Le film nous montre toute la saga de Wyatt Earp depuis son enfance jusqu'à son départ pour la ruée vers l'or du Klondyke. Il débute dans l'Illinois, ce qui nous permet de connaître son père. Ce dernier inculque à ses enfants le culte de la famille proche, leçon que Wyatt va s'efforcer d'appliquer toute sa vie. Après un travail de convoyeur de matériel dans le Wyoming, où il apprend à tirer et à s'attirer les faveurs des femmes, Wyatt s'installe chez ses grands-parents à Lamarr dans le Missouri. Là, il fait la cour à Urilla (Annabeth Gish) et l'épouse. Cette dernière meurt de la typhoïde avec l'enfant qu'elle attendait. Inconsolable, Wyatt met le feu à la maison et devient un clochard alcoolique. Transformé en voleur pour pouvoir boire, il est sauvé par son père, s'enfuit et devient chasseur de bisons dans l'Arkansas. Wyatt y fait la rencontre des frères Masterson, Bat et Ed, qui travaillent bientôt pour lui. Ensemble ils gagnent Wichita (Kansas), la grande ville de rassemblement du bétail, où règne l'insécurité. Wyatt y fait la connaissance de Doc Holliday (Dennis Quaid) et de sa maîtresse Big Nose Kate (Isabella Rossellini). Il a l'occasion de sortir Doc d'un mauvais pas et ils deviennent amis.

En tant que shérif, Wyatt ramène l'ordre, mais ses méthodes expéditives déplaisent à Ed. Bientôt Wyatt et les Masterson arrivent à Dodge City, l'autre grande ville de concentration du bétail, qu'ils nettoient aussi. Earp laisse la cité, désormais tranquille, aux Masterson, Ed ne supportant plus ses méthodes. Il part pour Fort Griffin au Texas où il fait venir ses frères Virgil (Michael Madsen), James (David Andrews) et Morgan (Linden Ashby), et leurs épouses respectives : Allie (Catherine O'Hara), Bessie (JoBeth Williams) et Lou, pour s'enrichir. Wyatt et ses belles-sœurs ne s'entendent pas du tout, Allie menant le jeu. Leur mine d'or ne rapporte pas assez, ce qui irrite les femmes.

Après un bref retour à Dodge City pour venger la mort d'Ed Masterson, victime de ses méthodes, moins brutales que celles de Wyatt, Earp emmène toute sa famille à Tombstone (Arizona), pour refaire fortune. Ses belles-sœurs prennent le parti de son ancienne maîtresse Mattie (Mare Winningham) contre la nouvelle, Josie (Joanna Going), qui fut la fiancée du shérif de Tombstone John Behan (Mark Harmon). Là, le clan Earp se heurte à la tribu des Clanton, pour le contrôle de la ville, de ses mines d'or et de ses saloons. Leur rivalité aboutit à la fusillade d'OK Corral, suivie du lâche assassinat du jeune frère Morgan, et de la mort de Virgil, des suites de ses blessures. Au grand dam de ses belles-sœurs, Wyatt n'a de cesse qu'il ait abattu tous les survivants du clan Clanton, avec l'aide de Doc. Après un dernier règlement de comptes, Doc part pour le Colorado soigner sa tuberculose, et Wyatt ainsi que Josie partent pour la Californie. Nous les retrouvons mariés, quelques années plus tard, sur le pont d'un bateau en route pour la ruée vers l'or du Klondyke, en Alaska.

Avec ce personnage mythique, l'un des rôles en or du cinéma et un passage obligé pour entrer dans le panthéon, Costner est bien dans la lignée des grands. Nous venons de voir que Fonda et Stewart ont interprété le rôle ; Flynn, Cooper, Wayne, Redford et Newman en ont joué de semblables. Côté adéquation de l'acteur au personnage, Kasdan est catégorique : « Il y a une foule de parallèles entre Wyatt et Kevin. Kevin est très malin et très intuitif. Il n'est pas toujours très explicite, mais il est très expressif. Et il est terriblement loyal. Certaines personnes restaient les amis de Wyatt, quoi qu'elles fassent. Il ne réexaminait pas constamment son opinion sur les gens. » Ce à quoi Costner ajoute : « Je me fis une raie au milieu et me coiffai à plat. Je ne pense pas que Larry aima cette coiffure au départ. Il pensait que mes cheveux devaient flotter en arrière. Et je n'aimais pas du tout cet allure, au moins pour Wyatt adulte. Dès que je fis la raie, tout se mit en place. J'ai pensé, bon Dieu, je suis ce type. N'est-ce pas amusant ? »

Avant la sortie du film, Kasdan et Costner se posent des questions sur leurs critères de jugement et ceux du public, ayant peur de ne pas être en phase avec lui. Le succès délirant du médiocre *Bodyguard* et le four de *Grand Canyon* les laissent perplexes. Comment vont-ils se situer par rapport à Ford-Fonda et à Sturges-Lancaster ? Cette fois-ci, par la présence de Ford, la partie est plus dure que sur *Robin des Bois*. S'ils réussissent aussi bien, ou mieux, que le film de Sturges-Lancaster, ce sera déjà un beau succès. Kevin – qui professe son admiration pour la « loyauté aveugle » que Sturges a réussi à capter dans sa version de 1957 – déclare : « Nous avons fait le film que nous voulions faire », mais il craint que la durée (190 minutes) soit un obstacle pour les spectateurs de l'été [1]. Qu'importe, Kasdan et lui vivent leur propre code, celui de leur bande, le *Ride back gang* : si quelqu'un tombe de cheval pendant la fusillade, l'autre vient le chercher au péril de sa vie. Costner le démontre encore une fois en soutenant Kasdan bec et ongles contre les dirigeants de la Warner qui voulaient réduire la durée de son film et ne pas lui permettre d'avoir son nom au-dessus du titre [2].

Costner et Kasdan n'ont déjà plus à se soucier de *Tombstone* [3], car Disney a renvoyé Kevin Jarre quatre semaines avant le tournage pour le remplacer par l'exécrable George Pan Cosmatos, lequel avait été débarqué du *Christophe Colomb* des frères Salkind pour faire place à John Glen [4]. Les raisons invoquées furent que Jarre voulait un Earp très classique, dans la tradition, au contraire de Disney qui désirait y incorporer des éléments contemporains. Jarre est déjà satisfait que son scénario soit

---

1. Ce fut le cas. La durée fut la principale raison de l'échec du film en Amérique du Nord.
2. Requête rarement accordée à Hollywood, même à des réalisateurs rapportant beaucoup d'argent. (Richard Donner ne l'obtint pas pour *Maverick*.) Frank Capra fut tellement fier de l'avoir obtenue qu'il intitula son autobiographie *The Name above the Title* (« Le nom au-dessus du titre »).
3. Il est sorti en France en février 1994 et se révèle un film très moyen.
4. Réalisateur des cinq derniers James Bond.

conservé, à défaut de sa mise en scène. Il se lance dans une polémique avec Kevin, déclarant à un magazine que le Kasdan-Costner était « une tentative pour détruire mon film ». Mais les producteurs d'Universal [1] reconnurent que Costner, au moment où ils avaient décidé de ne plus faire *Tombstone,* leur avait demandé de le mettre en développement, ce qui permit à Jarre de commencer à le réaliser chez Hollywood Pictures.

Ce n'est donc pas de ce côté que viendra le danger – bien que le film *Tombstone* ait par la suite rapporté 55,9 millions de dollars en juillet 1994, un succès pour un western, même si cela ne représente pas la totalité du budget de *Wyatt Earp* (65 millions de dollars). Artistiquement, ce n'est qu'un petit western moyen qui n'apporte rien au genre et encore moins à la saga Earp.

Kasdan et Costner porteront donc seuls la responsabilité du résultat : succès ou échec. Déjà la durée du film, portée à 3 h 15 mn, indique un film aussi épique que *Danse avec les loups.* Il faut dire que nous verrons pour la première fois les trois femmes et le père d'Earp, et que sera traitée l'histoire plus que la légende, même si Kasdan a voulu utiliser Wyatt comme une métaphore de l'Amérique : « C'est un Américain de base typique. Il est fort, il est brutal, il croit en certaines choses de façon irréductible et les suivra. C'est ce que nous aimons penser de nous-mêmes : que nous avons certains idéaux et des manières honorables d'agir. C'est ce que nous aimons penser de l'Amérique : que quand la force est nécessaire, nous l'utilisons, que nous sommes suffisamment forts pour affronter l'adversaire le plus menaçant. Et, comme l'Amérique, Wyatt Earp n'a pas toujours raison dans ses jugements au sujet de la force – et en fait la force ne résoud pas tous les problèmes. » De même Costner, dans une interview télévisée passée au journal de 20 h sur TF1 le 28 août 1994, déclare : « Nous nous sommes éloignés de la légende pour approcher la réalité du personnage. Hollywood a trop souvent embelli la réalité, et nous avons voulu rompre avec cette tradition. Earp est un personnage ordinaire qui a vécu dans une époque violente. Il est comme vous et moi, mais il a dû prendre des décisions qu'il a traduites en

---

1. Rappelons que Costner est en contact avec eux depuis 1992 pour *Waterworld* et même depuis 1990 pour *Paradise.*

actions, des actions que nous ne serions peut-être plus capables d'accomplir. »

Wyatt Earp est un des échecs de l'été 1994. Au bout de cinq semaines, il atteint péniblement les 25 millions de dollars de recettes. La critique américaine le boude plus qu'elle ne l'assassine. La critique française, forte de l'échec américain, ne l'épargne pas. *Les Cahiers du Cinéma* ouvrent le feu dans leur numéro de septembre, suivis par *Télérama.* Toute la presse spécialisée leur emboîte le pas. Même *Positif,* sous la plume de Christian Viviani, exécute le film en seize lignes. L'article le plus gentil (!) est celui de Laurent Tirard dans *Studio* qui se termine par : « Lawrence Kasdan et Kevin Costner "voulaient rendre Wyatt Earp plus humain en dévoilant ses faiblesses". Manque de chance, ce sont les faiblesses de leur propre mythe qu'ils viennent de mettre à jour. Et ils feraient bien de se ressaisir rapidement, car Hollywood est un monde bien plus impitoyable que le Far-West. »

Certes, le film évite ou passe rapidement sur les morceaux de bravoure (trop) attendus, mais il n'est jamais ennuyeux, ce qui est une prouesse par les temps qui courent. Il est au cœur de plusieurs cycles du western, et nous ouvre les yeux sans complaisance sur l'Ouest tel qu'il était. Kevin donne une prestation très proche de celle d'Henry Fonda dans le Ford, la plus conforme à la réalité. Elle est éloignée de celle, flamboyante mais peu exacte, de Burt Lancaster dans le Sturges. Il est dommage qu'aucun critique n'ait rendu hommage à Costner pour l'excellence et la véracité de son jeu. Il le méritait car le film repose sur son personnage – même si tous les autres acteurs sont excellents. En tout cas, le film ne trouve pas son public.

CHAPITRE XIII

ET MAINTENANT... L'APOCALYPSE ?

1994 est l'année des retrouvailles de Kevin acteur avec son vieil ami et complice Kevin Reynolds pour *Waterworld*, première incursion de Costner dans un genre rebattu : la science-fiction écologique. Ce tournage aurait dû lui permettre de se mesurer à l'excellent John Malkovich [1], tout juste sorti de son empoignade avec Clint Eastwood (*Dans la ligne de mire*). Force est de reconnaître que Kevin est toujours meilleur quand il est opposé à de grands acteurs : Sean Connery et Robert De Niro pour *Les Incorruptibles*, Tim Robbins et Susan Sarandon pour *Duo à Trois*, Gene Hackman et Will Patton pour *Sens unique*, Graham Greene et Mary McDonnel pour *Danse avec les loups*, Alan Rickman et Morgan Freeman pour *Robin des Bois*, une pléiade pour *JFK*, etc. Madeleine Stowe et Anthony Quinn lui ont permis de sauver les meubles de *Revenge*, et le manque de partenaires de sa stature a largement contribué à l'échec (artistique) du *Bodyguard*. Le duel Malkovich-Costner annonçait un film qui ferait probablement date dans la science-fiction catastrophe.

Le tournage commence en juin 1994 dans les îles Hawaii et doit se terminer en novembre, si tout va bien. Kevin Costner est néanmoins très inquiet au sujet du scénario [2]. Il confie à *Première*

---

1. Il avait soufflé à Kevin le rôle du photographe dans *La Déchirure* de Roland Joffé.
2. S'il faut en croire l'hebdomadaire *Time* du 25 juillet 1994, et l'article de Richard Corliss intitulé *Miracle Surgery,* (« Chirurgie miracle »), Costner a

avant de partir : « La vérité est que nous n'avons pas de scénario, et ce n'est vraiment pas une situation confortable. Kevin (Reynolds) et moi devons faire de sérieuses améliorations en deux semaines. Nous devons collaborer comme nous ne l'avons jamais fait auparavant. Et notre premier test critique sera : sommes-nous capables tous les deux de mettre très rapidement ce scénario au point ? »

Les deux Kevin vont voir une fois de plus leur amitié mise à rude épreuve : un scénario bancal, un budget de plus de 100 millions de dollars, et cela après un film – de Reynolds, produit par Costner – dont les coûts astronomiques ne seront vraisemblablement pas amortis par les recettes [1] (*Rapa Nui*). *Waterworld* se fait sous de mauvais auspices. Trop de gens à Hollywood connaissent les qualités de fidélité et de droiture de Kevin, et ils en profitent. En 1988, un jeune diplômé d'Harvard, Peter Rader, a écrit cette histoire d'apocalypse écologique pour le producteur John Davis. Ce dernier l'a vendue à Larry Gordon, le patron de Largo Entertainment, pour 350 000 dollars à la fin 1989. Entre 1990 et 1992, Rader a écrit plus de vingt versions du scénario, avant qu'il ne soit prêt à être envoyé aux acteurs et réalisateurs. L'idée de départ était de faire un petit film de série B, mais le chiffrage atteignit bientôt 40 millions de dollars. À ce prix, cela devenait une production importante et nécessitait une vedette. Pour Larry Gordon, Costner était l'homme de la situation. Il venait justement de faire un film (*Jusqu'au bout du rêve*) pour Chuck Gordon, son frère. Chuck évidemment porta le scénario en mains propres à Kevin, et celui-ci fut intéressé par le scénario, ou plutôt par l'idée. Il décida d'aider le projet en en étant la vedette, et suggéra son ami Reynolds comme metteur en scène. Leur brouille de quelques mois à l'issue du tournage de *Robin des Bois* n'a jamais entamé la confiance qu'il a en Reynolds. De plus, Costner souhaitait retravailler avec son ami. Hélas, avec les deux Kevin, le budget atteignait maintenant 60 millions de dollars. Les Japonais associés de Gordon dans Largo refusèrent de financer à ce prix. À contrecœur, Larry

---

fait appel au « docteur de scénario » Joss Whedon, décidément très demandé cette année puisqu'il était déjà au chevet de *Speed*.

1. Ce film, sorti en France en juin 1994, fut un échec cuisant.

Gordon fit passer le projet à Tom Pollock, le patron de MCA-Universal [1].

Ce changement mit Costner en fureur. Depuis plusieurs années, il s'opposait à Pollock pour faire aboutir un de ses projets les plus chers : *Paradise* ou *Pair-a-dice* [2]. Ce dernier projet était une version adulte du célèbre *Sa Majesté des mouches (Lord of the Flies)*. Il devait être écrit et mis en scène par Lawrence Kasdan, Costner y jouant le rôle du méchant, un assassin à la personnalité encore plus complexe que Butch Haynes. Pendant deux mois, au début 1993, Costner et Pollock se battirent comme des chiffonniers l'un contre l'autre. Quand Kevin comprit clairement que Pollock allait « tuer » *Paradise*, il approcha le patron de la Warner, Terry Semel, qui pouvait difficilement lui refuser quoi que ce soit. Ce dernier accepta d'acheter les deux projets, *Paradise* et *Waterworld*, mais paradoxalement Pollock ne voulut pas les vendre. Costner essaya de faire intervenir Larry Gordon, mais celui-ci ne désirait en aucun cas se mettre Pollock à dos. Pour arranger les choses, Pollock fit monter le budget, rendant *Waterworld* invendable. Finalement, au point où les choses en arrivaient, Pollock et Costner ne pouvaient plus que passer un compromis. Pollock s'engagea à laisser partir *Paradise* à la Warner, contre l'engagement express de Costner de jouer dans *Waterworld*.

Dès que Costner eut accepté, moyennant un salaire de 12 millions de dollars (soit 65 millions de francs), Pollock dégagea l'argent de la pré-production. Hélas pour Kevin, le scénario définitif n'était pas écrit. Certes l'idée de voir les glaces des pôles fondre et submerger la terre est bien dans l'air du temps. Encore faut-il tenir en haleine pendant deux heures les spectateurs, autour de ce *Mad Max* aquatique, où les hommes sont obligés de devenir des mutants totalement amphibies pour survivre. Et imaginer les affreux *Smokers*, en lieu et place d'Humongus et ses Chiens de l'enfer [3], ne suffit pas pour assurer des entrées. Pendant un temps, la co-vedette prévue John Malkovich fut un gage de succès.

---

1. Détenu, lui, par les Japonais de l'énorme groupe Matsushita (Panasonic, Pioneer, etc.).

2. Jeu de mots sur « paire de dés » et son équivalent phonétique en américain : « paradis ».

3. Personnages abominables de *Mad Max 2, le Seigneur de la route*.

L'affrontement de ce dernier avec Clint Eastwood avait rapporté gros à la Warner, et Pollock espérait bien que le choc avec Costner allait faire de *Waterworld* le *Jurassic Park*[1] de 1995. Seulement voilà, écœuré par les problèmes continuels de scénario, Malkovich quitte le tournage en août 1994. Panique dans les rangs. Pollock propose 2,5 millions de dollars à Gary Oldman[2], qui refuse, puisque Cinergi et son patron Andy Vajna lui proposent 3 millions pour un autre projet[3]. Joss Whedon, le « médecin de scénario », attelé à son plus gros défi, contacte alors Dennis Hopper, qu'il a connu sur *Speed*. Par chance ce dernier accepte, la production continue, et respecte à peu près les délais. L'ennui pour Kevin est qu'il doit travailler le soir avec Reynolds et Whedon aux révisions du scénario. Les deux Kevin revivent ensemble les affres d'un certain tournage en Angleterre, qui avait mis leur amitié à rude épreuve. Costner s'aperçoit que l'amitié vous place dans des situations inconfortables quand vous êtes devenu une vedette que tout le monde s'arrache. Chuck Gordon, dans un article de la revue *Première* de novembre 1994, résume la situation ainsi : « Kevin n'aurait certainement pas accepté s'il n'y avait pas eu Reynolds et moi. Il ne le refera sûrement jamais. »

Comme un malheur ne vient jamais seul, en plus de l'échec de *Wyatt Earp*, la première du film en juin 1994 a révélé un couple Costner incroyablement distant. Est-ce le fait qu'un jury d'Américaines vient d'élire Kevin « l'homme le plus sexy de l'année » ? Ceci, ajouté aux nombreuses rumeurs sur ses prétendues aventures extra-conjugales quelques années plus tôt, a-t-il été la goutte d'eau qui fit déborder le vase ? Ou bien Cindy Costner a-t-elle eu la tête tournée par les sommes pharamineuses touchées ces derniers temps par les ex-épouses des grandes vedettes[4] ?

1. Steven Spielberg est le seul metteur en scène qui rapporte beaucoup d'argent à l'Universal.

2. Oldman n'a touché que 750 000 dollars pour jouer le *Dracula* de Coppola, et encore moins pour être l'odieux adversaire du *Léon* de Luc Besson.

3. Pour le remake de *La Lettre écarlate* avec Demi Moore.

4. Maggie Johnson a touché 100 millions de francs de Clint Eastwood, Marcia Lucas 250 millions de francs de son ex-mari George, sans oublier Amy Irving, 500 millions de francs de Steven Spielberg. Il y a de quoi réfléchir !

Toujours est-il que le magazine *People*, relayé en France par *Paris-Match* dans son numéro du 3 novembre 1994, annonce que le couple se sépare et que Cindy demande le divorce. Les échos prétendent que Kevin s'est entiché d'une danseuse hawaiienne, qu'il ne quitterait plus. Cindy Silva obtient 18 millions de dollars (soit 100 millions de francs, la même somme que Maggie, la première femme d'Eastwood). Le seul commentaire de Kevin est : « C'est après de nombreuses discussions, et ce n'est pas de gaieté de cœur que nous avons pris cette décision. »

L'année 1994 se termine par un redoutable défi pour Kevin Costner. Il déclarait dans un entretien au magazine *Elle* paru en septembre : « Cindy est la personne la plus importante de ma vie. Elle était déjà à mon côté quand je n'avais pas un sou et aucun projet d'avenir. Sans elle, je ne serais certainement pas là où je suis aujourd'hui. Il y eut une époque où je n'étais même pas capable de la nourrir. C'était elle qui faisait bouillir la marmite. J'avais l'impression d'être un raté. Malgré cela, elle m'a poussé à persévérer dans la voie que je m'étais choisie. Je ne veux rien entreprendre qui risque de me la faire perdre. » Il va devoir prouver que ce ne sont pas des paroles en l'air. Y aurait-il une sorte de malédiction à l'égard des couples dont le mari est devenu une vedette hollywoodienne, après de nombreuses années passées à manger de la vache enragée ? Burt Lancaster, Kirk Douglas, Henry Fonda, Steve Mac Queen, Clint Eastwood, Robert Redford, et maintenant Costner, sont là pour en témoigner. Après tout, James Stewart, Paul Newman et Gary Cooper ne se sont mariés qu'après avoir percé. Ils n'ont jamais dépendu de leur femme pour vivre. Serait-ce ce dernier aspect qui cause la fragilité de tels couples ? L'orgueil d'une star adulée ne peut-il supporter d'avoir à son côté une femme qui l'a connu meurtri, abattu et découragé ? Une image fort éloignée de celle d'une vedette courtisée par toutes les femmes.

Quoi qu'il en soit, Kevin, en ce début 1995, se trouve devant un choix capital concernant sa vie privée et familiale. Une vie qu'il s'efforçait de protéger et de préserver depuis longtemps. La mine d'or qu'il venait d'acheter pour pouvoir jouer avec ses enfants risque de devenir le symbole de la fin d'une histoire d'amour – comme elle le fut pour Wyatt Earp et sa seconde femme Mattie.

Mais c'est aussi sur le terrain professionnel que ce début

d'année est crucial pour Kevin. Si le tournage de *Waterworld* ne se termine pas bien, et surtout si le film n'est pas l'un des grands succès financiers de l'année, sa carrière risque de ne plus intéresser autant les grands studios. Certes, Kevin s'en moque : il a fait *Danse avec les loups* sans eux, il a sa propre société de production, il a une fortune personnelle... Mais deux échecs financiers de suite ne sont pas bien vus de la profession. Steven Spielberg, Jeffrey Katzenberg et David Geffen pourraient hésiter à s'associer avec lui dans leur nouveau studio indépendant.

Son parcours, depuis le temps où ses rôles finissaient sur le plancher de la salle de montage, et où il devait se soumettre à un réalisateur sans aucun talent pour obtenir sa carte professionnelle est remarquable : aucun autre acteur aujourd'hui ne peut afficher un itinéraire aussi brillant. C'est une belle prouesse. Ce ne sera certainement pas la dernière d'un touche-à-tout qui n'a pas fini de nous étonner. Apparemment Costner n'est jamais aussi bon que quand il a quelque chose à prouver. Le défi posé par sa vie privée et par *Waterworld* n'est sûrement pas pour lui déplaire. À moins que, dégoûté, il ne quitte le cinéma et ne nous surprenne dans un autre domaine. Ce serait bien dommage pour nous, cinéphiles. Espérons plutôt que Kevin enchaînera vite avec *Powderkeg*, le premier film réalisé sur un épisode peu glorieux de la conquête de l'Ouest : le trop fameux massacre de Mountain Meadows [1], le 7 septembre 1857. Kevin devrait, en plus d'interpréter John D. Lee, un pasteur mormon qui paya pour cette sinistre méprise [2], mettre en scène le projet. Son retour derrière la caméra, à l'occasion d'un nouveau film sur l'épopée des États-Unis, nous comblerait – même si le sujet, aussi controversé

---

1. Point culminant de la guerre des Mormons, qui opposa de 1857 à 1858 les États-Unis aux mormons ayant peuplé l'Utah, parce que ces derniers avaient adopté une Constitution anti-esclavagiste et qu'ils étaient polygames. Cent vingt pionniers du Missouri et de l'Arkansas, qui s'étaient stupidement vantés d'avoir participé activement à la persécution des mormons dans leurs États, furent massacrés par un groupe d'Indiens et de mormons dirigés par le pasteur Lee.

2. Il fut fusillé le 23 mars 1877, après un procès qui secoua la communauté mormone. Il s'était réfugié entre-temps sur la frontière de l'Arizona et de l'Utah à un endroit appelé depuis Lee's Ferry, où il faisait traverser le Colorado par bac.

et peu glorieux que celui d'*Heaven's Gate*, lui fera prendre de nouveaux risques considérables. Mais c'est pour cela que nous l'aimons et l'apprécions. Un homme de l'Ouest ne peut pas vivre comme le commun des mortels : ses aventures doivent avoir un dénouement imprévu.

CONCLUSION

De nombreux critiques de cinéma, et la grande presse, ont de plus en plus tendance à réduire la personnalité de Kevin Costner à l'image facile et rassurante du *family man* américain, à la limite de la veillée des chaumières. Nous avons vu qu'il n'en était rien.

Kevin, dès ses débuts, notamment dans ses rôles coupés au montage, n'a pas cherché à avoir une image précise, contrairement à ses concurrents au titre d'acteur le plus célèbre. Mel Gibson, Arnold Schwarzenegger, Sylvester Stallone, ou dans d'autres registres Mickey Rourke (déjà un *has been*), Tom Cruise, Robin Williams, se heurtent tôt ou tard à un problème d'image comme on dit dans le marketing. Seul son éternel rival à la succession de Gary Cooper, Harrison Ford, est suffisamment sage pour ne pas tomber dans cette ornière. Quelle est-elle ? La facilité de s'en tenir à des rôles hyper-balisés, identifiables par le plus crétin du public, dans des films où les spectateurs n'ont pas à réfléchir mais à se laisser glisser. L'ennui, c'est que tout le monde se lasse et que l'acteur se retrouve avec une image qui lui colle à la peau comme une tunique de Nessus. Regardons les efforts récents et ridicules de Rambo-Stallone s'essayant à la comédie [1], de Conan-Schwarzenegger mimant Hamlet pour approfondir *The Last Action Hero* (« Le dernier héros du cinéma d'action »), sans parler de Rourke empêtré dans son rôle de rebelle permanent, se prenant les pieds dans les icônes de Brando et de James Dean à

---

1. Il est bien vite retourné à ses rôles de violents : *Cliffhanger* et *Demolition Man*.

275

force de loucher entre les deux : ils ont tous échoué lamentablement. Que dire de Tom Cruise, dont tous les projets personnels ratent (*Jours de tonnerre* et *Horizons lointains* pour les plus récents) et que seuls de vieux routiers comme Sidney Pollack *(La Firme)* et Martin Scorsese *(La Couleur de l'argent)* remettent en selle. Le problème commun aux Stallone, Schwarzenegger et autres Rourke est qu'ils ne choisissent pas un film, mais un rôle correspondant à leur image. Ces acteurs ne font plus du cinéma, ils font du marketing : ils ne jouent pas dans des films qui tiendront la distance parce qu'ils sont bons pour tous les publics, ils font des entrées ciblées sur leurs fans.

Kevin Costner est à l'opposé et ne cesse de le répéter sans avoir été bien compris. Ses critères de choix sont clairs : il n'accepte un rôle que si le film est intéressant et poignant et si les autres personnages existent autant que le sien. Que ce rôle corresponde ou non à son image est le cadet de ses soucis. Nous venons de le voir avec *Un monde parfait*. Pour lui, le film doit exister par lui-même. C'est l'apanage des grands acteurs : leurs films tiennent avant eux, mais aussi par eux. Que serait Humphrey Bogart sans *Casablanca, Plus dure sera la chute, La Comtesse aux pieds nus* et *Ouragan sur le Caine* entre autres ? Gary Cooper sans l'*Odyssée du Dr Wassel, Vera Cruz, Le Jardin du diable, La Mission du commandant Lex* et *Condamné au silence*, pour ne prendre que des « moins connus » ? John Wayne sans *Rio Bravo, Alamo*, et avec *Cent Dollars pour un shérif*, serait-il *Le Dernier des géants* ? Leur filmographie comporte peu de scories, surtout à dater du moment où ils pouvaient choisir leurs films sans trop de difficultés [1]. La même chose se passe avec Kevin.

D'ailleurs, le critique français de cinéma et metteur en scène Luc Moullet a publié un livre, *La Politique des acteurs* [2], où, analysant entre autres les carrières de Cooper, Wayne et Stewart, il confirme que les grands acteurs choisissent un film pour lui-même, qu'ils sont donc partie prenante dans la qualité globale de l'œuvre. Alors que la critique française et surtout *Les Cahiers du cinéma* ne juraient que par les metteurs en scène, dont le statut d'auteurs exclusifs de leurs films, qu'on leur attribue, est exces-

---

1. Luc Moullet n'est pas d'accord avec moi sur ce point.
2. Éditions de l'Étoile/Cahiers du Cinéma, 1993.

sif. Hollywood du reste fourmille depuis peu de projets mis en scène par des acteurs, avec une ampleur sans précédent dans son histoire. Il semblerait que l'acteur prenne sa revanche sur le metteur en scène. Le *mogul* [1] Adolph Zukor pourrait répéter aujourd'hui, avec encore plus de raisons, sa célèbre boutade du jour où Chaplin, Pickford, Fairbanks et D. W. Griffith fondèrent United Artists : « Les fous se sont emparés de l'asile. » Cette pratique de passer derrière la caméra avait été sérieusement lancée [2] par Paul Newman à la fin des années soixante, par Clint Eastwood pendant les années soixante-dix et par Robert Redford au début des années quatre-vingt, quand le nouvel Hollywood faisait la preuve qu'il était incapable d'engendrer les grands sujets que l'ancien système des studios offrait à profusion.

Pourtant Kevin n'est pour l'instant, à l'instar du grand Charles Laughton [3], passé qu'une seule fois derrière la caméra. C'est à l'heure actuelle la plus grande frustration qu'il nous laisse, et le report continuel de son seul autre projet connu [4] de mise en scène

---

1. Nom donné aux grands patrons de studios qui firent le cinéma hollywoodien : Zukor pour Paramount, Laemmle pour Universal, Fox et Zanuck pour Twentieth Century-Fox, Nicholas Schenck, Mayer et Thalberg pour la MGM, Cohn pour la Columbia, Hughes pour la RKO, les frères Warner pour Warner Brothers, Schulberg, le père et les frères Selznick, Joseph Schenck et Goldwyn en tant qu'indépendants. Ce nom est dérivé des grands mogols de l'Inde, à laquelle Hollywood était assimilée par dérision. Ils vinrent tous (sauf Zanuck, né dans le Nebraska, et Hughes, *WASP* né au Texas) des ghettos d'Europe centrale (dans un rayon de 800 km autour de Varsovie) pour fonder selon le joli terme de Neal Gabler *An Empire of their own* (« Un empire bien à eux »), superbe livre paru chez Crown Publishers, New York, 1988, et dont le sous-titre veut tout dire : « Comment les juifs inventèrent Hollywood ».
2. Il est bien évident qu'elle n'a pas débuté dans les années 1960 : il ne faut pas oublier William S. Hart, entre autres, dans les années 1920, Lowell Sherman dans les années 1930, Orson Welles dans les années 1940, Charles Laughton, Ida Lupino, Dick Powell, etc., dans les années 1950. Nous laissons volontairement de côté les comiques : Charlie Chaplin, Buster Keaton, Jerry Lewis, Mel Brooks, Woody Allen qui, depuis les débuts du cinéma, ont souvent réalisé leurs propres films.
3. Réalisateur d'un seul film, qui est un chef-d'œuvre et l'un des films les plus inclassables de toute l'histoire du cinéma : la sublime *Nuit du chasseur* (1955), où brille Robert Mitchum.
4. Depuis l'annonce en juin 1994 du projet *Powderkeg*, ce n'est plus le seul. Espérons que ce dernier n'aura pas le même destin.

(*The Mick*) nous fait craindre qu'il mette ce talent en veilleuse et ne se lance pas dans une carrière polyvalente d'acteur-producteur-réalisateur comme Clint Eastwood.

En fait Kevin Costner est beaucoup plus que tous ses concurrents ; acteur certes, réalisateur, mais aussi symbole fédérateur de la nation américaine, le héros auquel veut s'identifier tout un peuple convaincu qu'il est investi d'une mission divine [1] : la défense et la propagation de la liberté dans le monde, et d'un système économique libéral qui a fait ses preuves. À l'heure où beaucoup de jeunes acteurs se brûlent les ailes dans des personnages de paumés – la tragique mort par overdose de River Phoenix, en octobre 1993, est là pour nous le rappeler – il est réconfortant d'avoir un modèle de référence qui montre ce qu'il faut faire et ne pas faire. Pour une génération qui n'a pratiquement plus que des exemples violents et négatifs sous les yeux, il est le seul qui puisse indiquer où se trouvent le bien et le mal. Ce n'est pas la moindre de ses qualités.

Son seul film en tant que réalisateur-interprète rejoint d'ailleurs le premier du grand John Wayne, *Alamo*, dans l'épopée de l'histoire américaine, et appartient déjà au musée du cinéma comme l'un des vingt meilleurs westerns de tous les temps. Beau bilan pour une carrière qui n'en est même pas à son milieu, à moins d'une catastrophe imprévisible. Le western et le film de base-ball lui doivent un étonnant renouveau, dont aucun autre acteur de sa génération ne peut se prévaloir. Quant au succès financier, seul Harrison Ford en a obtenu un comparable sur dix films. Ceci permet à Kevin de mener sa carrière comme il l'entend à l'égard des *deals* et autres *packages*, une liberté que Mel Gibson lui envie [2].

Nous ne pouvons pas encore juger de son activité de producteur, puisque son histoire fleuve télévisuelle des tribus indiennes n'a toujours pas été montrée, que *Rapa Nui* de son ami Kevin Reynolds est sorti récemment aux États-Unis (fin juillet 1994),

---

1. Lire à ce sujet le passionnant livre d'Alfredo G. A. Valladao, *Le xxi* *siècle sera américain*, La Découverte, 1993.
2. Gibson a eu énormément de mal à monter sa première mise en scène : *L'Homme sans visage*, et a dû faire des concessions importantes pour sa deuxième : *Brave Heart*.

ainsi que *China Moon* (novembre 1994), et que leur projet commun *Waterworld* n'en est qu'à la préparation et au tournage, au moment où nous écrivons. Là encore, en maintenant son amitié contre vents et marées, il a prouvé que la malédiction des médias ne le touchait pas et que même dans sa vie relationnelle, il pouvait être un exemple auquel s'identifier. C'est suffisamment rare de nos jours et dans un métier comme le show business pour être souligné. D'ailleurs ceci se reflète dans la philosophie de sa bande de copains, le *Ride back gang*.

Tout ceci nous prouve qu'il est bien de la lignée des COoper, STewart, NEwman, Redford, comme les lettres de son nom l'indiquent. Ses films, ses personnages, sa façon de jouer, son laconisme, tout l'oriente vers ces acteurs légendaires, et quelques autres (Errol Flynn, John Wayne).

Pour paraphraser Luc Moullet [1] parlant de Gary Cooper : « Comme il ne fait rien, il peut tout faire, et il a tout fait. » Comme Ronald Reagan, il est même capable de devenir président des États-Unis, qui sait [2] ?

Quoi qu'il en soit, quel que soit son avenir, il est d'ores et déjà et pour toujours : l'homme de l'Ouest retrouvé.

---

1. Dans son livre *La Politique des acteurs* déjà cité.
2. Le sénateur républicain Phil Gramm du Texas, à qui Costner a donné des fonds pour sa campagne, vient d'être réélu triomphalement et envisage de se présenter aux présidentielles de 1996.

Nous remercions les sociétés de cinéma suivantes qui nous ont autorisé à utiliser des photos de leurs films – photos qui nous ont été fournies par l'agence Sunset Boulevard.
– New World pour *Le Marchand d'armes, Une bringue d'enfer*
– Warner Bros pour *Le Prix de l'exploit, Robin des Bois, JFK, Un monde parfait* et *Wyatt Earp*
– Columbia Pictures pour *Silverado* et *Revenge*
– Orion Pictures pour *Sens Unique, Duo à trois* et *Danse avec les loups*
– Paramount Pictures pour *Les Incorruptibles*

Nous remercions également l'agence GAMMA qui nous a fourni les autres photographies, cahier I p. 6 en bas ; cahier II p. 1 en haut, p. 2 haut et bas.

FILMOGRAPHIE

Les dates indiquées sont celles de sortie et non de tournage, y compris pour ses premiers films, ayant eu des sorties très tardives. Tous les films sont en couleurs.

Stacy's Knights (1981) (« Les chevaliers de Stacy »)

Dist : CROWN

Production : JoAnn Locktov, Freddy Sweet – Mise en scène : Jim Wilson – Scénario : Michael Blake – Photo : Raoul Lomas – Musique : Norton Buffalo.

Interprètes : Andrea Milian (Stacy Lancaster), Kevin Costner (Will Bonner), Eve Lilith (Jean Dennison), Mike Reynolds (Shaky Poole), Ed Semenza (The Kid), Garth Howard (Mr C).

Frances (1982)

Dist : UNIVERSAL

Production : Jonathan Sanger pour EMI/Brooksfilm – Mise en scène : Graeme Clifford – Scénario : Eric Bergren, Chris De Vore et Nicholas Kazan – Photo : Laszlo Kovacs – Musique : John Barry – Montage : John Wright – Direction artistique : Richard Sylbert – Décors : Emad Helmey – Costumes : Patricia Norris.

Interprètes : Jessica Lange (Frances Farmer), Sam Shepard (Harry York), Kim Stanley (Lilian Farmer), Bart Burns (Ernest Farmer), Jordan Charney (Harold Clurman), Donald Craig (Ralph Edwards), Sarah Cunningham (Alma), Jeffrey DeMunn (Clifford Odets), John Randolph (Juge), Kevin Costner (Luther Adler, rôle coupé au montage).

Coup de cœur (One from the heart) (1982)

Dist : COLUMBIA

Production : Armyan Bernstein pour Zoetrope Film (société de Coppola) – Mise en scène : Francis Ford Coppola – Scénario : A. Bernstein (et sujet), FF. Coppola – Photo : Vittorio Storaro, Ron V. Garcia – Musique et chansons : Tom Waits – Montage : Anne Goursaud, Rudi Fehr, Randy Roberts – Direction artistique : Dean Tavoularis – Décors : Angelo Graham – Effets spéciaux : Robert Swarthe – Chorégraphie : Kenny Ortega (passé en 1993 à la mise en scène).

Interprètes : Frederic Forrest (Hank), Teri Garr (Frannie), Raul Julia (Ray), Nastassia Kinski (Leila), Lainie Kazan (Maggie), Harry Dean Stanton (Moe), Allan Goorvitz (restaurateur), Kevin Costner (rôle coupé au montage).

Night Shift (1982) (« L'Équipe de nuit »)

Dist : WARNER BROS

Production : Brian Grazer pour Ladd Compagny – Mise en scène : Ron Howard – Scénario : Lowell Ganz, Babaloo Mandel – Photo : James Crabe – Musique : Burt Bacharach – Montage : Robert J. Kern Jr, Daniel P. Hanley, Mike Hill – Direction artistique : Jack Collis – Décors : Pete Smith – Effets spéciaux : Allen Hall.

Interprètes : Henry Winkler (Chuck Lumley), Michael Keaton (Bill Blazejowski), Shelley Long (Belinda Keaton), Gina Hecht (Charlotte Koogle), Pat Corley (Edward Koogle), Bobbi DiCicco (Leonard), Clint Howard, Joe Spinell, Kevin Costner, etc.

Les Copains d'abord (The Big Chill) (1983)

Dist : COLUMBIA

Production : Michael Shamberg pour Carson Productions Group (compagnie de Lawrence Kasdan à l'époque) – Mise en scène : Lawrence Kasdan – Scénario : L. Kasdan, Barbara Benedek – Photo : John Bailey – Musique : Meg Kasdan – Montage : Carol Littleton – Direction artistique : Ida Random.

Interprètes : Tom Berenger (Sam), Glenn Close (Sarah), Jeff Goldblum (Michal), William Hurt (Nick), Kevin Kline (Harold), Mary Kay Place (Meg), Meg Tilly (Chloe), JoBeth Williams (Karen), Don Galloway (Richard), Patricia Gaul (Annie), Kevin

Costner (Alex le suicidé, rôle coupé au montage), Meg Kasdan (l'hôtesse de l'air).

Le Dernier Testament *(Testament) (1983)*

Dist : PARAMOUNT

Production : Jonathan Bernstein, Lynne Litman – Mise en scène : L. Litman – Scénario : John Sacred Young – Photo : Stephen Foster – Musique : James Horner – Montage : Suzanne Petit – Direction artistique : David Nichols – Costumes : Julie Weiss.

Interprètes : Jane Alexander (Carol Wetherly), William Devane (Tom Wetherly), Ross Harris (Bard Wetherly), Roxana Zal (Mary Liz Wetherly), Lukas Haas (Scottie Wetherly), Philip Anglim (Hollis), Lillia Skala (Fania), Leon Ames (Henry Abhart), Lurene Tuttle (Rosemary Abhart), Rebecca De Mornay (Cathy Pitkin), Kevin Costner (Phil Pitkin).

Une table pour cinq *(Table for five) (1983)*

Dist : WARNER BROS

Production : Robert Schaffel – Mise en scène : Robert Lieberman – Scénario : David Seltzer – Photo : Vilmos Zsigmond – Musique : Miles Goodman, John Morris – Montage : Michael Kahn – Direction artistique : Robert F. Boyle – Décors : Norman Newberry – Costumes : Vicki Sanchez.

Interprètes : Jon Voigt (J. P. Tannen), Richard Crenna (Mitchell), Marie-Christine Barrault (Marie), Millie Perkins (Kathleen), Roxana Zal (Tilde), Robby Kiger (Truman-Paul), Son Hoang Bui (Trung), Maria O'Brien (Mandy), Kevin Costner et Cynthia Kania (les jeunes mariés).

Shadows run black *(1984)* (« Les ombres sont noires »)

Dist : TROMA

Production : Eric Louzil pour Mesa Films – Mise en scène : Howard Heard – Scénario : Craig Kusaba, Duke Howard – Photo : John Sprung – Musique : Steve Mann – Montage : David Ganzino.

Interprètes : William J. Kulzer (Rydell King), Kevin Costner (Jimmy Scott), Elizabeth Trosper (Judy Cole), George J. Engelson (le prêtre), Diane Hinkler (Helen Cole), Shea Porter.

(Tourné en 1981 avant *Stacy's Knights* et sorti directement en vidéo.)

Une bringue d'enfer (Fandango) (1984)

Dist : WARNER BROS

Production : Tim Zinnemann – Mise en scène et scénario : Kevin Reynolds – Producteurs exécutifs : Frank Marshall, Kathleen Kennedy pour Amblin Entertainment (compagnie de Steven Spielberg) – Photo : Thomas Del Ruth – Musique : Alan Silvestri – Montage : Arthur Schmidt – Direction artistique : Peter Lansdown Smith – Effets spéciaux : Larry Cavanaugh – Chorégraphie : Mike Haley – Costume : Michele Neely.

Interprètes : Kevin Costner (Gardner Barnes), Judd Nelson (Phil Hicks), Sam Robards (Kenneth Waggener), Chuck Bush (Dorman), Brian Cesak (Lester), Marvin J. McIntyre (Truman Sparks), Suzy Amis (la fille), Glenne Headley (Trelis), Elizabeth Daily (Judy), Robyn Rose (Lorna), Karl Wickman (le pilote hippie), Pepe Serna (le mécanicien), Bill Warren (Truman).

La Mascotte (The Mission) (1985)

Dist : UNIVERSAL

Épisode de la série télévisée *Histoires fantastiques (Amazing Stories)* créée et produite par Amblin Entertainment (Compagnie de Steven Spielberg) pour la chaîne NBC.

Production et mise en scène : Steven Spielberg – Scénario : Menno Meyjes – Musique : John Williams – Photo : John McPherson.

Interprètes : Kevin Costner (Capitaine Spark), Casey Siemaszko (Jonathan), Kiefer Sutherland (Static), Jeffrey Jay Cohen (Jake), John Philbin (Bullseye), Gary Mauro (Sam). (Sortie en salles en Europe avec deux autres épisodes de la série en 1987 sous le titre : *Histoires fantastiques*.)

(Montré pour la première fois à la télévision le 20 février 1985 aux États-Unis, et sur Canal + en France en 1986.)

Le Prix de l'exploit (American Flyers) (1985)

Dist : WARNER BROS

Production : Gareth Wigan, Paula Weinstein – Mise en scène : John Badham – Scénario : Steve Tesich – Photo : Don Peterman – Musique : Lee Ritenour, Greg Mathieson – Montage : Frank Morriss – Direction artistique : Lawrence G. Paull.

Interprètes : Kevin Costner (Marcus Sommers), David Grant (David Sommers), Rae Dawn Chong (Sarah), Alexandra Paul

(Becky), Janice Rule (Mme Sommers), Luca Bercovici (Muzzin), Robert Townsend (Jerome), John Amos (Dr. Conrad), Jennifer Grey (Leslie), Katherine Kriss (Vera), John Garber (Belov le coureur russe).

Silverado (1985)

Dist : COLUMBIA

Production et mise en scène : Lawrence Kasdan – Scénario : Lawrence et Mark Kasdan – Photo : John Bailey – Musique : Bruce Broughton – Montage : Carol Littleton – Direction artistique : Ida Random – Costumes : Kristi Zea – Effets spéciaux : Roy Arbogast – Son : David Ronne.

Interprètes : Kevin Kline (Paden), Scott Glenn (Emmett), Kevin Costner (Jake), Danny Glover (Mal), John Cleese (shérif Langston), Rosanna Arquette (Hannah), Brian Dennehy (Cobb), Linda Hunt (Stella), Jeff Goldblum (Slick), Lynn Whitfield (Rae), Jeff Fahey (Tyree), Ray Baker (McKendrick), Joe Seneca (Ezra), Patricia Gaul (Kate).

Sizzle Beach USA (1986)

Dist : TROMA (tourné en 1979 !)

Production : Eric Louzil – Mise en scène : Richard Brander – Scénario : Craig Kusaba.

Interprètes : Kevin Costner (John Logan), Terry Congie (Janice), Leslie Brander (Sheryl), Roselyn Royce (Dit).

(Montré pour la première fois au festival de Cannes en mai 1986 ; sortie réelle en vidéo en 1989 par Vidmark.)

Sens unique (No way out) (1987)

Dist : ORION PICTURES

Production : Laura Ziskin, Robert Garland – Mise en scène : Roger Donaldson – Scénario : Robert Garland d'après le roman de Kenneth Fearing *The Big Clock* et le film du même titre de John V. Farrow (1948) – Photo : John Alcott – Musique : Maurice Jarre – Montage : Neil Travis – Direction artistique : Dennis Washington – Décors : Anthony Brockliss – Cascades : Richard Diamond Farnsworth – Effets spéciaux : Jack Monroe, Terry Frazee – Son : Jack Solomon – Chanson du générique : Paul Anka, Julia Migenes.

Interprètes : Kevin Costner (Tom Farrell/Yuri), Gene Hackman

(David Brice), Will Patton (Scott Pritchard), Howard Duff (Séna-teur Duvall), George Dzundza (Sam Hesselman), Iman (Nina Beka) l'actuelle Mme David Bowie à la ville.

Les Incorruptibles (The Untouchables) (1987)

Dist : PARAMOUNT

Production : Art Linson – Mise en scène : Brian De Palma – Scénario : David Mamet.

Photo : Stephen H. Burum – Musique : Ennio Morricone – Montage : Jerry Greenberg, Bill Pankow – Direction artistique : Hal Gausman – Costumes : Marilyn Vance-Straker – Cascades : Gary Hymes – Effets spéciaux : Albert Delgado, Allen Hall, Charles E. Stewart.

(Sorti en juin 2 mois avant le précédent bien que tourné après.)
Interprètes : Kevin Costner (Elliot Ness), Sean Connery (Jim Malone), Charles Martin Smith (Oscar Wallace), Andy Garcia (George Stone), Robert De Niro (Al Capone), Bill Drago (Frank Nitti), Brad Sullivan (George), Jack Kehoe (Payne), Patricia Clarkson (la femme de Ness), Don Harvey (Preseusky), Peter Aylward (Lt. Anderson).

Duo à trois (Bull Durham) (1988)

Dist : ORION

Production : Thom Mount, Mark Burg – Mise en scène et scé-nario : Ron Shelton – Photo : Bobby Byrne – Musique : Michael Convertino – Montage : Robert Leighton, Adam Weiss – Direction artistique : Armin Ganz – Décors : David Lubin – Costumes : Louise Frogley – Cascades : Webster Whinery – Effets spéciaux : Vern et Jeff Hyde – Son : Michael Boudry.

Interprètes : Kevin Costner (Crash Davis), Susan Sarandon (Annie Savoy), Tim Robbins (Eddy Calvin La Loosh), Trey Wilson (Joe « Skip » Riggins), Robert Wuhl (Larry Hockett), William O'Leary (Jimmy), Danny Ganz (Dick), Tom Silardi (Tony), Greg Avelone (Doc), Jenny Robertson (Millie), Lloyd Williams (Mickey).

Jusqu'au bout du rêve (Field of dreams) (1989)

Dist : UNIVERSAL

Production : Lawrence Gordon, Charles Gordon – Mise en scène et scénario : Phil Alden Robinson d'après Shoeless Joe de

W. P. Kinsella – Photo : John Lindley – Musique : James Horner – Montage : Ian Crafford – Direction artistique : Dennis Gassner – Costumes : Linda Bass – Son : Russell Williams.

Interprètes : Kevin Costner (Ray Kinsella), Amy Madigan (Annie Kinsella), Gaby Hoffman (Karin Kinsella), Ray Liotta (Shoeless Joe Jackson), Timothy Busfield (Mark), Frank Whaley (Archie Graham), Dwier Brown (John Kinsella).

Chasing dreams (1989)
Dist : PRISM ENTERTAINMENT
(Vidéo) (tourné en 1982)
Production : David G. Brown, Therese Conte pour Nascent Productions – Mise en scène : Sean Roche – Scénario : David G. Brown, additions par T. Conte et S. Roche – Photo : Connie Holt – Musique : Gregory Conte – Montage : Jerry Weldon, Robert Sinise – Mise en scène deuxième équipe : Therese Conte – Direction artistique : Bobbi Peterson Himber – Costumes : Nancy Flaherty – Cascades : Scott Cook, Jimmy Monore.

Interprètes : David G. Brown (Gavin), John Fife (Parks), Jime Shane (le père), Claudia Carroll (la mère), Matthew Clark (Ben), Cecilia Bennett (Pam), Kelly McCarthy (Cindy), Lisa Kingston (Sue), Marc Brandes (Gaylord), Dan Waldman (Nick), Kevin Costner (Ed).

(Jamais sorti en salles mais directement en vidéo au bout de sept ans et à cause du succès du précédent – le titre original n'était certainement pas *Chasing dreams* !)

Le marchand d'armes (The Gunrunner) (1989)
Dist : NEW WORLD
Titre original : *St Louis Square* (tourné en 1983)
Production : Richard Sadler, Robert J. Langevin pour Vision Voice – Mise en scène : Nardo Castillo – Scénario : Arnie Gelbart – Musique : Rex Taylor Smith – Photo : Alain Dostie – Direction artistique : Wendell Dennis – Costumes : Denis Sperdouklis – Cascades : Tiberghien Rigby – Effets spéciaux : Jacques Godbout – Montage : Diane Fingado, André Corriveau – Son : Serge Beauchemin – Paroles et musique : Rane Lee, Oliver Jones.

Interprètes : Kevin Costner (Ted Beaubien), Sara Botsford (Maude), Paul Soles (Lochman), Gerard Parkes (Wilson), Ron

Lea (George Beaubien), Mitch Martin (Rosalyn), Larry Lewis (Robert), Daniel Nalbach (Max).

(Production canadienne tournée à Montréal et inachevée, achetée par New World et montée spécialement pour la vidéo en 1989 après que Kevin Costner fut devenu une vedette.)

Revenge (1990)

Dist : COLUMBIA

Producteur exécutif : Kevin Costner – Production : Hunt Lowry, Stanley Rubin pour Rastar Production (compagnie de Ray Stark) et New World – Mise en scène : Tony Scott – Scénario : Jeffrey Fiskin, Jim Harrisson (d'après sa nouvelle) – Photo : Jeffrey Kimball – Musique : Jack Nitzsche – Montage : Chris Lebenzon – Direction artistique : Michael Seymour, Benjamin Fernandez.

Interprètes : Kevin Costner (Jay Cochran), Anthony Quinn (Tiburon), Madeleine Stowe (Myreia), Tomas Milian (Cesar), Joaquin Martinez (Mauro), James Gammon (le Texan), Jesse Corti (Madero), Sally Kirkland (la star de rock), Luis De Icaza (Ramon), Miguel Ferrer (Amador), John Leguizamo (Ignacio), Jo Santos (Ibarra).

Danse avec les loups (Dances with wolves) (1990)

Dist : ORION

Production : Jim Wilson, Kevin Costner (Oscar du meilleur film) pour Tig Productions.

Mise en scène : Kevin Costner (Oscar) – Scénario : Michael Blake (Oscar) d'après son roman *Lieutenant Dunbar* (premier titre du film) – Photo : Dean Semler (Oscar) – Musique : John Barry (Oscar) – Montage : Neil Travis (Oscar) – Direction artistique : Jeffrey Beecroft – Costumes : Elsa Zamparelli – Cascades : Norman L. Howell – Directeur de seconde équipe (non crédité) : Kevin Reynolds – Son (Oscar).

Interprètes : Kevin Costner (Lt. John Dunbar), Mary McDowell (Dressée-avec-le-poing), Graham Greene (Oiseau-qui-donne-des-coups-de-pied), Rodney A. Grant (Vent-dans-les- cheveux), Floyd Red Crow Westerman (Dix-Ours), Tantoo Cardinal (Châle-Noir), Robert Pastorelli (Timmons), Charles Rocket (Lt. Elgin), Maury Chaikin (Major Fambrough), Jimmy Herman (Veau-de-pierre), Tony Pierce (Spivey), Donald Hotton (General Tide).

Robin des Bois, Prince des voleurs (Robin Hood prince of thieves) (1991)

Dist : WARNER BROS

Producteur exécutif : James G. Robinson pour Morgan Creek – Production et scénario : Pen Densham (d'après son histoire), John Watson – Mise en scène : Kevin Reynolds – Musique : Michael Kamen – Photo : Douglas Milsome – Montage : Peter Boyle – Direction artistique : John Graysmark – Costumes : John Bloomfield – Cascades : Paul Weston – Effets spéciaux : John Evans.

Interprètes : Kevin Costner (Robin de Locksley), Morgan Freeman (Azim), Christian Slater (Will Scarlett), Mary Elizabeth Mastrantonio (Marian), Alan Rickman (shérif de Nottingham), Geraldine McEwan (Mortianna la sorcière), Michael McShane (frère Tuck), Brian Blessed (lord Locksley, père de Robin), Michael Wincott (Guy de Gisborne), Nick Brimble (Petit Jean), Daniel Newman (Wulf), Harold Innocent (l'évêque).

JFK (1991)

Dist : WARNER BROS

Production : A. Kitman Ho, Oliver Stone, (Ixtlan Corporation) pour le Studio Canal +, filiale de la chaîne cryptée, Regency Enterprises et Alcor Films – Mise en scène : Oliver Stone – Scénario : O. Stone, Zachary Sklar d'après les livres : *JFK (On the trail of the assassins)* de Jim Garrison et *Crossfire : the plot that killed Kennedy* de Jim Marrs – Photo : Robert Richardson (Oscar) – Musique : John Williams – Montage : Joe Hutshing, Pietro Scalia – Direction artistique : Victor Kempster – Costumes : Marlene Stewart.

Interprètes : Kevin Costner (Jim Garrison), Ed Asner (Guy Bannister), Jack Lemmon (Jack Martin), Gary Oldman (Lee Harvey Oswald), Sissy Spacek (Liz Garrison), Joe Pesci (David Ferrie), Sally Kirkland (Rose Cheramie), Walter Matthau (sénateur Russell Long), Tommy Lee Jones (Clay Shaw), John Candy (Dean Andrews), Kevin Bacon (Willie O'Keefe), Donald Sutherland (« X »), Jay O. Sanders (Lou Ivon), Vincent d'Onofrio (Bill Newman), Pat Perkins (Mattie), Brian Doyle-Murray (Jack Ruby), Michael Rooker (Bill Broussard), Gary Grubbs (Al Oser), Laurie Metcalf (Susie Cox), Beata Pozniak (Marina Oswald), Tom Howard (Lyndon B. Johnson), Lolita Davidovich (Beverly), Jim Garrison (Earl Warren), Dale Dye

(General « Y »), Tomas Milian (Leopoldo), Willem Oltmans (George De Mohrenschild).

The Bodyguard (1992)

Dist : WARNER BROS

Production : Lawrence Kasdan pour Kasdan Pictures, Jim Wilson et Kevin Costner pour Tig Productions – Mise en scène : Mick Jackson – Scénario : Lawrence Kasdan – Musique : David Foster, Alan Silvestri – Photo : Andrew Dunn – Direction artistique : Jeffrey Beecroft – Costumes : Susan Nininger – Montage : Richard A. Harris, Donn Cambern.

Interprètes : Kevin Costner (Frank Farmer), Whitney Houston (Rachel Marron), Bill Cobbs (Bill Devaney), Gary Kemp (Sy Spector), Michele Lamar Richards (Nikki Marron), Mike Starr (Tony), Ralph Waite (Herb Farmer), Tomas Arana (Portman), Christopher Birt (Henry), Joe Urla (Minella), Tony Pierce (Dan), Charles Keating (Klingman), Debbie Reynolds (elle-même), Robert Wuhl (hôte des Oscars), Gerry Bamman (Ray Court), Ethel Ayler (Emma), Nathaniel Parker (Clive Healy).

Un monde parfait (A perfect world) (1993)

Dist : WARNER BROS

Production : Mark Johnson, David Valdes pour Malpaso Company (compagnie de Clint Eastwood) – Mise en scène : Clint Eastwood – Scénario : John Lee Hancock – Photo : Jack N. Green – Montage : Joel Cox, Ron Spang – Musique : Lennie Niehaus – Direction artistique : Henry Bumstead – Costumes : Erica Edell Phillips.

Interprètes : Kevin Costner (Butch), Clint Eastwood (Red), Laura Dern (Sally Gerber), T. J. Lowther (Philip Perry), Keith Szarabajka (Terry), Leo Burmester (Tom Adler), Paul Hewitt (Dick Suttle), Bradley Whitford (Bobby Lee), Ray McKinnon (Bradley), Jennifer Griffin (Gladys Perry), Darryl Cox (Mr. Hughes), Vernon Grote (un gardien de prison), Bruce McGill (Paul Saunders).

Rapa Nui (1994)

Dist : MAJESTIC FILMS

Production : Jim Wilson, Kevin Costner, Barrie M. Osborne pour Tig Productions, Guy East pour Newcomm Ltd – Mise en scène : Kevin Reynolds – Scénario : Kevin Reynolds (auteur de l'histoire), Tim Rose Price – Photo : Stephen F. Windom – Montage : Peter Boyle – Musique : Stewart Copeland – Direction artistique : George Liddle – Costumes : John Bloomfield.

Interprètes : Jason Scott Lee, Esai Morales, Sandrine Holt.

Wyatt Earp (1994)

Dist : WARNER BROS

Production : Lawrence Kasdan pour Kasdan Pictures ; Jim Wilson, Kevin Costner pour Tig Productions – Producteurs Exécutifs : Jon Slan, Charles Okun, Michael Grillo, Dan Gordon – Mise en scène : Lawrence Kasdan – Scénario : Lawrence Kasdan, Dan Gordon – Photo : Owen Roizman – Montage : Carol Littleton – Musique : James Newton Howard – Direction artistique : Ida Random – Costumes : Colleen Atwood (Helen Huffner).

Interprètes : Kevin Costner (Wyatt Earp), Dennis Quaid (Doc Holliday), Isabella Rossellini (Big Nose Kate Elder), Gene Hackman (le père, Nicholas Earp), Jo Beth Williams (Bessie Earp, femme de James), Mare Winningham (Mattie, 2ᵉ femme de Wyatt), Catherine O'Hara (Allie Earp, femme de Virgil), Bill Pullman (shérif Bat Masterson), Adam Baldwin (shérif Ed Masterson), Mark Harmon (shérif John Behan), Michael Madsen (Virgil Earp), Linden Ashby (Morgan Earp), David Andrews (James Earp), Annabeth Gish (Urilla Earp, 1ʳᵉ femme de Wyatt), Joanna Going (Josie Earp, 3ᵉ femme de Wyatt), Todd Allen, Tom Sizemore, Jeff Fahey (Ike Clanton), James Gammon, Alison Elliott (Lou, femme de Morgan), Glenn Withrow (Ed Ross).

The War (1994)

Dist : UNIVERSAL

Production : Jon Avnet, Jordan Kerner pour Island World – Producteurs exécutifs : Eric Eisner, Todd Baker, Kathy McWorther – Mise en scène : Jon Avnet – Scénario : Kathy McWorther – Photo : Geoffrey Simpson – Montage : Debra Neil – Musique : Thomas Newman – Direction artistique : Kristi Zea.

Interprètes : Elijah Wood, Kevin Costner, Mare Winningham, Lexi Randall.

Genre : « Guerre des boutons ». Costner y jouera un vétéran du Viêt-nam dont les enfants Elijah Wood et Lexi Randall sont impliqués dans une bataille pour s'emparer d'un arbre transformé en fort ; Mare Winningham sera l'épouse et mère.

Sortie prévue en mars 1995.

China Moon (1994)

Dist : ORION

Production : Barry M. Osborne pour Tig Productions – Mise en scène : John Bailey – Scénario : Roy Carlson – Photo : Willy Kurant – Montage : Carol Littleton, Jill Savitt – Musique : George Fenton – Direction artistique : Conrad E. Angone – Costumes : Elizabeth McBride.

Interprètes : Ed Harris, Madeleine Stowe, Charles Dance.

WaterWorld (1995)

Dist : UNIVERSAL

Production : Jim Wilson, Kevin Costner pour Tig Productions – Mise en scène : Kevin Reynolds – Scénario : Peter Rader, David Twohy (Joss Whedon, Kevin Reynolds) – Direction artistique : Dennis Gassner.

Interprètes : Kevin Costner, John Malkovich (remplacé par Dennis Hopper), Tina Marjorino.

Genre : apocalypse après le déluge et la fonte des glaces en 2493.

Tournage été-automne 1994 à Hawaii. Sortie prévue à l'été 1995.

EN PRÉPARATION

The Mick
Production et Mise en scène : Kevin Costner pour Tig Productions.

La véritable histoire de Michael Collins, fondateur de l'IRA et de l'État libre d'Irlande.

Paradise

Dist : WARNER BROS

(Titre de pré-production : *Pair-a-dice*)
Mise en scène et scénario : Lawrence Kasdan.
Un *Sa Majesté des Mouches* pour adultes.

Travels with Charlie
Production : Tig Productions.

Kevin vient d'acheter les droits de ce livre de John Steinbeck contant sa traversée des États-Unis avec son chien Charlie. Vente prévue pour la télévision.

Powderkeg
Production et mise en scène : Kevin Costner pour Tig Productions.

Annoncé en juin 1994 pour tournage à l'été 1995, Kevin Costner prenant une année sabbatique après le tournage de *Waterworld*.

Kevin jouera le rôle du pasteur mormon John D. Lee durant la guerre des Mormons, en 1857, avec comme point culminant le massacre de Mountain Meadows dans l'Utah.

BIBLIOGRAPHIE

Sur Kevin Costner :
Todd Keith, *Kevin Costner, the Unauthorised Biography*, Californie, 1991 (premier livre consacré à Kevin, assez désagréable dans ses commentaires, très sensible aux ragots politiques et intimes).
Kelvin Caddies, *Kevin Costner Prince of Hollywood*, Plexus, Londres, 1992 (succinct mais bien documenté, beaucoup de photos intéressantes).
Adrian Wright, *Kevin Costner, a Biography*, Hale, Londres, novembre 1992 (le plus intéressant, analyse sa vie privée et son obstination à parvenir au sommet d'Hollywood).

Sur le Western :
Charles Ford, *Histoire du Western*, Pierre Horay 1964.
Le Western, 10/18 (édition augmentée UGE 1969, Tel Quel 3ᵉ édition 1989).
Jim Kitses, *Horizons West*, Thames and Hudson (Cinema One 1969), Londres.
William K. Everson, George N. Fenin, *The Western from Silents to Cinerama*, Crown (Bonanza 1962), New York.
William K. Everson, *A Pictorial History of the Western*, Citadel Press, 1969, N.Y.
Jean-Louis Leutrat, *Le Western*, Armand Colin (U Prisme 1973).
Allen Eyles, *The Western*, A.S. Barnes N.Y./Tantivy Press, Londres 1975.
Gilles Gressard, *Le Western*, J'ai Lu 1989 (livre français le plus à jour).
Les Adams, Buck Rainey, *Shoot-em-ups, the Complete Reference guide to Westerns of the Sound Era*, Arlington House 1985, New Rochelle.
Buck Rainey – *The Shoot-em-ups ride again* –, The World of Yesterday 1990, Waynesville N.C. (mise à jour du précédent,

ce qui fait de ces deux livres l'ouvrage le plus complet sur les westerns parlants jusqu'en 1990, y compris à la télévision).
Ted Sennett, *Great Hollywood Westerns*, AFI Press, Abrams 1990, N.Y.

Sur les Indiens :
Alvin M. Josephy Jr., *The Indian Heritage of America*, Bantam Books 1981, N.Y.
Helen Hunt Jackson, *Un siècle de déshonneur*, 10/18 (UGE 1972).
Dee Brown, *Enterre mon cœur à Wounded Knee*, Stock 1973.
Leslie A. Fiedler, *The Return of the vanishing American*, Stein et Day 1968, N.Y. (traduit au Seuil : *Le Retour du Peau-Rouge*).
Les Indiens et le Cinéma, les 3 Cailloux, Maison de la Culture d'Amiens, 1989.
Michel Ciment, *Les Conquérants d'un nouveau monde, essais sur le cinéma américain*, Gallimard (Idées 1981).
Jean Pictet, *L'Épopée des Peaux-Rouges*, Éditions du Rocher, 1988.
Michael Blake, *Danse avec les loups*, Éditions du Rocher, 1991, et tous les ouvrages de la collection « Nuage Rouge ».
Elise Marienstras, *La Résistance indienne aux États-Unis du XVIe au XXe siècles*, Gallimard-Julliard (Archives n° 81 – 1980).
Les Mythes fondateurs de la nation américaine, Maspéro, 1976.

Sur les Incorruptibles et Al Capone :
Kenneth G. Alsop, *La Guerre des bootleggers à Chicago*, J'ai Lu 1969.
John Kobler, *Al Capone et la Guerre des gangs à Chicago*, R. Laffont 1971.

Sur le base-ball :
G. Jacobs et J. R. McCrory, *Base-ball rules in pictures*, Perigee Books 1990 N.Y. (le plus simple et le plus facile – en images – pour des Français maîtrisant peu l'anglais).
Harold Seymour, *Base-ball, the Golden Age*, Oxford University Press 1971 – N.Y. (la meilleure histoire de 1903 à 1930, l'âge d'or du base-ball).
Lawrence Ritter & Donald Honig, *The Image of their Greatness (An illustrated history of base-ball from 1900 to the present)* (NDLA 1990) Crown 1992 – N.Y. (l'histoire la plus complète à ce jour).

Donald Honig, *The National League, an illustrated history.*
The American League, an illustrated history (ces deux derniers pour les amateurs d'exhaustivité).

Sur la série B :
Pascal Mérigeau, Stéphane Bourgoin, *Série B*, Edilig (Cinégraphiques 1983)
Todd McCarthy, Charles Flynn, *Kings of the B's*, Dutton 1975, N.Y.
Don Miller, *B movies,* Curtis Books 1973, N.Y.

Sur l'assassinat de J. F. Kennedy :
Chuck & Sam Giancana, *Notre homme à la Maison-Blanche,* R. Laffont 1992.
David E. Scheim, *Les Assassins de Kennedy*, Acropole 1992.
Jim Garrison, *JFK affaire non classée*, J'ai Lu 1992.
Robert Sam Anson, *Ils ont tué Kennedy,* Denoël 1976.
Charles Ashman, *The CIA – Mafia link,* Manor Books 1975, N.Y.
Robert G. Blakey, Richard Billings, *The Plot to kill the President : Organised crime assassinated JFK,* Times Books 1991, N.Y.
John H. Davis, *Mafia Kingfish : Carlos Marcello and the assassination of John F. Kennedy,* Signet Books 1990, N.Y.
The Kennedy Contract, Harper Collins 1993, N.Y.
David S. Lifton, *Best evidence*, Carroll & Graf 1988, N.Y.
Harrison Edward Livingstone, *High Treason 1 and 2*, Carroll and Graf 1992, N.Y.
Jim Marrs, *Crossfire : The Plot to assassinate President Kennedy,* Carroll & Graf 1989 – N.Y.
J. M. Newman, *JFK and Vietnam*, Warner Bros 1992, N.Y.
Carl Oglesby, *The JFK assassination*, Signet Books 1992, N.Y.
Who killed Kennedy ?, Odonian Press 1992, Berkeley.
L. Fletcher Prouty, *JFK*, Birch Lane Press 1992, N.Y.
Peter Dale Scott, *Crime and Cover-up : The CIA, the Mafia and the Dallas-Watergate connection*, Westworks 1977, Berkeley.
Anthony Summers, *Conspiracy*, Paragon House 1989, N.Y.

Sur la Mafia :

Robert F. Kennedy, *The Enemy within*, Harper & Row 1960, N.Y.

John McClellan, *Crime without Punishment*, Duell, Sloan and Pearce 1962, N.Y.

Hank Messick, Burt Goldblatt, *The Mobs and the Mafia*, Ballantine 1973, N.Y.

Dan E. Moldea, *The Hoffa Wars*, Paddington Press 1978, N.Y.
Dark victory : Ronald Reagan, MCA and the Mob, Paddington 1978.

Ed Reid, *The Grim Reapers*, Bantam Books 1969, N.Y.

Walter Sheridan, *The Rise and Fall of Jimmy Hoffa*, Saturday Review Press 1973.

Fred J. Cook, *The Secret rulers : Criminal Syndicates and how they control the U.S. Underworld –*, Duell, Sloan & Pearce 1966, N.Y.

Michael Gartner, *Crime and Business*, Dow Jones Books 1971, Princeton.

Nicholas Gage, *Mafia U.S.A.*, Playboy Press 1972, Chicago.

Sur la CIA :

Philip Agee, *Inside the Company : CIA diary*, Bantam Books 1976, N.Y. (*Journal d'un agent secret*, Seuil 1976.)

Lyman B. Kirkpatrick, *The Real CIA*, Macmillan 1968, N.Y.

Victor Marchetti, John Marks, *The CIA and the Cult of Intelligence*, Knopf 1974, N.Y.

Harry Rositzke, *The CIA's Secret Operations*, Readers Digest Press 1977 – N.Y.

David Wise, Thomas B. Ross, *Le Gouvernement invisible des USA*, Stock 1966.

Sur Hollywood :

Philip French, *The Movie Moguls*, Weindenfeld and Nicholson, 1969, Londres.

Neal Gabler, *An Empire of their own : How the Jews invented Hollywood*, Crown 1988, N.Y.

Ezra Goodman, *The 50 year Decline and Fall of Hollywood*, Simon & Schuster 1961.

Garson Kanin, *Hollywood*, Viking Press 1974, N.Y.

Hortense Powdermaker, *Hollywood, the Dream Factory*, Little Brown 1950.

TABLE

Cet ouvrage a été réalisé par la
SOCIÉTÉ NOUVELLE FIRMIN-DIDOT
Mesnil-sur-l'Estrée
pour le compte des Éditions du Rocher
en mars 1995

Éditions du Rocher
28, rue Comte-Félix-Gastaldi
Monaco

Imprimé en France
Dépôt légal : avril 1995
CNE section commerce et industrie Monaco : 19023
N° d'impression : 30272